Du même auteur, chez le même éditeur :

Orcs – L'intégrale de la trilogie (2007)

Les chroniques de Nightshade – L'intégrale (2008)

Vif-Argent :
1. *L'Éveil du Vif-Argent* (2004)
2. *Le Zénith du Vif-Argent* (2005)
3. *Le Crépuscule du Vif-Argent* (2007)

www.bragelonne.fr

Stan Nicholls

Armes de destruction magique

La Revanche des orcs – tome 1

Traduit de l'anglais (Grande-Bretagne) par Isabelle Troin

Bragelonne

Collection dirigée par Stéphane Marsan et Alain Névant

Titre original : *Weapons of Magical Destruction – Orcs : Bad Blood, book 1*
Copyright © 2008 by Stan Nicholls
Publié avec l'accord de l'auteur,
c/o BAROR INTERNATIONAL, INC.,
Armonk, New York, U.S.A.

© Bragelonne 2008, pour la présente traduction.

Illustration de couverture :
© Didier Graffet

ISBN : 978-2-35294-202-3

Bragelonne
35, rue de la Bienfaisance – 75008 Paris

E-mail : info@bragelonne.fr
Site Internet : http://www.bragelonne.fr

En souvenir affectueux de David Gemmell, 1948-2006.

Là où nous en sommes

M*aras-Dantia abritait une grande diversité de formes de vie. Bien entendu, les conflits étaient inévitables entre ces races dites « aînées », mais globalement, respect mutuel et tolérance préservaient le tissu social.*

Jusqu'à l'arrivée d'une nouvelle race.

Les humains — car ils s'appelaient ainsi — avaient bravé des territoires hostiles pour pénétrer à Maras-Dantia depuis le Grand Sud. D'abord peu nombreux, ils se multiplièrent rapidement au fil des ans. Ils s'approprièrent le continent, le rebaptisèrent « Centrasie » et entreprirent d'exploiter ses ressources. Ils polluèrent les rivières, abattirent les forêts et détruisirent les communautés des races aînées. Méprisant les cultures qu'ils rencontraient, ils rabaissèrent et corrompirent les autochtones.

Mais leur plus grand crime fut de souiller la magie.

Leur cupidité et leur manque de considération pour l'ordre naturel des choses commencèrent à consumer les énergies vitales de la terre, affaiblissant la magie dont dépendaient les races aînées et modifiant le climat de Maras-Dantia. Bientôt, un front glaciaire se mit à avancer depuis le Nord.

Ainsi les races aînées et les humains entrèrent-ils en guerre.

Le conflit était loin d'être parfaitement défini. La désunion régnait dans les deux camps. D'anciennes divisions au sein des races aînées avaient refait surface ; certains de leurs représentants avaient même choisi de s'allier avec les nouveaux venus. De leur côté, les humains souffraient d'un schisme religieux. Certains étaient des adeptes de la Voie Multiple ; communément appelés « Multis », ils observaient les rites païens. D'autres adhéraient aux préceptes de l'Unité ; surnommés « Unis », ils soutenaient le principe émergeant du monothéisme. Il existait autant d'animosité entre les Unis et les Multis qu'entre les races aînées et les humains.

L'une des seules races indigènes dépourvues de magie, les orcs, compensait cette déficience grâce à ses talents martiaux supérieurs et à une soif de combat brutale.

Stryke était le capitaine d'une unité de guerre comptant trente orcs, les Renards. Pour le seconder, il avait les sergents Haskeer et Jup (le seul nain du groupe) et les caporaux Alfray et Coilla (la seule femelle). Le reste de l'unité se composait de vingt-cinq soldats ordinaires. Les Renards appartenaient à une vaste horde au service de la despotique reine Jennesta, une puissante sorcière qui soutenait la cause Multie. Issue de parents humain et nyadd, Jennesta affichait un sadisme et une dépravation sexuelle légendaires.

Elle confia une mission périlleuse aux Renards : récupérer une relique dans une forteresse Unie. Les orcs s'emparèrent de l'artefact, qui se révéla être un étui à message scellé, ainsi que d'une bonne quantité d'une drogue hallucinogène appelée « pellucide ». Mais Stryke commit l'erreur de laisser son unité fêter sa victoire en goûtant la drogue. À l'aube suivante, alors qu'ils retournaient chez Jennesta en retard et très inquiets de l'accueil qu'ils allaient recevoir, les Renards tombèrent dans une embuscade tendue par des bandits kobolds qui leur dérobèrent l'artefact. Stryke savait que le prix de leur négligence serait terrible ; aussi décida-t-il de poursuivre les pillards.

Supposant que les Renards l'avaient trahie, Jennesta les déclara hors la loi et ordonna qu'on les capture morts ou vifs. Elle entra également en contact avec ses sœurs Adpar et Sanara, auxquelles elle était liée télépathiquement. Mais de vieilles rancœurs familiales l'empêchèrent de découvrir si l'une ou l'autre savait où se trouvaient les Renards et le précieux artefact.

Pendant que les Renards cherchaient les kobolds, Stryke commença à avoir des visions alors qu'il était éveillé. Celles-ci lui montraient un monde peuplé seulement d'orcs, vivant en harmonie avec la nature et contrôlant leur propre destinée. Des orcs qui ne connaissaient rien des humains ou des autres races aînées.

Il craignit de devenir fou.

Après avoir localisé les kobolds, les Renards se vengèrent de façon sanglante et récupérèrent l'artefact. Ils libérèrent également un vieil érudit gremlin nommé Mobbs, qui était persuadé que le cylindre contenait un objet en rapport direct avec l'origine des races aînées. Selon lui, le cylindre était lié à Vermegram et Tentarr Amgrim, deux personnages légendaires de l'histoire de Maras-Dantia. Vermegram était une sorcière nyadd et la mère de Jennesta, Adpar et Sanara. On racontait qu'elle avait été tuée par Amgrim, un humain dont les pouvoirs magiques égalaient les siens.

Les révélations de Mobbs amenèrent à la surface l'esprit de rébellion latent chez les Renards. Stryke plaida avec succès pour que les orcs ouvrent le cylindre. À l'intérieur, ils découvrirent un objet fabriqué dans un matériau inconnu, se composant d'une sphère centrale ornée de sept minuscules pointes de longueurs différentes. On aurait dit une étoile stylisée, un jouet pour enfant. Mobbs leur expliqua qu'il s'agissait d'une «instrumentalité», un totem d'un grand pouvoir magique longtemps considéré comme mythique. Unie à ses quatre semblables, elle révélerait une vérité profonde sur les races aînées — une vérité qui, selon les légendes, pourrait les libérer. Poussés par Stryke, les Renards brisèrent leur allégeance envers Jennesta et se mirent à la recherche des autres étoiles, en se disant que même une quête vaine valait mieux que leur actuelle servitude.

La première étape de leur périple les conduisit à Trinité, une communauté humaine dirigée par le prêcheur fanatique Kimball Hobrow. Celui-ci vénérait l'instrumentalité comme un objet de culte. Les Renards s'en emparèrent et parvinrent à fuir de justesse. Puis ils se dirigèrent vers Scratch, le royaume souterrain des trolls, où ils espéraient trouver une autre étoile.

Agacée par l'inefficacité de ses suppôts, Jennesta engagea Micah Lekmann, Greever Aulay et Jabez Blaan, d'impitoyables mercenaires humains spécialisés dans la chasse aux orcs renégats. Le trio jura de revenir avec la tête des Renards.

L'expédition des orcs à Scratch se révéla fructueuse, et une troisième étoile fut récupérée. Mais, saisi par un étrange accès de folie, Haskeer s'enfuit avec les instrumentalités. En le poursuivant, Coilla tomba entre les mains des mercenaires, qui négocièrent sa vente avec des marchands d'esclaves gobelins. Quant à Haskeer, convaincu que les étoiles communiquaient avec lui, il fut capturé par les fidèles zélés de Kimball Hobrow, les Gardiens.

Après avoir délivré Coilla et Haskeer, les Renards apprirent qu'une autre instrumentalité se trouvait peut-être en possession d'un centaure appelé Keppatawn, dont le clan vivait dans la forêt de Drogan.

Jennesta intensifia les recherches, faisant appel à de nouvelles patrouilles draconiques sous la direction de sa Maîtresse des Dragons, Glozellan. Elle maintint également le contact avec ses sœurs Adpar et Sanara, reines de leurs propres domaines dans différentes régions de Maras-Dantia. Adpar, souveraine du royaume aquatique des nyadds, faisait la guerre à la race voisine des merz. Jennesta lui proposa une alliance pour trouver les étoiles, lui promettant de partager leur pouvoir. Mais Adpar n'avait pas confiance en sa sœur ; elle refusa. Folle de rage, Jennesta lui jeta une malédiction.

Sur la route de Drogan, les Renards rencontrèrent à plusieurs reprises un humain énigmatique nommé Serapheim, qui les mit en garde contre des dangers tout proches avant de se volatiliser.

L'unité pénétra dans la forêt et établit le contact avec le centaure Keppatawn. Armurier réputé mais boiteux, Keppatawn possédait une étoile qu'il avait volée à Adpar dans sa jeunesse. Mais un sort jeté par celle-ci l'avait rendu infirme, et seule l'application d'une de ses larmes pouvait le guérir. Keppatawn déclara que, si les Renards lui rapportaient cet étrange trophée, il le leur échangerait contre l'étoile. Stryke accepta sa proposition.

Les orcs se rendirent dans le domaine d'Adpar. Les nyadds et les merz étaient en guerre, et à la suite de l'attaque magique de Jennesta, Adpar avait sombré dans le coma. Les Renards se frayèrent un chemin jusqu'à ses appartements à la force des armes. Ils la trouvèrent sur son lit de mort, abandonnée par ses courtisans. Quand tout sembla perdu,

Adpar versa une unique larme d'apitoiement, que Stryke recueillit dans une fiole. La larme guérit l'infirmité de Keppatawn, qui tint sa promesse et remit l'instrumentalité aux orcs.

Stryke était toujours assailli par des visions de plus en plus intenses. Il se persuada que les étoiles chantaient pour lui.

La dernière instrumentalité se trouvait dans une communauté Multie appelée Ruffet, où une fissure s'était ouverte dans le sol et expulsait de l'énergie magique. Une fois là-bas, les Renards virent venir à eux de nombreux orcs désabusés, dont beaucoup avaient déserté la horde de Jennesta. Apprenant que deux armées (celle de Jennesta et celle de Kimball Hobrow) se dirigeaient vers Ruffet, Stryke autorisa les déserteurs à se joindre aux Renards, malgré ses réticences initiales. Un siège s'ensuivit ; dans le chaos qui en résulta, les Renards s'enfuirent avec la dernière étoile.

Une fois connectés, les cinq artefacts formèrent un instrument qui transporta magiquement les orcs à Ilex, une région glaciaire située à l'extrême nord de Maras-Dantia. Dans un fantastique palais de glace, les Renards découvrirent Sanara qui, contrairement à ses deux sœurs tyranniques, était une souveraine bienveillante. Elle était retenue prisonnière par les Sluaghs, une race de démons impitoyables et quasi immortels qui cherchaient les instrumentalités depuis des siècles. Incapables de vaincre les Sluaghs, les Renards furent eux aussi capturés.

Leur salut se manifesta sous la forme du mystérieux Serapheim, qui se révéla être le légendaire sorcier Tentarr Amgrim, père de Jennesta, d'Adpar et de Sanara. À travers lui, Stryke apprit que Maras-Dantia n'avait jamais été le monde des orcs, ni celui d'aucune des races aînées. La sorcière Vermegram, ex-amante d'Amgrim devenue son ennemie, avait amené les orcs à Maras-Dantia pour se constituer une armée d'esclaves. Mais les portails magiques ouverts dans ce dessein avaient également aspiré d'autres races hors de leurs propres dimensions natales. De manière ironique, Maras-Dantia était et avait toujours été le monde des humains. Les visions de Stryke n'étaient pas des manifestations de démence, mais des images du monde natal des orcs, suscitées par le contact avec l'énergie puissante que généraient les instrumentalités.

S'efforçant de compenser le mal fait par les humains, Tentarr Amgrim avait créé les instrumentalités dans le cadre d'un plan visant à ramener les races aînées dans leur propre dimension. Mais son plan avait échoué, et les étoiles avaient été éparpillées.

Le sorcier aida les Renards à s'échapper, et ils parvinrent à reprendre les instrumentalités aux Sluaghs. Puis Tentarr Amgrim les guida jusqu'à un portail situé dans le sous-sol du palais de glace. Mais alors qu'il s'apprêtait à les renvoyer dans leur dimension, Jennesta surgit à la tête de son armée. La bataille magique qui l'opposa à Tentarr Amgrim et Sanara s'acheva quand elle fut projetée dans l'effrayant vortex du portail.

Jup, l'élément nain des Renards, choisit de rester dans le monde qu'il connaissait plutôt que de regagner la dimension natale de son peuple. Sanara et lui tentèrent de s'enfuir en profitant de l'anarchie qui s'était emparée du palais de glace. Pour sa part, Tentarr Amgrim décida de rester dans la forteresse en train de s'écrouler afin de maintenir les Sluaghs à distance pendant que les autres s'échapperaient. Fourrant les instrumentalités dans les mains de Stryke, il régla le portail sur la dimension des orcs.

Et les Renards pénétrèrent dans le vortex.

Chapitre premier

Les bilkers étaient la deuxième race la plus dangereuse de Ceragan. Ils avaient des dents pareilles à des lames de couteau et une peau aussi dure que du cuir tanné. Et la seule chose supérieure à leur force redoutable, c'était leur agressivité.

Mais ce bilker-là était observé par deux des créatures les plus dangereuses de Ceragan. Comme il se dressait sur ses pattes postérieures massives, sa tête écailleuse effleura la cime d'un arbre qu'un coup de sa queue dentelée aurait suffi à abattre.

— Tu crois qu'on peut se le faire seuls ? chuchota Haskeer.

Stryke acquiesça.

— Ça m'a tout l'air d'un plan foireux.

— Pas si on se montre malins.

— Un étron est plus malin qu'un bilker.

— Dans ce cas, tu n'as pas de souci à te faire.

Haskeer jeta un regard mystifié à son compagnon.

Stryke et Haskeer étaient deux beaux spécimens d'orcs mâles avec leurs épaules larges, leur poitrine solide et leur silhouette musclée. Leur visage raviné portait fièrement leurs mâchoires proéminentes, et l'éclat du silex brillait dans leurs yeux. Des cicatrices pâlissaient sur leurs joues à l'endroit où ils avaient fait effacer les tatouages qui, jadis, indiquaient leur rang – la marque de leur servitude.

Le bilker retomba pesamment sur ses quatre pattes. Il poussa un grognement gargouillant et se remit en marche. Piétinant les buissons et arrachant l'écorce des arbres contre lesquels il se frottait, il s'éloigna au fond de la vallée.

Stryke et Haskeer émergèrent des fourrés, lance à la main, et le suivirent discrètement. Ils s'étaient placés contre le vent, de sorte qu'ils captaient l'odeur nauséabonde de la bête.

Les orcs et leur proie progressèrent ainsi un petit moment. Parfois, le bilker s'arrêtait et tournait maladroitement la tête, comme s'il soupçonnait leur présence, mais Stryke et Haskeer prenaient bien garde à rester hors de vue. La créature scrutait la brèche qu'elle avait ouverte dans la végétation, humait l'air et se remettait en marche.

Au détour d'un petit bosquet, elle traversa un torrent au lit de cailloux polis. Sur la berge opposée se dressait un large promontoire creusé de cavernes. Pour continuer la traque, Stryke et Haskeer devaient s'avancer à découvert. Pliés en deux, ils foncèrent vers l'abri d'un rocher couvert de mousse.

Ils ne se trouvaient qu'à cinq pas du bilker lorsque celui-ci tourna brusquement la tête vers eux.

Stryke et Haskeer se figèrent, hypnotisés par les yeux gros comme des poings et le regard impitoyable de la créature.

Chasseurs et proie demeurèrent pétrifiés pendant quelques instants qui leur parurent une éternité. Puis un changement se produisit chez l'animal.

—Il bilke! glapit Haskeer.

La peau de la créature changeait de couleur pour adopter la teinte grisâtre et l'apparence marbrée du mur de granit sablonneux devant lequel elle se tenait – à l'exception de sa queue, qui virait au vert et au brun pour mieux se confondre avec un arbre voisin.

—Vite! hurla Stryke. Avant qu'on le perde!

Les deux orcs s'élancèrent. Stryke projeta sa lance, qui se planta dans le flanc de la créature et lui arracha un grondement tonitruant.

Le camouflage était la principale défense des bilkers, mais non la seule capacité dont dépendait leur survie. Ils disposaient de moyens d'attaque tout aussi efficaces.

Pivotant, la créature blessée chargea, la lance toujours plantée dans son flanc ensanglanté. Comme elle traversait le ruisseau en sens inverse, faisant jaillir des éclaboussures, la couleur de sa peau continua à changer sous l'effet du stress afin de se fondre dans l'environnement. Mais, l'attaque prenant le pas sur le camouflage, des dysfonctionnements commencèrent à se manifester. La moitié supérieure de son corps conserva l'aspect du granit, tandis que sa moitié inférieure prenait celui de l'eau courante – et devenait presque transparente à cause de la vitesse de sa charge.

Les deux orcs attendirent le bilker de pied ferme. Haskeer avait conservé sa lance, qu'il préférait utiliser en combat rapproché. Stryke dégaina son épée.

Ils restèrent immobiles jusqu'à la dernière seconde. Lorsque la créature fut assez près pour qu'ils sentent son haleine méphitique, ils plongèrent sur le côté : Stryke à droite, Haskeer à gauche. Aussitôt, ils commencèrent à harceler l'animal sur les flancs. Haskeer lui perfora la chair d'une succession d'attaques rapides, tandis que Stryke lui infligeait de profondes entailles.

Avec un rugissement furieux, le bilker riposta. Il pivota très vite d'un agresseur vers l'autre, faisant claquer ses immenses mâchoires, lacérant l'air de ses griffes et passant dangereusement près d'arracher une ou deux têtes d'orcs.

Comme cela ne suffisait pas, il décida d'employer les grands moyens. Sa queue balaya le sol à une vitesse ahurissante. Elle toucha sa cible de justesse, mais ce fut suffisant. La puissance du coup renversa Haskeer, lui fit lâcher sa lance et faillit l'assommer.

Le bilker s'avança pour achever l'orc tombé à terre. Mais Stryke fut plus rapide que lui. Il s'élança, ramassa la lance d'Haskeer et, bandant ses muscles, l'enfonça dans un des jarrets de la créature.

La douleur se révéla une distraction suffisante. Le bilker fit volte-face, la gueule grande ouverte comme pour tailler son adversaire en pièces. Stryke avait hâtivement remis son épée au fourreau avant de saisir la lance. Il tâtonna en quête de la poignée de son arme.

Un couteau de lancer égratigna le côté du museau du bilker. La bête eut un mouvement de recul léger, mais suffisant pour briser son élan. À genoux, Haskeer tira un autre couteau et s'apprêta à réitérer son attaque.

Stryke dégaina au moment où le bilker s'apprêtait de nouveau à lui fondre dessus. Il vit deux orbes d'un noir d'encre flottant dans un jaune maladif. Sans hésiter, il plongea sa lame dans l'œil de la bête.

Un liquide visqueux en jaillit, répandant une puanteur infernale. Le bilker poussa un cri perçant et recula en se tordant de douleur.

Sans lui laisser le moindre répit, Stryke et Haskeer s'avancèrent et entreprirent de lui découper le cou. Ils frappaient chacun à son tour, comme s'ils avaient voulu débiter un chêne en morceaux. Le bilker se débattit en hurlant tandis que sa peau passait par une succession étourdissante de couleurs et de motifs : le bleu du ciel estival, l'herbe et la terre de son lit de mort – et même, brièvement, l'image des deux orcs qui tranchaient les fils de sa vie avec leurs lames.

Juste avant qu'ils le décapitent, sa peau se figea sur une teinte écarlate.

Stryke et Haskeer reculèrent, haletants. Le corps du bilker tressaillait encore, et un flot de sang s'échappait par son cou tranché.

Les deux orcs se laissèrent tomber sur un tronc d'arbre abattu pour reprendre leur souffle et observer les dernières convulsions de leur proie. Ils emplirent leurs poumons de l'air si doux de la victoire, savourant la façon dont la vie semblait toujours plus éclatante, plus exaltante après la mort d'un adversaire.

Ils restèrent assis en silence pendant un bon moment avant que Stryke réalise où ils se trouvaient. À un jet de pierre d'eux béait l'entrée de la plus grande des cavernes. Stryke s'interrogea – et non pour la première fois – sur la fréquence troublante avec laquelle ses pas le ramenaient ici.

—Cet endroit me file les jetons, lâcha Haskeer, visiblement mal à l'aise.

—Je croyais que tu n'avais peur de rien, le taquina Stryke.

—Si tu racontes ça à quelqu'un, je t'arrache la langue. Mais… tu ne sens pas ? C'est comme un goût dégueulasse. Ou une odeur de charogne.

—Pourtant, on revient toujours ici.

—*Tu* reviens toujours ici, rectifia Haskeer.

—Ça me rappelle la dernière mission des Renards.

—Moi, ça me rappelle juste la façon dont nous sommes arrivés dans ce monde. Et je préférerais l'oublier.

—Je t'accorde que c'était… troublant.

Au souvenir de leur « traversée », Stryke réprima un frisson. Haskeer avait le regard rivé sur la gueule noire de la caverne.

—Je sais que nous avons émergé du vortex ici. Mais je ne comprends pas comment.

—Moi non plus, avoua Stryke. Serapheim a dit que c'était comme une porte qui donnait sur un autre monde plutôt qu'à l'intérieur d'un baraquement.

—Comment est-ce possible ?

—C'est une question pour les sorciers dans son genre.

—La *magie*, cracha Haskeer.

Dans sa bouche, ce mot était presque une insulte.

—C'est elle qui nous a amenés ici, oui. Et c'est la seule preuve dont nous ayons besoin. À moins que tout ceci… (d'un large geste, Stryke indiqua le paysage qui les entourait)… soit juste un rêve. Ou le royaume de la mort.

—Tu ne crois tout de même pas… ?

—Non. (Il se pencha et arracha une poignée d'herbe. Il l'écrasa dans son poing, puis souffla pour chasser les brins d'entre ses doigts tachés de vert.) Ça me paraît assez réel.

—Je déteste ne pas savoir, bougonna Haskeer. Ça me perturbe.

—La façon dont nous sommes arrivés ici est un mystère qui dépasse l'entendement d'un orc. Accepte-le.

—Mais comment savoir si ce truc ne risque pas de recommencer – de nous expédier ailleurs sans crier gare ?

—Il ne peut pas fonctionner sans les étoiles. C'est elles qui l'ouvrent – comme une clé. C'est elles qui nous ont envoyés ici.

—On aurait dû les détruire.

—Je ne suis pas certain qu'on aurait pu, objecta Stryke. Mais elles sont en sécurité, tu le sais.

Haskeer poussa un grognement sceptique et continua à fixer l'entrée de la grotte. Les deux amis restèrent assis en silence pendant un moment. Tout était calme, à l'exception d'un léger bourdonnement d'insectes et du bruit feutré que faisaient les petits animaux en se faufilant dans l'herbe. Dans le ciel, des oiseaux battaient paresseusement des ailes pour regagner leur nid. Le soleil descendait vers l'horizon, et la température fraîchissait. Un nuage de mouches s'était formé au-dessus du bilker.

Soudain, Haskeer se redressa.

—Stryke?

—Oui?

—Tu vois ce que je vois?

Haskeer tendit un doigt vers la grotte.

—Je ne vois rien.

—*Regarde!*

—Ton imagination te joue des tours. Il n'y a r…

Un mouvement capta l'attention de Stryke. Il plissa les yeux pour mieux distinguer sa source.

À l'intérieur de la caverne, de minuscules points de lumière multicolores clignotaient et tourbillonnaient. Ils semblaient se démultiplier et gagner en intensité.

Les deux orcs se levèrent.

—Tu sens ça? interrogea Stryke.

La terre vibrait sous leurs pieds.

—Un séisme? suggéra Haskeer.

Plusieurs secousses rapprochées firent onduler le sol. Elles semblaient provenir de la grotte. Dans l'obscurité de celle-ci, les points lumineux s'étaient regroupés pour former une brume scintillante qui palpitait à l'unisson.

Soudain, il y eut une explosion de lumière aveuglante. La gueule de la caverne vomit une rafale de vent brûlant, qui força les deux orcs à détourner le visage.

Puis la lumière s'éteignit, et le tremblement mourut.

Un linceul de silence s'abattit sur la clairière. Plus aucun oiseau ne chantait. Même les insectes s'étaient tus.

Quelque chose s'agita à l'intérieur de la grotte.

Une silhouette émergea de l'ouverture noire. D'un pas raide, elle se dirigea vers les deux orcs.

—Je te l'avais bien dit, Stryke! rugit Haskeer.

Tous deux dégainèrent d'un même mouvement.

Comme la silhouette approchait, ils l'identifièrent – et le choc les frappa comme un coup de poing dans les dents.

La créature était assez jeune, pour autant qu'on puisse en juger chez les représentants de son espèce. Elle avait des cheveux rouge vif et le visage couvert de répugnantes tâches brun clair. Elle portait une tenue élégante peu appropriée au labeur manuel et encore moins au combat. Aucune arme n'était visible sur sa personne.

Les deux orcs s'avancèrent prudemment, épées brandies.

— Fais gaffe, marmonna Haskeer. Il y en a peut-être d'autres.

La créature continua à avancer vers eux. Elle se traînait plus qu'elle marchait, et les détaillait d'un air ahuri. Au prix d'un gros effort, elle leva un bras. Puis elle tituba. Ses jambes se dérobèrent sous elle, et elle s'écroula. Comme le sol était inégal, elle roula un peu plus loin avant de s'immobiliser.

Stryke et Haskeer s'approchèrent sans se départir de leur méfiance naturelle. Stryke poussa la créature du bout de sa botte. N'obtenant aucune réaction, il lui donna deux coups de pied bien sentis. Elle demeura inerte. Alors il s'accroupit et chercha le pouls de son cou. Rien.

— Qu'est-ce que cette chose fiche ici ? interrogea Haskeer, très agité. Et qu'est-ce qui l'a tuée ?

— Rien que je puisse voir, rapporta Stryke en examinant le cadavre. Donne-moi un coup de main.

Haskeer s'accroupit près de lui. Ensemble, ils retournèrent la créature.

— La voilà, ta réponse, lâcha Stryke.

Un couteau était planté dans le dos de l'humain.

Chapitre 2

Ils s'aventurèrent dans la grotte pour vérifier qu'il n'y avait pas d'autres humains tapis à l'intérieur.

Une odeur désagréable, semblable à celle du soufre, s'attardait dans l'air. Mais malgré sa largeur et sa profondeur étonnantes, la caverne se révéla vide.

Les deux orcs revinrent vers le corps. Stryke se pencha, saisit la dague et l'arracha au dos du cadavre. Il en essuya le sang sur le manteau de l'homme mort. La lame était légèrement incurvée et le manche en argent portait des runes qu'il ne reconnut pas. Il planta l'arme dans le sol.

Haskeer et lui retournèrent de nouveau le corps. Déjà, toute couleur désertait son visage, faisant ressortir ses taches de rousseur et paraître ses cheveux encore plus criards.

L'humain portait une amulette sur une fine chaîne autour de son cou. Sur le bijou étaient gravés des symboles différents de ceux de la dague, mais que Stryke ne connaissait pas non plus. Il n'y avait rien dans les poches de son manteau ni dans celles de son pantalon. Et il ne dissimulait aucune arme sur lui.

—Il n'est pas vraiment équipé pour un long voyage, observa Haskeer.

—Et il n'a pas d'étoiles sur lui.

—Autant pour ta théorie de la clé.

—Attends.

Stryke ôta une des bottes de l'humain. La tenant par le talon, il la secoua et la jeta sur le côté. Quand il fit de même avec l'autre botte, quelque chose tomba. L'objet avait la taille d'un œuf de canard et était enveloppé de tissu vert foncé. Il rebondit et s'immobilisa près des pieds d'Haskeer. Celui-ci fit mine de le ramasser, mais se ravisa.

— Et si… ?

— Il n'a pas l'air bien dangereux, dit Stryke en désignant le cadavre du menton. Ce qu'il transportait dans sa botte ne doit pas l'être non plus.

— Avec ces bestioles, on ne sait jamais, répliqua Haskeer, l'air sombre.

— De toute façon, il n'y a pas trente-six façons de le savoir.

Stryke n'hésita qu'une seconde avant de ramasser l'objet.

À l'intérieur du tissu, en lieu et place de l'étoile miniature à laquelle il s'attendait, il découvrit une gemme. Joyau ou simple verroterie ? Il n'aurait su le dire. La pierre était aussi grosse que sa paume, et plutôt lourde. Elle avait un côté plat et l'autre taillé en une multitude de facettes. Au début, il crut qu'elle était noire, mais en y regardant de plus près il vit qu'elle était du rouge le plus sombre.

— Fais gaffe, conseilla Haskeer.

— Elle semble assez inoffensive. (Stryke caressa sa surface brillante.) Je me demande si… *Et merde !* jura-t-il en lâchant la pierre.

— Quoi ? Qu'est-ce qui s'est passé ? interrogea Haskeer.

— Elle m'a brûlé ! se plaignit Stryke en soufflant sur sa main et en agitant ses doigts.

La gemme gisait dans l'herbe. Elle semblait plus rouge qu'avant.

— Elle fait quelque chose, Stryke ! s'exclama Haskeer en dégainant de nouveau son épée.

Oubliant sa douleur, Stryke fixa la pierre. Celle-ci s'était mise à briller. Soudain, sans un bruit, elle projeta un rayon vers le ciel – un rayon qui n'était pas composé de lumière, mais d'une substance brumeuse. Une fumée disciplinée, aussi pâle que de la neige, s'éleva en une colonne parfaitement verticale, sans se laisser troubler par la brise du soir. Au sommet de cette colonne plus haute que les deux orcs, elle forma un large ovale qui se mit à tourbillonner et à scintiller.

—C'est un piège! glapit Haskeer.

Il s'apprêtait à fracasser la pierre avec sa lame, mais Stryke l'arrêta.

—*Non!* Attends!

Le pilier de brume venait de virer du blanc au bleu. Sous le regard stupéfait des deux orcs, le bleu céda la place à du rouge, et le rouge à de l'or. La couleur changeait toutes les trois ou quatre secondes et se communiquait au nuage suspendu au-dessus de leurs têtes, le faisant palpiter d'une manière hypnotique. Stryke et Haskeer étaient complètement fascinés.

Puis la brume parut se solidifier, prenant l'aspect d'une toile suspendue dans les airs – une toile sur laquelle un artiste dément avait jeté des seaux entiers de peinture. Mais bientôt l'ordre balaya le chaos, et une image se forma au centre de l'ovale.

Un visage humain.

C'était celui d'un mâle aux cheveux auburn mi-longs et au menton orné d'une petite barbe soigneusement taillée. Il avait des yeux bleus, un nez crochu et une bouche sensuelle, presque féminine.

—C'est lui! s'exclama Haskeer. Serapheim!

Stryke n'avait pas besoin de confirmation. Lui aussi avait instantanément reconnu Tentarr Amgrim.

Aux yeux d'un orc, le sorcier semblait d'âge indéfini, mais les deux amis le savaient bien plus vieux qu'il en avait l'air. Et si étrange que leur paraisse le comportement des humains, ils percevaient sa présence et son autorité, même filtrées à travers une gemme enchantée.

—Salutations, orcs.

La voix d'Amgrim leur parvenait aussi clairement que s'il s'était tenu devant eux.

—Vous êtes censé être mort! s'écria Haskeer.

—Je ne crois pas qu'il puisse t'entendre, intervint Stryke. Il ne nous parle pas maintenant.

—Quoi?

—Son image a été… inscrite dans la pierre d'une façon ou d'une autre.

—Tu veux dire qu'il est réellement mort?

—Tais-toi et écoute.

— N'ayez pas peur, poursuivit le sorcier. Je sais : c'est stupide de dire ça à une race aussi courageuse que la vôtre. Mais soyez certains que je ne vous veux aucun mal.

Haskeer ne semblait pas vraiment rassuré. Il continua à brandir son épée.

— Si je suis en train de vous parler, c'est parce que la pierre a été conçue pour s'activer dès qu'elle détecterait la présence de Stryke. (Amgrim sourit et ajouta cérémonieusement :) J'espère que tel est le cas et que vous m'entendez, capitaine des Renards. Pour ma part, je ne peux ni vous voir ni vous entendre, comme a dû vous l'expliquer Parnol, l'émissaire qui vous a remis ce message. C'est un acolyte de confiance. Et ne vous laissez pas abuser par sa jeunesse. Sa sagesse n'a pas attendu le nombre des années, et son courage non plus, comme vous serez sûrement amenés à le découvrir. (Le sorcier sourit de nouveau.) Pardonne-moi de t'embarrasser, Parnol : je sais combien tu détestes les compliments.

Stryke et Haskeer jetèrent un coup d'œil au corps sans vie du messager.

— Parnol a déjà dû vous dire qu'il avait reçu pour mission, non seulement de vous apporter la gemme, mais de vous servir de guide au cas où vous accepteriez ma proposition.

— De « guide » ? répéta Haskeer sans comprendre.

— Ce qu'il ne vous a pas révélé, en revanche, c'est la nature de cette proposition, continua Amgrim. J'ai jugé préférable de vous l'exposer moi-même. (Il marqua une pause comme pour rassembler ses pensées.) Vous me croyiez peut-être mort. Ce qui est bien normal, au vu des circonstances dans lesquelles nous nous sommes séparés. Mais j'ai eu assez de chance et de talent pour échapper à la destruction du palais d'Ilex. Mon histoire, toutefois, importe peu pour le moment. Seuls comptent la raison pour laquelle j'ai cherché à vous retrouver et le but de ce message.

— Enfin ! grommela Haskeer.

— Chuuut !

— Partant du principe qu'une image en dit plus long qu'un torrent de mots, regardez donc ceci.

Amgrim disparut. Il fut remplacé par un kaléidoscope d'images. Des scènes d'orcs se faisant fouetter, pendre, brûler vifs ou tailler en pièces par des cavaliers. Des orcs en fuite dont on pillait les loges. Des orcs menés ainsi que du bétail en captivité ou à l'abattoir. Des orcs humiliés, raillés, battus, passés au fil de l'épée.

Et, dans tous les cas, leurs bourreaux étaient humains.

— J'ai honte pour mes semblables, reprit la voix d'Amgrim, accompagnant les images qui défilaient. Trop souvent, ils se comportent comme des animaux. Ce que vous voyez est en train de se produire maintenant. Ces abjections se déroulent dans un monde similaire au vôtre – mais un monde moins fortuné, où les orcs sont dominés par des oppresseurs cruels et où on leur a volé leur liberté comme à vous jadis.

— Des orcs tourmentés par des humains, marmonna Haskeer. Quoi de neuf?

— Vous pouvez aider vos semblables, poursuivit Amgrim. Je ne dis pas que ce sera facile, mais vos talents martiaux et votre courage pourraient faciliter leur libération.

Haskeer poussa un grognement dubitatif. Stryke le foudroya du regard.

— Pourquoi accepteriez-vous d'entreprendre une telle mission? Si le sort de vos camarades ne suffit pas à vous décider, une vision plus familière y parviendra peut-être.

Les scènes de persécution et de carnage s'évanouirent. Elles furent remplacées par une silhouette féminine, ni entièrement humaine, ni entièrement quoi que ce soit d'autre. Ses yeux en amande avaient des cils incroyablement longs et d'insondables prunelles noires. Son nez aquilin et sa bouche pulpeuse étaient enchâssés dans un visage un peu trop plat et large, encadré par des cheveux couleur d'encre de poulpe qui lui descendaient jusqu'à la taille. Mais le plus frappant, c'était la texture de sa peau dont le scintillement vert et argenté donnait l'impression qu'elle était couverte de minuscules écailles. Bien qu'indubitable, sa beauté avait quelque chose de légèrement effrayant.

— Jennesta, commenta inutilement Amgrim.

À cette vue, un frisson parcourut l'échine des deux orcs.

—Oui, elle a survécu à sa chute dans le portail, confirma le sorcier. J'ignore de quelle façon. Et, bien qu'elle soit ma propre fille, je déplore amèrement qu'elle en ait réchappé.

L'image montrait Jennesta filant dans un chariot noir à la tête d'une armée triomphante, s'adressant à une foule en délire depuis le balcon de son palais et présidant une exécution de masse.

—Je vais être direct. La poursuite de son existence est un problème bien supérieur au sort de votre race, si terrible soit-il. Parce que, si personne ne l'arrête, elle finira par réduire nos deux races tout entières en esclavage. Seul, je suis incapable de la vaincre. Mais peut-être serait-il en votre pouvoir de la neutraliser et de vous venger d'elle. Si vous choisissez de le faire, Parnol vous expliquera tout ce que vous avez besoin de savoir. Mais, pour vous guider, il aura besoin des cinq instrumentalités en votre possession. Son voyage vers votre monde était un aller simple. J'espère que vous les avez toujours ; sans quoi, votre quête échouera avant même d'avoir commencé. (Amgrim sourit.) Mais ça m'étonnerait fort.

—Espèce de je-sais-tout, marmonna Haskeer.

Une nouvelle image apparut : cinq sphères parfaites, de couleur différente, chacune grosse comme le poing d'un nouveau-né. Elles étaient taillées dans un matériau inconnu. Toutes s'ornaient de pointes de longueur variable et de nombre différent.

—Les instrumentalités – ou « étoiles », comme vous les avez surnommées – possèdent des pouvoirs remarquables. Plus grands encore que j'en avais conscience lorsque je les ai fabriquées. Peut-être aurais-je dû m'en douter, étant donné l'état lamentable dans lequel leur création m'a laissé. C'était le genre d'accomplissement qui ne se présente qu'une seule fois dans la vie d'un sorcier. Jamais je n'aurais pu en fabriquer un autre jeu. Mais notez ceci : bien que rares, les instrumentalités ne sont en aucun cas uniques.

—Est-ce que ça signifie qu'il en existe d'autres ? chuchota Haskeer.

—Probablement. À ton avis, comment est-il arrivé ici ? demanda Stryke en désignant le cadavre du pouce.

—Parnol sait comment utiliser les étoiles en votre possession pour naviguer entre les portails, expliqua Amgrim. Il sait par exemple que, pour revenir à votre point de départ – Maras-Dantia –, il devrait les disposer comme ceci. (Les étoiles adoptèrent une configuration qui semblait impossible, formant une seule entité aux pièces parfaitement solidaires.) Pour se rendre dans la dimension que je viens de vous montrer, comme cela. (Les étoiles exécutèrent une autre manœuvre improbable.) Et pour retourner dans votre monde d'adoption… (Les étoiles formèrent une nouvelle figure, aussi parfaite et hermétique que les précédentes.)

» Utiliser les instrumentalités sans les avoir verrouillées au préalable les pousserait à agir de manière aléatoire et potentiellement très dangereuse. Mais ne vous souciez pas de leur fonctionnement : ça, c'est le boulot de Parnol. (La voix du sorcier se fit grave.) Votre travail consistera à les protéger comme vous protégeriez votre propre vie. Outre le fait qu'elles constituent le seul moyen de rentrer chez vous, elles ne doivent à aucun prix tomber entre de mauvaises mains. Je vous supplie d'accepter la mission que je viens de vous exposer, Renards. Pour le salut de votre peuple et dans un intérêt bien supérieur.

La lumière de la gemme s'éteignit. Aussitôt, la colonne de fumée fut aspirée à l'intérieur de la pierre. Les ombres crépusculaires revinrent, et le silence avec elles.

— Ben merde alors, lâcha Haskeer.

— Comme c'est poétiquement dit…, railla Stryke.

— Salutations, orcs.

Ils pivotèrent en brandissant leur épée. La gemme s'était remise à briller.

— N'ayez pas peur. Je sais : c'est stupide…

La pierre se mit à grésiller et à palpiter d'une luminescence grise.

— … de dire ça à une race aussi courageuse…

Une vapeur verte se déversa de la gemme. Celle-ci se fendilla avec un craquement de mauvais augure.

— … que la vôtre. Mais soyez certains…

Il y eut une explosion. Des fragments de pierre jaillirent dans toutes les directions.

Stryke remua les restes fumants avec la pointe de son épée. Les braises mourantes dégageaient une odeur fétide.

Les deux amis gardèrent le silence un moment. Puis Haskeer demanda :

—Que diable penses-tu de tout ça ?

—Ça pourrait être l'occasion qu'il nous fallait.

—Quoi ?

—Tu n'as jamais l'impression que… ?

—L'impression que *quoi* ?

—Ne te méprends pas. Rencontrer Thirzarr, venir ici, avoir Corb et Janch… C'est la meilleure chose qui me soit jamais arrivée. Mais…

—Crache le morceau, Stryke, par pitié !

—Ici, nous avons tout ce que nous espérions. Du gibier en abondance, de la camaraderie, des tournois, nos propres loges. Mais… ça ne t'arrive jamais de t'ennuyer ?

Haskeer dévisagea Stryke.

—Ça me soulage que *tu* en parles. Je croyais que j'étais le seul.

—Toi aussi, hein ?

—Ouais. Et je ne sais pas pourquoi. Comme tu viens de le dire, on se la coule douce ici.

—C'est peut-être justement pour ça, fit remarquer Stryke.

La perplexité plissa le front d'Haskeer.

—Qu'est-ce que tu veux dire ?

—Où est le danger ? Où est l'*ennemi* ? Je sais qu'il nous arrive de nous battre avec d'autres clans, mais ce n'est pas la même chose. Ce qu'il nous manque, c'est… un objectif, déclara Stryke.

Haskeer baissa les yeux vers les fragments de la gemme.

—Tu ne prends quand même pas Serapheim au sérieux ?

—Ne disions-nous pas à l'instant que ce serait bon de repartir en mission ?

—Si, mais…

—Quoi de meilleur qu'affûter de nouveau nos lames pour partir à la rescousse de frères orcs ? *Et* avoir une chance de nous venger de cette garce de Jennesta ?

—C'est de la folie. Pourquoi prend-il notre parti contre sa propre race ? Si nous avons appris une chose, c'est qu'il ne faut jamais faire confiance à un humain.

—Il nous a déjà aidés par le passé.

—Quand ça l'arrangeait. J'imagine qu'il ne nous a pas tout dit.

—Possible.

—De toute façon, cette discussion est purement théorique. (Du menton, Haskeer désigna le corps de Parnol.) Parce que, dans cet état, il ne nous emmènera plus nulle part.

—Nous n'avons peut-être pas besoin de lui.

—Pitié, Stryke. Tu n'as pas pu mémoriser toutes les manipulations d'étoiles que Serapheim nous a montrées… pas vrai?

—Celle qui permet de nous ramener ici, oui. J'essaie de la garder en tête.

Haskeer eut l'air impressionné.

—Et les autres?

—Euh, non.

—Alors, ça ne sert à rien. Serapheim a bien dit que ce serait dangereux de…

—J'ai entendu. Mais quelque chose me turlupine.

Stryke se dirigea vers le corps et s'agenouilla pour le délester de son amulette. Tandis qu'il l'examinait, Haskeer se pencha par-dessus son épaule pour mieux voir.

Les runes gravées dans le métal étaient minuscules; ils durent plisser les yeux pour les distinguer. C'était des cercles dont des lignes jaillissaient à des angles différents. Les symboles formaient des groupes de cinq, rangés l'un en dessous de l'autre. Stryke les étudia longuement.

—C'est ça, affirma-t-il enfin.

—Quoi?

—Tu vois le troisième paquet de signes? Il représente la disposition qu'il faut faire prendre aux étoiles pour revenir ici.

Haskeer ne chercha même pas à masquer son ahurissement.

—Tu crois?

—Ça en a bien l'air. Toutes les inscriptions sont différentes, et il y en a beaucoup plus que les trois que nous a montrées Serapheim.

—Tu veux dire que cette amulette… explique comment se servir des étoiles?

—C'est ce qu'on dirait. Elle devait sans doute aider le messager à se souvenir – un peu comme une carte. Je parie que la première inscription correspond à un saut vers Maras-Dantia, et que la seconde ouvre le passage vers le monde de ces autres orcs. Quant au reste…, qui peut le savoir ?

—Tu es drôlement malin, reconnut Haskeer, admiratif.

Stryke mit l'amulette autour de son cou.

—Ne t'excite pas ; il se peut que je me trompe. Mais je me suis souvent demandé pourquoi Amgrim m'avait donné les étoiles. Maintenant, nous savons peut-être pourquoi.

—Tu crois qu'il avait prévu de nous appeler à l'aide ?

—Disons qu'il envisageait peut-être des problèmes à venir.

—Et comptait sur nous pour les résoudre.

—Va savoir. Les humains sont des créatures à deux visages.

—Sur ce coup-là, ce n'est pas moi qui te contredirai, grimaça Haskeer.

Stryke prit une expression songeuse.

—Quelque chose cloche. Les orcs qu'il nous a montrés… Tu as remarqué qu'ils ne résistaient pas ?

Ça n'avait pas frappé Haskeer.

—Maintenant que tu en parles… C'est vrai : ils se laissaient faire.

—Depuis quand est-ce le genre des orcs de tendre l'autre joue ?

—Ouais, c'est *quoi* leur problème ?

Stryke ne put que hausser les épaules.

Haskeer désigna le cadavre.

—Et qui l'a tué ?

—Aucune idée. Mais j'aimerais bien le découvrir. Tu es partant ?

—Si ça peut me donner une occasion de me battre…

Chapitre 3

La lumière de cet après-midi estival s'adoucissait à l'approche du soir, virant du doré à l'orangé. Une douce brise apportait un parfum d'herbe presque sucré. Au loin, on entendait des chants d'oiseaux.

Huit ou neuf loges se dressaient ensemble, flanquées par un corral et deux granges. La communauté occupait le sommet d'une petite colline. Autour de celle-ci s'étendait un paysage verdoyant : forêts denses et pâturages émeraude, au travers desquels serpentait le ruban argenté d'une rivière.

Dans l'une de ces loges, une femelle orc racontait une histoire à ses petits.

— En ce temps-là, un fléau affligeait le royaume. C'était une pestilence ambulante. Une race misérable d'êtres à l'apparence répugnante, avec une chair molle et pâle et un tempérament insatiable qui se repaissait de destruction. Elle arrachait les entrailles de la terre, pillait ses ressources et empoisonnait ses eaux. Elle propageait la maladie en même temps que la discorde. Elle rejetait la magie.

Ses petits étaient suspendus à ses lèvres.

— Son talent pour la dévastation n'avait d'égal que sa bigoterie. Elle éprouvait du mépris envers les autres races et se délectait de les massacrer. Mais son hostilité n'était pas seulement dirigée contre autrui. Ses membres combattaient aussi leurs propres frères. Le sang coulait parmi ses factions, et la guerre faisait rage entre ses tribus. Elle tuait sans raison, et les autres races avaient peur d'elle.

La femelle orc marqua une pause en dévisageant ses petits.

—À une exception près. Il existait une race dont, contrairement à la pestilence, les représentants ne pratiquaient pas le meurtre comme un loisir et ne semaient pas le chaos pour le plaisir. Ils ne manquaient ni de noblesse ni d'honneur, et ils n'offensaient pas le regard. Ils étaient séduisants et courageux. On les appelait…

—Les orcs! s'exclamèrent les petits en chœur.

Thirzarr grimaça.

—Vous deux, vous êtes beaucoup trop malins pour moi.

—Dans les histoires, c'est *toujours* nous les héros, lui rappela Corb.

Elle leur jeta un morceau de viande crue à chacun. Ils gobèrent les friandises avec délectation, et un peu de jus rouge coula le long de leur menton.

—Il n'y a pas de monstres humains dans les parages, pas vrai, maman? demanda Janch en mâchant.

—Non, lui assura Thirzarr. Pas un seul dans tout Ceragan.

Le petit eut l'air déçu.

—Dommage, j'aimerais bien en tuer un.

—Non, c'est moi qui le tuerai! clama Corb en brandissant sa petite épée de bois.

—Bien sûr que oui, mon petit loup. Maintenant, donne-moi ça. (Thirzarr tendit la main, et son fils lui remit le jouet à contrecœur.) Il est temps de faire dodo.

—Nooon! protestèrent les petits.

—Finis d'abord ton histoire! réclama Corb.

—Parle-nous encore de Jennesta, ajouta Janch.

—Oui! renchérit son frère en rebondissant sur son lit. Parle-nous de la sorcière!

—Vous allez faire des cauchemars.

—La sorcière! La sorcière!

—D'accord, d'accord. Calmez-vous. (Thirzarr se pencha vers eux pour les border, puis s'assit au bord d'un des lits.) Mais vous devez me promettre de vous endormir tout de suite après.

Les deux petits acquiescèrent, les yeux grands comme des soucoupes et la couverture remontée sous le menton.

—Jennesta n'était pas exactement une sorcière, rectifia Thirzarr. C'était une magicienne née de magiciens, qui commandait de grands pouvoirs – des pouvoirs encore accrus par sa perversion, car nourris par les souffrances qu'elle infligeait.

» Elle était moitié humaine, moitié nyadd, ce qui expliquait son inquiétante apparence. Et sa moitié humaine était sans aucun doute responsable de sa cruauté. Mais son héritage mélangé ne lui prêtait nulle compassion envers ses deux races d'origine – ni envers aucune autre, d'ailleurs. Elle les traitait toutes avec la même brutalité.

» Jennesta s'était proclamée reine. Elle avait acquis son royaume par la trahison et la violence, mais nul n'osait s'opposer à elle. Sous son règne, c'était la peur qui maniait le fouet. Elle se mêlait des affaires des humains, les soutenant un moment et les combattant ensuite, selon les fluctuations de ses propres intérêts. Elle livrait des guerres inutiles et se vautrait dans le sadisme. Elle déclenchait des conflits qui mettaient le continent à feu et à sang.

—Je suis rentré!

—Papa! s'écrièrent Corb et Janch.

Se redressant brusquement, ils repoussèrent leurs couvertures.

Thirzarr pivota vers la silhouette qui venait d'entrer sans un bruit. Elle soupira.

—J'essaie de les faire dormir, Stryke. Oh, bonsoir, Haskeer! Je ne t'avais pas vu.

Les deux mâles se glissèrent dans la pièce.

—Désolé, articula Stryke.

Trop tard. Les petits étaient debout. Ils se précipitèrent vers leur père et s'accrochèrent à ses jambes, réclamant son attention à grands cris.

Stryke éclata de rire.

—Doucement. Et Haskeer? Vous n'avez rien à lui dire?

—'Soir, tonton Haskeer.

—Je crois qu'il a quelque chose pour vous, ajouta Stryke.

Aussitôt, les deux petits se désintéressèrent de lui pour se précipiter vers Haskeer. Celui-ci les saisit par la peau du cou, un dans chaque main, et les souleva tandis qu'ils gloussaient et se tortillaient dans sa poigne.

— Qu'est-ce que tu nous as apporté ? Qu'est-ce que tu nous as apporté ? piaillèrent-ils.

— Voyons voir...

Haskeer les reposa sur le sol de terre battue, puis glissa une main à l'intérieur de son pourpoint et en sortit deux paquets plats enveloppés de tissu. Avant de les leur tendre, il jeta un coup d'œil à Thirzarr, qui acquiesça.

Les deux frères déchirèrent l'emballage et poussèrent un hoquet de ravissement en découvrant des hachettes jumelles. Les armes étaient à l'échelle de leurs petites mains, avec un tranchant affûté comme la lame d'un rasoir et un splendide manche de bois sculpté.

— Tu n'aurais pas dû, Haskeer, protesta Thirzarr. Les garçons, qu'est-ce qu'on dit ?

— Merci, tonton Haskeer !

Rayonnant, les deux petits brandirent leur hachette et fendirent l'air à grands gestes désordonnés.

— Leur initiation ne tardera plus, non ? Ils ont... quel âge, déjà ? s'enquit Haskeer.

— Corb a quatre ans et Janch trois, répondit Stryke.

— Trois et demi ! corrigea l'intéressé, indigné.

Haskeer hocha la tête.

— Alors, il est grand temps qu'ils tuent quelque chose.

— Oh, ils le feront, lui assura Thirzarr. Merci beaucoup, Haskeer. Tes cadeaux sont très appréciés, mais si ça ne te fait rien...

— Il faut que je te parle, coupa Stryke.

— Pas maintenant.

— C'est important.

— J'essaie de coucher ces deux chenapans.

— Ce serait si terrible qu'ils veillent encore un peu ? Il faut absolument que je te raconte...

— *Pas maintenant.* Tu étais sorti chercher de la viande. Où est-elle ?

La menace dans la voix de Thirzarr dissuada Stryke d'insister. Haskeer et lui se laissèrent pousser hors de la pièce.

Quand la porte claqua derrière eux, Stryke grimaça.

— Je vais attendre qu'elle se calme un peu avant de revenir à la charge.

— Tu sais, Stryke, j'ai parfois l'impression que tu as peur d'elle.

— Pas toi ?

Haskeer préféra changer de sujet.

— Alors, par où veux-tu commencer ?

— Par consulter notre maîtresse stratège.

Chapitre 4

Un seau d'eau se compose de milliards de gouttes microscopiques. Une rivière ou une mer, de milliards de milliards.

Aucun nombre ne peut être appliqué à l'océan des réalités parallèles. Les parties qui le constituent sont infinies. Elles décorent le vide en nuages denses et scintillants dont chaque particule constitue un monde. Aux yeux d'un improbable spectateur, ces grains minuscules auraient l'air identiques.

Mais un globule semblable à tous les autres – il ne brillait ni plus, ni moins que ses voisins – différait pourtant d'eux par un aspect très important.

Il se mourait.

En y regardant de plus près, l'observateur imaginaire aurait distingué un monde en proie au chaos. Une bulle d'eau acide et d'air vicié.

Sa surface présentait des contrastes extrêmes. Une grande partie était encore bleu-vert, mais des tentacules d'aridité parsemaient le globe. Des masses blanches se répandaient depuis les pôles, telle de la crème dégoulinant sur les côtés d'un gâteau, et des miasmes nocifs souillaient l'atmosphère.

Il y avait là quatre continents. Le plus gros, jadis tempéré, présentait désormais des régions au climat semi-tropical. Une cuvette desséchée s'était formée en son centre, tandis que des terres jadis fertiles se changeaient en désert.

Un groupe de cinquante cavaliers cheminait à travers cette désolation. Deux hommes luttaient pour les suivre à pied. Ils avaient les mains attachées, et chacun d'eux était relié par une corde à un cheval qui le traînait derrière lui.

Les cavaliers étaient des miliciens. Sur leur tunique brun-roux se détachait l'emblème d'un tyran. Les prisonniers étaient des civils aux vêtements maculés de poussière et de sueur.

Il faisait chaud. Et la température allait encore augmenter à l'approche de midi, mais les deux hommes n'avaient pas été autorisés à boire. Leurs lèvres étaient craquelées, leur bouche si sèche qu'ils avaient du mal à parler. Ils peinaient à avancer sur leurs pieds couverts d'ampoules.

Ils avaient presque le même âge. Le plus vieux des deux semblait avoir mené une existence facile jusque-là : sa taille commençait à s'épaissir et, avant que le soleil rougisse sa peau, il arborait le teint pâle des gens qui vivent en intérieur. Il avait des yeux bleus au regard vif – certains l'auraient qualifié de fuyant – et une fine bouche exsangue encadrée par un petit bouc. Ses cheveux noirs commençaient à grisonner et à se clairsemer, révélant un début de calvitie.

Son compagnon était légèrement plus jeune, mais aussi plus grand et plus musclé. Il avait une carrure athlétique, une abondante chevelure blonde, des joues et un menton rasés de l'avant-veille. Ses yeux étaient bruns, sa peau bronzée. Sous la crasse, ses vêtements paraissaient bien meilleur marché que ceux de l'autre homme.

Celui-ci lui jeta un regard anxieux.

—Quand comptes-tu réagir ? siffla-t-il.

—Que diable voulez-vous que je fasse ?

—Me témoigner le respect qui m'est dû, pour commencer.

—Que diable voulez-vous que je fasse, *monsieur* ?

—Tu étais censé me protéger. Jusqu'ici, tu n'as fait que…

—Moins fort ! aboya un officier.

Plusieurs autres cavaliers leur jetèrent un coup d'œil hostile.

—… merder à tous les tournants, poursuivit le plus âgé des deux hommes dans un chuchotement rauque. C'est à peine si tu as bronché quand on nous a capturés, et maintenant, vous…

—C'est vous qui vous êtes fourré dans ce guêpier, lui rappela son compagnon à voix basse.

—Nous y sommes tous les deux, au cas où tu n'aurais pas remarqué.

—Donc, c'est «vous» quand tout va bien, et «nous» quand les choses se gâtent. Comme d'habitude.

Le plus âgé des deux hommes s'empourpra.

—Ta langue insolente mérite d'être coupée. Attends un peu que je…

—Que vous quoi? Vous n'êtes pas exactement libre de vos mouvements pour l'instant, pas vrai? railla son compagnon.

D'une main manucurée, le plus âgé des deux hommes s'essuya le front.

—Tu sais ce qui se passera quand ils nous auront conduits devant Hammrik, n'est-ce pas?

—Je devine ce qui vous arrivera.

—Ce qui est bon pour le maître l'est aussi pour le serviteur.

—Possible, concéda l'homme blond. (Du menton, il désigna l'horizon devant eux.) Nous le découvrirons bien assez tôt.

Au loin, les tours d'une forteresse venaient d'apparaître, ondulant dans la brume de chaleur tel un mirage.

Comme ils s'en rapprochaient, les deux hommes virent qu'elle était construite dans une pierre jaune et sablonneuse, de la même teinte que le paysage environnant. Ses murs massifs semblaient assez épais pour résister à un tremblement de terre. Les impacts et les craquelures dont elle était vérolée témoignaient qu'elle avait fait l'objet d'une attaque récente.

Une ville de fortune avait poussé tel un champignon au pied de la forteresse. Des tentes se dressaient dans l'ombre du mur d'enceinte; des cahutes s'adossaient aux remparts. Les allées grouillaient de gens et d'animaux: porteurs d'eau, nomades, fermiers, colporteurs, mercenaires, prostituées, prêtres en robe et quantité de soldats. Des chiens pelés se promenaient en liberté. Des poules grattaient le sol; des cochons mangeaient les détritus. Partout régnait une écœurante odeur d'excréments et d'encens.

Les cavaliers se frayèrent un chemin parmi la foule, traînant toujours leurs prisonniers derrière eux. Ils dépassèrent des gamins dépenaillés, des gardes aux yeux durs et des marchands qui tiraient des ânes surchargés par la bride. Les gens les observaient d'un air peu amène ; quelques-uns leur crachèrent des insultes.

Ils longèrent les étals chargés de pain, de fromage de chèvre, d'épices, de viande et de légumes flétris. Certains proposaient du vin, du brandy ou de la bière. Les prisonniers leur jetèrent un regard plein d'envie, mais ne reçurent en retour qu'une volée de fruits pourris décochée sans grande conviction. En s'écrasant sur leur dos, les projectiles soulevaient un petit nuage de poussière.

Les portes de la forteresse étaient dûment imposantes, entourées de statues épiques et de symboles héraldiques – mais vieilles et délavées. Elles donnaient sur une vaste cour intérieure. Ici aussi, il y avait du bruit et de l'agitation, mais d'un genre plus ordonné, plus militaire.

Les miliciens échangèrent des salutations avec leurs collègues. Puis ils mirent pied à terre. Des palefreniers s'avancèrent et conduisirent les chevaux jusqu'à des abreuvoirs. Les prisonniers n'eurent pas droit à tant de courtoisie : foudroyés du regard ou ignorés, ils s'écroulèrent, épuisés, sur les dalles tièdes de la cour. Personne ne leur en fit le reproche – et personne ne vint détacher leurs poignets.

Ils s'étaient affaissés près d'un petit jardin délimité par un muret. L'endroit devait dater d'une époque plus fertile, car la terre y ressemblait à de la poussière, et les deux arbres qui se dressaient en son centre étaient depuis longtemps desséchés et squelettiques.

Le plus gros de l'escorte des prisonniers se dispersa. Seuls quatre miliciens demeurèrent, les surveillant à distance tandis qu'ils s'entretenaient avec un officier.

Le plus âgé des deux hommes détourna la tête pour qu'ils ne le voient pas et chuchota :

— Tentons de nous enfuir.

— Mauvaise idée. Nous n'avons pas d'alliés ici. Jamais cette foule ne nous offrira de sanctuaire.

— Nous aurions quand même plus de chances de nous en tirer qu'en nous laissant conduire à la mort comme du bétail, non ?

— Oui, avec une flèche dans le dos, répliqua son compagnon.

Il désigna les remparts, sur lesquels plusieurs archers les observaient.

— Ils ne nous tueront pas. Hammrik serait furieux qu'on le prive de ce plaisir.

— Mais je doute qu'ils aient reçu l'ordre de ne pas nous blesser. Si ça vous tente de recevoir une ou deux flèches dans les jambes, allez-y… maître.

Outré par l'impertinence de son serviteur, le plus âgé des deux hommes se remit à bouder en silence.

Une minute plus tard, les gardes les forcèrent à se relever à coups de pied et de bourrades. Il demanda si on ne pourrait pas leur donner à boire.

— Accorder des faveurs, c'est le privilège de mon seigneur, pas le mien, répondit le plus gradé des miliciens.

Après le bref repos qu'ils venaient de prendre, leurs douleurs et leurs meurtrissures étaient encore plus évidentes. Ils avaient les articulations raides, les muscles noués. Pour autant, leurs geôliers ne les traitèrent pas avec plus de ménagement. Des coups de cravache cinglants les incitèrent à presser le pas.

On les entraîna vers une immense porte à double battant qui donnait sur le château proprement dit. À leurs yeux éblouis par la lumière du soleil, l'intérieur de la bâtisse parut d'abord plongé dans la pénombre. Mais il y faisait beaucoup plus frais qu'au-dehors, ce qui était une bénédiction.

Comme nombre de forteresses agrandies au fil des ans, celle-ci se composait d'un dédale de passages, de couloirs et d'escaliers. Les prisonniers franchirent des points de contrôle et des portes verrouillées, mais, à l'exception de quelques meurtrières, ils ne virent que peu de fenêtres.

Enfin, ils arrivèrent dans un hall de bonne taille. La pièce était haute de plafond, avec des murs lambrissés. Quelqu'un avait tiré les rideaux pour empêcher la chaleur d'entrer. Lampes à huile et bougies fournissaient l'éclairage nécessaire. L'atmosphère était étouffante. Des blasons avaient jadis été accrochés au-dessus des lambris ; récemment fracassés, ils révélaient le granit blanc des murs en dessous.

Les soldats présents dans le hall portaient la livrée d'une garde rapprochée. Une poignée de hauts fonctionnaires se trouvait également là.

Il n'y avait pas d'autres meubles qu'un trône de chêne disposé sur une estrade, au fond de la pièce. Lui aussi avait été vandalisé : quelqu'un avait fendu son haut dossier à la hache. Les prisonniers furent conduits face à l'estrade et reçurent l'ordre de ne plus bouger.

Une minute glaciale s'écoula, pendant laquelle ils échangèrent des regards mornes.

Derrière le trône se trouvait une porte habilement dissimulée parmi les lambris. Elle s'ouvrit, et quelqu'un entra.

Il existe toutes sortes de dirigeants. Ceux qui ont hérité de leur charge ne paient pas toujours de mine. Ceux qui s'en sont emparés par la force revêtent souvent des traits guerriers et brutaux. Kantor Hammrik ressemblait à un employé de bureau : une apparence appropriée pour un homme qui venait de s'acheter un royaume. « S'acheter », dans le sens où il avait financé le renversement et le régicide d'un monarque existant.

Il avait l'air de quelqu'un qui a passé toute sa vie adulte à manier la plume – ce qui, d'une certaine façon, était le cas. Très tôt au cours de sa carrière illicite, il avait réalisé l'efficacité de l'équation entre argent et pouvoir. Il l'avait mémorisée et cultivée en ce qui lui servait de cœur. Passé maître dans l'art d'utiliser ses richesses frauduleusement acquises pour manipuler la cupidité humaine sans le moindre scrupule, il s'était élevé socialement sur une marée de sang qui n'était pas le sien, mais qu'il payait pour faire couler.

Sa carrure le prédisposait plus à s'enfuir qu'à se battre. Certains l'auraient traité de gringalet. Toute sa musculature était confinée à son cerveau. Pour contrer la perte de ses cheveux, il se rasait complètement la tête, ce qui faisait ressortir la forme anguleuse de son crâne. Son visage osseux et glabre était dominé par des yeux gris perçants. Mais malheur à qui l'aurait pris pour un vulgaire gratte-papier.

Comme il s'avançait, les gardes forcèrent les prisonniers à s'agenouiller. Tout le monde s'inclina.

—Ah, Micalor Standeven! lança Hammrik en se perchant sur son trône usurpé. Je commençais à croire que je n'aurais plus jamais le plaisir de ta compagnie.

Le plus âgé des deux hommes leva les yeux.

—Quel plaisir de te revoir, Kantor, dit-il avec une bonhomie feinte.

Hammrik le fixa d'un air dur, menaçant.

—Je voulais dire, corrigea hâtivement Standeven, salutations, seigneur. Puis-je profiter de cette occasion pour vous féliciter de votre ascension au…?

D'un geste, Hammrik lui intima le silence.

—Considérons les politesses d'usage comme expédiées, veux-tu? (Son regard se posa sur le compagnon de Standeven.) Je vois que tu te promènes toujours avec ton toutou…

—Euh, oui, sire. C'est…

—Il peut parler tout seul. Comment t'appelles-tu?

—Pepperdyne, sire, répondit le plus jeune des deux prisonniers. Jode Pepperdyne.

—Tu es lié à lui? interrogea Hammrik.

Pepperdyne acquiesça.

—Donc, tu partageras son châtiment.

—S'il s'agit d'une méprise financière, dit Standeven comme si cette idée venait juste de l'effleurer, je suis certain que nous parviendrons à résoudre ce minuscule problème à l'aimable.

—«Minuscule»? répéta Hammrik sur un ton qui n'augurait rien de bon.

—Eh bien, oui, bafouilla Standeven. Pour quelqu'un de votre statut fraîchement acquis, ça ne doit…

—Tais-toi. (Hammrik fit signe à un vieux fonctionnaire d'aspect studieux qui se tenait sur le côté.) Combien?

Le vieil homme portait un registre aux coins écornés. Il se lécha un pouce pour le feuilleter plus facilement.

—Une approximation suffira, ajouta Hammrik.

—Certainement, sire. (Le fonctionnaire trouva l'opération concernée et plissa les yeux.) Avec les intérêts, je dirais… quarante mille.

— Tant que ça ? s'exclama Standeven, feignant la surprise. Ça alors… Tout de même, je suis un peu étonné que vous nous ayez fait venir pour si peu. Je comprends que ç'ait été nécessaire à l'époque où vous étiez prêteur sur… où vous fournissiez des services pécuniaires. Mais vous n'en avez sûrement plus besoin aujourd'hui, sire ?

— Regarde autour de toi. Ce royaume a-t-il l'air prospère ? Renverser Wyvell fut une opération onéreuse et, bien que vaincus, ses partisans n'ont pas encore été éradiqués. Tout cela coûte de l'argent.

— Évidemment.

— Une dette est une dette, et le remboursement de la tienne est échu depuis trop longtemps.

— Bien entendu. C'est une question d'honneur.

— Alors, comment comptes-tu t'y prendre ?

Standeven fixa Hammrik.

— Pourrais-je avoir quelque chose à boire, sire ? Voyez-vous, nous sommes restés affreusement longtemps sous ce soleil de plomb, et…

Hammrik leva une main et réclama de l'eau. Un jeune laquais lui apporta une outre de peau. Il se leva, descendit de l'estrade et s'arrêta devant son débiteur agenouillé. Mais, au lieu de lui donner l'outre, il l'inclina pour faire couler une seule goutte dans la paume tendue de Standeven. Les sourcils froncés, le prisonnier lécha sa main de sa langue desséchée.

— Une goutte, lâcha Hammrik. À ton avis, combien de temps faudrait-il pour t'en faire avaler, disons, quarante mille ?

Éberlué, Standeven ne répondit pas.

— Pas plus de quelques secondes, décida Hammrik, si tu les buvais toutes à la fois. Dans une chope, par exemple.

— Kantor… Je veux dire, sire, bredouilla Standeven. Je…

— Mais suppose qu'on te les administre une par une, comme je viens de le faire. Combien de temps cela prendrait-il ? Des jours ? Des semaines ? (Hammrik tendit l'outre à bout de bras comme pour l'étudier.) Étant donné la détérioration du climat dans cette région – et dans le reste du monde –, l'eau sera bientôt une ressource précieuse. Presque aussi précieuse, j'imagine, que le sang.

Standeven s'agita, mal à l'aise. Pepperdyne ne manifesta aucune émotion.

—Voici ce que je te propose, poursuivit Hammrik. Ou tu me paies en pièces, ou je me rembourse avec ton sang. Quarante mille gouttes, une à la fois. (Il se pencha vers le prisonnier.) Et ce n'est pas seulement une façon de parler.

—Je peux payer ! protesta Standeven.

Hammrik se tourna vers Pepperdyne.

—A-t-il l'argent ?

—Non.

—Vous interrogez un *esclave* sur ma situation financière ? se plaignit Standeven. Que peut-il bien en savoir ?

—Il est plus malin que toi. Ou peut-être pas – sans ça, il t'aurait déjà tranché la gorge pendant ton sommeil. Mais au moins, il ne m'a pas insulté en me mentant. Ça lui vaudra une mort plus rapide que la tienne.

—Vous pouvez le prendre.

—Quoi ?

—En remboursement de ma dette. Il est costaud et dur à la tâche. Il…

Hammrik éclata de rire.

—Et je croyais que j'étais un usurier. Il ne vaut pas une fraction de ce que tu me dois. Pourquoi voudrais-je d'une bouche supplémentaire à nourrir ?

—Je peux vous payer, insista Standeven. J'ai juste besoin d'un peu de temps pour rassembler…

—Du temps, j'en ai déjà perdu assez avec toi. Il ne me reste pas d'autre solution que de vous faire exécuter tous les deux. Gardes !

Des hommes s'avancèrent et s'emparèrent des prisonniers.

—Vous n'êtes pas obligé de faire ça, plaida Standeven. Nous pouvons trouver un arrangement !

Mais déjà, Hammrik s'éloignait.

—Et si nous pouvions vous offrir quelque chose de plus précieux que de l'argent ? lança Pepperdyne dans son dos.

L'usurpateur s'arrêta et se retourna.

—Que pourriez-vous bien posséder qui soit susceptible de m'intéresser ?

—Quelque chose que vous désirez depuis longtemps.

—Continue.

—Tout le monde sait que vous cherchez les instrumentalités.

Une lueur brûlante s'alluma dans les yeux d'Hammrik, mais ce fut avec détachement qu'il répliqua :

—Et nombreux sont ceux qui ont menti en affirmant savoir où elles se trouvaient.

—Nous, c'est différent. Nous pourrions vraiment vous aider à leur mettre la main dessus.

—Comment ?

—Mon maître ne fabulait pas totalement en disant qu'il pourrait vous payer. Notre plan consistait à localiser les instrumentalités, à les vendre au plus offrant et à régler la dette avec le produit de la transaction. En fait, nous étions sur leur piste lorsque vos hommes nous ont… interceptés.

—Pourquoi ne l'avez-vous pas mentionné plus tôt ?

—Dans notre position, auriez-vous pris le risque de voir un tel trophée vous filer entre les mains ?

Standeven semblait abasourdi par le tour que prenaient les événements. Ce qui ne l'empêcha pas d'acquiescer avec vigueur.

—C'est vrai. Comme vous, j'ai entendu les histoires qu'on raconte, même si j'avoue ne pas bien comprendre à quoi les instrumentalités sont censées servir. Mais j'ai toujours pensé que celui qui les trouverait ferait fortune grâce à elles.

—Je n'ai aucune intention d'en tirer de l'argent, le détrompa Hammrik.

—Vous n'êtes pas intéressé par leur *valeur* ? hoqueta Standeven, choqué.

—Pas par leur valeur marchande, non. Si elles fonctionnent ainsi qu'on le prétend, elles pourraient nous permettre, à moi et à mes semblables, de nous échapper de ce monde puant.

Ni Standeven ni Pepperdyne ne comprirent cette remarque,

mais ils jugèrent plus sage de ne pas réclamer d'éclaircissements.

— Et qu'est-ce qui vous fait croire que vous avez une chance de réussir là où tant d'autres ont échoué? interrogea Hammrik.

— Nous avons des indices, répondit Pepperdyne.

— Lesquels?

— Vous nous pardonnerez de ne pas vous livrer notre seule monnaie d'échange sur un plateau, grinça Standeven.

— Vous bluffez tous les deux, affirma Hammrik.

— Êtes-vous prêt à courir ce risque? rétorqua Standeven.

— Et qu'avez-vous à perdre si nous mentons? ajouta Pepperdyne.

Hammrik réfléchit.

— Que devrais-je faire pour me procurer les instrumentalités?

— Avec tout le respect que je vous dois, sire, ce n'est pas vous qui partiriez à leur recherche, mais nous.

— Explique-toi.

— D'après nos informations, elles se trouvent dans l'extrême Nord.

— À quelle distance d'ici?

— Au-delà des frontières du pays. Dans ces nouvelles contrées.

— En Centrasie? D'après ce que j'ai entendu dire, c'est plein de monstres et de créatures étranges.

— Il paraît également qu'on y trouve de la magie – d'un certain type. Mais ça en fait un endroit logique où chercher les instrumentalités, pas vrai?

— Que ferez-vous là-bas que je ne pourrais accomplir avec une armée?

— En avez-vous une en réserve? Et puis, nous disposons des contacts nécessaires.

— Pourquoi ne me contenterais-je pas de vous torturer pour vous extorquer ce que vous savez?

— Parce que nos contacts ne traiteront qu'avec nous. Si quelqu'un d'autre tente d'entrer en relation avec eux, ils ne se montreront pas.

Un long silence s'ensuivit tandis que Hammrik soupesait ses options. Enfin, il lâcha :

— Je ne vous crois pas. Mais, s'il y a une seule chance pour que vous disiez vrai, je serais idiot de ne pas la tenter.

Standeven eut toutes les peines de monde à réprimer un soupir de soulagement.

— Naturellement, vous disposerez d'un temps limité, et je choisirai votre escorte moi-même, ajouta Hammrik.

— Notre « escorte » ?

— Évidemment. Vous n'espériez quand même pas que je vous laisserais partir seuls ?

— Non. Non, bien sûr que non.

— Si vous me ramenez les instrumentalités, j'annulerai votre dette. Et je vous récompenserai même par-dessus le marché. Si c'est une ruse, vous ne ferez que retarder brièvement votre mort – et passer votre sursis au royaume des horreurs. Compris ?

Les prisonniers acquiescèrent.

Sans rien ajouter, Hammrik se retira.

Standeven se tourna vers son serviteur.

— À quoi pensais-tu ? chuchota-t-il. Nous ne savons pas où trouver ces machins. Nous ne savons même pas s'ils existent vraiment !

— Vous auriez préféré qu'ils nous tuent ? Il fallait que je gagne du temps.

— Et que se passera-t-il quand ses sbires découvriront que nous avons menti comme des arracheurs de dents ?

— Je ne sais pas. Je trouverai bien quelque chose.

— Il vaudrait mieux pour toi que…

— Chuuut !

Un officier s'approcha. C'était celui qui leur avait refusé la permission de boire un peu plus tôt.

— Maintenant que vous voici dans les bonnes grâces de mon seigneur – fût-ce temporairement –, j'ai pensé que vous apprécieriez un peu d'eau.

Standeven leva vers lui des yeux pleins d'espoir.

Sous les rires de l'assemblée, l'officier lui déversa le contenu d'une gourde sur la figure.

Standeven secoua la tête tel un chien qui s'ébroue au sortir d'une rivière, éparpillant un million de gouttes d'eau autour de lui.

Chapitre 5

Le verre était une commodité rare. Les artisans orcs savaient le fabriquer, mais s'en donnaient rarement la peine sinon dans un dessein spécifique : par exemple pour confectionner des vitraux dans certains lieux de culte ou dans les loges des chefs de clan. Parfois, on en trouvait dans les tavernes.

Alors que Stryke et Haskeer approchaient de leur destination, ils furent témoins de la raison principale pour laquelle le verre était rarement utilisé comme matériau de construction.

Avec un craquement sonore, un orc passa au travers d'une fenêtre. Il rebondit deux ou trois fois avant de s'immobiliser parmi les débris de la vitre.

La porte de la taverne était solide, mais pas assez pour résister à l'impact d'un second corps. L'orc meurtri qui émergea de l'autre côté parvint à faire deux pas titubants avant de s'écrouler.

Une furieuse cacophonie de poteries brisées, de meubles cassés et de hurlements injurieux s'échappait de l'intérieur.

— Ça doit être ici, déclara Stryke.

Haskeer et lui passèrent entre les débris de la porte. Un orc tomba lourdement sur le dos devant eux, faisant vibrer le plancher.

Stryke lui adressa un signe de tête.

— Salut, Breggin.

— Capitaine, grogna l'orc sonné.

L'intérieur de la taverne se composait essentiellement d'une vaste salle commune. Il y avait un comptoir à une extrémité – et, au centre, une mêlée féroce.

Le cœur de cette mêlée se tenait debout sur une table. Brandissant une casserole, Coilla l'abattait sur le crâne de la demi-douzaine de mâles qui luttaient pour l'atteindre.

C'était un beau spécimen de femelle orc, avec une peau joliment marbrée, des yeux noirs étincelants, des dents pointues et un physique athlétique de guerrière. Mais son trait le plus séduisant, c'était qu'elle se battait comme un démon en proie à une rage de dents.

À l'instant où Stryke et Haskeer entraient, elle décocha un coup de pied précis dans la mâchoire d'un adversaire qui fut un peu trop lent à se baisser pour l'esquiver. Il s'écroula tel un vulgaire sac d'abats. Les autres mâles tentèrent d'attraper les jambes de Coilla et de la renverser, mais elle évita facilement leurs bras tendus. Alors, ils se mirent à faire bouger la table.

—Tu crois qu'on devrait donner un coup de main ? lança Haskeer.

—Je ne crois pas qu'on arriverait à la battre, répliqua sèchement Stryke.

Tintant ainsi qu'une cloche, la casserole de Coilla atteignit un de ses agresseurs à la tempe. Assommé, le mâle bascula en arrière.

Haskeer repéra une chope de bière encore à moitié pleine. Il s'en saisit et commença à boire tandis que Stryke s'adossait au comptoir, les bras croisés sur la poitrine, pour observer la fin de la bagarre.

Les quatre derniers mâles finirent par renverser la table. Au dernier moment, Coilla bondit les pieds en avant pour ne pas se laisser entraîner dans la chute de son perchoir. Ses talons percutèrent la poitrine d'un mâle avec tant de force que celui-ci fit un tour complet sur lui-même avant de s'écrouler.

La femelle orc atterrit souplement et abattit aussitôt son arme improvisée sur la tête d'un nouvel adversaire, lui aplatissant le nez. Le mâle tituba en arrière et se prit les pieds dans un amas de chaises renversées.

Les deux mâles encore debout chargèrent ensemble. Le premier fut arrêté par un coude levé au moment opportun. Il s'écroula, comateux et le cartilage nasal en miettes. Coilla évita les griffes du dernier et lui lança son poing en pleine figure, l'assommant net.

Elle promena un regard satisfait sur la scène de carnage dont elle était l'auteur puis, lâchant sa casserole, se tourna vers Stryke et Haskeer pour les saluer joyeusement.

— Que s'est-il passé ici ? interrogea Haskeer en reposant sa chope vide et en rotant de bon cœur.

— D'abord, ils se sont battus *pour* moi, puis ça a dégénéré et ils ont fini par se battre *contre* moi. (Coilla haussa les épaules.) Comme d'habitude.

— Si tu continues à te laisser courtiser de cette façon, tu ne vas pas tarder à tomber à court de prétendants, commenta Stryke.

— Moi, faire la bête à deux dos avec un de ces types ? Tu te fiches de moi ? Que veux-tu que je fasse avec quelqu'un qui n'est même pas capable de m'assommer ? Explique-moi plutôt ce que vous faites ici.

— On t'apporte des nouvelles, répondit Stryke. Allons discuter dehors.

C'était le début d'une journée glorieuse. Le soleil baignait la terre d'une douce chaleur. Des oiseaux volaient dans le ciel et des abeilles bourdonnaient.

Les trois amis allèrent s'asseoir sur une petite butte. Stryke expliqua à Coilla ce qui s'était passé devant la caverne. De temps en temps, Haskeer l'interrompait pour ajouter inutilement son grain de sel. Ils lui montrèrent l'amulette.

— Mais Jennesta doit être morte, non ? protesta Coilla. Nous l'avons vue se faire déchiqueter par le vortex.

— Elle n'est peut-être pas si facile à tuer, suggéra Haskeer. Vu les pouvoirs que se payait cette garce, je ne serais qu'à moitié surpris qu'on ne puisse pas la tuer du tout.

— Et moi, je te parie qu'une bonne lame d'acier dans le cœur viendrait à bout de toute sa sorcellerie, répliqua Stryke.

— Pour ça, encore faudrait-il qu'elle en ait un…

— Nous ignorons comment elle a survécu, mais il semble qu'elle l'ait fait, et qu'elle continue à tourmenter des orcs. Toute la question est de savoir si nous allons intervenir ou non.

—Si nous quittons ce monde, tu sais ce que nous allons rencontrer, lui rappela Coilla. Préjugés, haine, racisme… Tu es sûr de vouloir revivre tout ça ?

—Nous avons surmonté des épreuves bien pires que de simples insultes.

—Ce ne sont pas les insultes qui m'inquiètent. Et ça m'étonnerait qu'on trouve beaucoup d'alliés dans le monde dont tu parles.

—Je ne dis pas qu'il n'y aura pas de difficultés, de sueur et de violence.

—Comme dans le bon vieux temps, hein ?

—Si je comprends bien, tu refuses de nous accompagner ?

La femelle orc grimaça.

—Pas du tout. Ce monde est agréable, mais au bout d'un moment, il devient passablement ennuyeux. L'envie de me battre me démange. J'en ai assez de ces bagarres minables.

Un orc à la respiration sifflante sortit de la taverne en titubant et en crachant ses dents.

—Donc, tu es partante ?

—Bien sûr.

—Et maintenant, qu'est-ce qu'on fait ? voulut savoir Haskeer.

—On rassemble le reste de l'unité et on leur expose la situation, décida Stryke.

Haskeer plissa son front rocailleux.

—Ça me fera bizarre que les Renards se reforment.

—S'ils décident de se reformer, tempéra Coilla.

Nep et Gleadeg furent faciles à trouver : ils gisaient inconscients dans la taverne, non loin de Breggin. Zoda et Prooq pêchaient à l'épieu un peu en amont de la rivière. Reafdaw aidait à construire une loge dans le cadre du service communautaire que lui avaient imposé les anciens suite à une échauffourée. Eldo, Bhose, Liffin et Jad accompagnaient une expédition de chasse qui rentrait juste au village. Calthmon fut découvert ivre sur les marches d'une auberge et dut être plongé tête la première dans un tonneau d'eau de pluie. Comme Stryke, Orbon et Seafe avaient pris une compagne ; ils étaient chez eux, avec leurs petits. Vobe, Gant, Finje et Noskaa participaient à un tournoi régional. Toche et Hystykk furent retrouvés dans une geôle locale, où on les avait jetés à la suite d'une affaire d'émeute et d'incendie criminel ; il fallut payer une caution pour les faire libérer.

À tous, Stryke expliqua le mystère de l'humain qui avait jailli du portail et rapporta le message de Serapheim. Il y eut quelques discussions mais, à la grande surprise de Coilla, la proposition de leur ex-capitaine fut acceptée à l'unanimité. Même s'ils appréciaient leur liberté durement conquise, les orcs commençaient à s'ennuyer ; ils accueillirent avec enthousiasme la perspective de repartir en mission.

En fin d'après-midi, Stryke se lança dans une nouvelle quête : celle de recrues pour remplacer les Renards tués lors de batailles antérieures et ramener l'unité à son nombre initial. Il entreprit de localiser une demi-douzaine d'orcs qui avaient attiré son attention. La rumeur se propagea qu'il mijotait quelque chose.

Ce soir-là, une foule de curieux se rassembla à l'endroit où Stryke avait donné rendez-vous à ses troupes. Plusieurs des compagnes des Renards vinrent également – dont Thirzarr, arborant la coiffe écarlate avec laquelle elle était apparue à Stryke dans ses premières visions de Ceragan.

— Tu es sûre que ça ne te dérange pas ? répéta Stryke tandis que tous deux se tenaient un peu à l'écart de la foule.

— Quelle importance, que ça me dérange ou non ? Ne fais pas cette tête : tu sais très bien que tu veux désespérément y aller.

— Ne le prends pas comme ça. Je reviendrai. C'est juste que…

Thirzarr le fit taire d'un doigt posé sur ses lèvres.

— Je sais. Tu n'as pas besoin de m'expliquer les instincts orcs. Je regrette juste de ne pas pouvoir t'accompagner.

Le visage de Stryke s'éclaira.

— Ça aurait été bien, dit-il, soulagé. Nous n'avons jamais eu le plaisir de combattre côte à côte. J'ai toujours pensé que ça nous manquait.

— Moi aussi, acquiesça Thirzarr. Les couples devraient faire couler le sang ensemble.

— Nous le ferons un jour, promit Stryke.

— Sois prudent, dit Thirzarr, l'air grave. Je sais, c'est un conseil idiot. Mais j'aimerais bien que le père des petits soit là pour les voir grandir. Ne prends pas de risques, Stryke.

— Promis, mentit-il.

Il regarda autour de lui. Haskeer avait imposé un semblant d'ordre aux Renards. Sur le côté se tenait un petit groupe d'orcs moins nombreux, qui se dandinaient d'un air légèrement embarrassé.

— Il faut que j'y aille.

Thirzarr acquiesça, et Stryke se dirigea vers son unité.

— Attention ! aboya Haskeer.

Les orcs redressèrent le dos et levèrent la tête.

— Je suis ravi que vous soyez tous volontaires, leur dit Stryke. Nous avons toujours bien travaillé ensemble ; il n'y a pas de raison pour que nous ne puissions pas recommencer. Mais que les choses soient claires. Ceci est une unité de combat disciplinée. Ou du moins, ça l'était autrefois. Nous nous sommes tous un peu laissé aller depuis notre arrivée ici. Certains d'entre nous se sont ramollis. Si vous signez pour cette mission, vous serez de nouveau soumis à une discipline militaire. Je serai votre chef et j'aurai des officiers pour m'assister. (Il jeta un regard en biais à Haskeer.) Ça pose un problème à quelqu'un ?

Ça n'en posait à personne.

— En cette occasion, ayons une pensée pour nos camarades disparus, reprit Stryke. Kestix, Meklun, Darig, Slettl, Wrelbyd et Talag. Tous sont morts en servant cette unité ; ne l'oublions jamais. (Il marqua une pause.) Ça signifie que notre quota habituel n'est pas rempli. C'est pourquoi j'ai amené des remplaçants. (Il fit signe aux nouvelles recrues et les nomma tour à tour.) Voici Ignar, Keick, Harlgo, Chuss, Yunst et Pirrak. J'attends de vous que vous leur fassiez bon accueil. Montrez-leur nos procédures ; habituez-les à nos façons de faire. Ce sont de bons combattants, mais ils n'ont pas reçu d'entraînement martial. Ils pourront se vanter du contraire une fois que nous en aurons terminé avec eux.

Il y eut des rires – un peu nerveux du côté des bleus.

— Nous avons perdu quelqu'un d'autre qui ne pourra jamais être remplacé, poursuivit Stryke. Nous respecions tous Alfray. (Les Renards acquiescèrent à l'unisson.) Il était plus qu'un vétéran et le guérisseur de l'unité : il était le lien qui nous rattachait au passé de notre race. Nous ne pouvons pas le remplacer, mais nous avons besoin d'un autre caporal pour aider Coilla ici présente ; aussi comblerons-nous de notre mieux le vide qu'il a laissé.

À son signal, un orc d'âge mûr sortit de la foule. Bien qu'il soit encore vigoureux et d'apparence athlétique, la lumière qui brillait dans ses yeux intelligents devait davantage à l'automne qu'à l'été. De tous les guerriers présents, il était de loin le plus vieux. Il s'approcha d'un pas assuré.

— Je vous présente Dallog, dit Stryke.

L'orc d'âge mûr s'inclina légèrement devant ses compagnons – un salut rapide mais amical.

— Certains d'entre vous le connaissent peut-être, surtout s'ils se sont déjà cassés quelque chose. (Nouvelle vague de gloussements.) Dallog est un guérisseur doué. En outre, il est fiable et malin. Je le nomme caporal et lui confie une importante charge.

Stryke leva la main. Un jeune orc s'avança en trottinant. Il portait une lance au bout de laquelle était enroulé un drapeau, qu'il passa à Dallog. Au signal de Stryke, le nouveau caporal déroula le rectangle de tissu, révélant l'étendard de l'unité. Il le brandit dans les airs, et l'étendard ondula dans la brise du soir. Les Renards se réjouirent bruyamment – à l'exception d'Haskeer, qui arborait une expression maussade.

— Tu es désormais responsable de notre étendard, dit Stryke. Veille bien sur lui.

— Je le protégerai de ma vie si nécessaire, promit Dallog.

Il alla rejoindre les rangs.

— Nous avons beaucoup à faire ce soir, rappela Stryke aux Renards. Je ne vous retiendrai donc pas plus longtemps. Rompez !

Comme les orcs se dispersaient, il leur lança :

— Et faites connaissance avec les nouveaux. Eux aussi sont des Renards à présent !

Haskeer s'approcha de lui.

— Ce n'est pas vrai, protesta-t-il.

—Qu'est-ce qui n'est pas vrai ?

—Ce que tu viens de dire. Les nouveaux ne sont pas encore des Renards. Ils doivent le mériter.

—Nous avons tous commencé à zéro.

—Nous étions déjà expérimentés quand nous avons rejoint l'unité. Pas comme ces… *civils*.

—Justement. Nous devons être opérationnels le plus vite possible, et pour ça, il faut les inclure au maximum. Leur faire sentir que nous les acceptons. (Stryke dévisagea son sergent.) C'est pour ça que tu fais la gueule ?

Haskeer ne répondit pas. Mais il jeta un coup d'œil à Dallog qui s'éloignait avec l'étendard.

—Ah. C'est lui ton problème, pas vrai ?

—Ce n'est pas Alfray.

—Personne n'a prétendu le contraire.

—Alors, pourquoi avons-nous besoin de lui ?

—Question de hiérarchie. Il nous fallait un second caporal et un guérisseur. J'ai pensé que Dallog pourrait remplir les deux rôles.

—Possible, mais je n'aime pas ça.

—Tant pis pour toi. Comme je viens juste de le dire, c'est moi qui commande. Si ça ne te plaît pas, tu peux…

—Et merde.

Stryke serra les poings.

—Vous contestez déjà mon autorité, sergent ?

—Non. Regarde qui vient par ici.

Le jeune qui se dirigeait vers eux entrait à peine dans l'âge adulte. Il portait une tenue extravagante pour un orc : un pantalon lilas, un pourpoint à rayures de couleurs différentes et des bottes brillantes. Un instrument à cordes, composé d'un long manche et d'une caisse en forme de fraise coupée en deux, pendait à son cou. Il le serrait contre sa poitrine aussi tendrement qu'un bébé.

—Et merde ! jura Stryke. Sois diplomate. N'oublie pas de qui il s'agit.

Haskeer poussa un grognement las.

—Stryke! Haskeer! s'exclama le nouveau venu. Je vous cherchais.

—Wheam, le salua sobrement Stryke.

—Que veux-tu? s'enquit Haskeer, de marbre.

—Vous êtes sur le point de vous lancer dans une grande aventure, s'enthousiasma Wheam. C'est une occasion à célébrer.

—Peut-être aurons-nous le temps d'organiser un banquet à notre retour, répondit Stryke, mais pour le moment…

—Non, non. Je voulais dire : à célébrer en vers.

—Nous ne voulons pas que tu te donnes tout ce mal pour nous.

—Vous êtes en train de modeler l'histoire; vos actions méritent d'être relatées. Quoi qu'il en soit, j'ai déjà commencé à écrire une ballade épique sur votre mission. Bien entendu, je n'en suis qu'aux premiers couplets, mais…

—Alors, si elle n'est pas finie…

—Comment pourrait-elle l'être? Vous n'êtes pas encore partis!

—Exact.

—Donc, je pensais vous chanter le début pour vous donner de l'inspiration.

—Est-ce vraiment nécessaire? Je veux dire – maintenant?

—Ça ne prendra pas longtemps. Je n'ai écrit qu'une quarantaine de vers pour l'instant.

—Mais c'est que nous sommes très occupés, et…

Sans tenir compte des protestations polies de Stryke, Wheam tira quelques notes discordantes de son instrument. Puis il se racla la gorge et se mit à chanter – très faux :

À la veille de la bataille, les Renards
Affûtent leurs lames et préparent leur lard

—Il n'y a pas grand-chose qui rime avec Renards, mais je continue à chercher.

Leur courageux capitaine saisit sa chance
De reprendre dague, épée et lance
Et au destin ombrageux faisant la nique
Il entraîne son unité vers le portail magique

—Dieux tout-puissants, marmonna Haskeer.

La poitrine gonflée, le cœur vaillant
Les Renards pourfendent les méchants
Bientôt, le champ de bataille vire au rouge
Tandis qu'ils massacrent tout ce qui bouge
Et brandissant fièrement leur épée…

Coilla arriva à cet instant et fit une grimace dans le dos du ménestrel. Voyant l'expression suppliante de Stryke et d'Haskeer, elle les prit en pitié.

—Excusez-moi.

Se fraient un chemin…

Elle enfonça un doigt osseux entre les omoplates de Wheam.

—Aïeee!

—Désolée, sourit-elle, mais je dois parler à mes supérieurs. Nous avons des problèmes opérationnels à régler.

—Mais je viens à peine de commencer! protesta le jeune orc, déçu.

—C'est vrai, acquiesça Stryke. Quel dommage! Il faudra nous chanter la suite une autre fois.

—Quand? interrogea Wheam.

—Plus tard.

Prenant le ménestrel par les coudes, Stryke et Haskeer le poussèrent vers la foule pour couper court à ses protestations. Puis ils rejoignirent Coilla.

—Merci, soupira Stryke. À charge de revanche.

—L'avantage, c'est qu'on ne le reverra pas avant un moment, grimaça la femelle orc.

—Jamais, ce serait déjà trop tôt, grommela Haskeer.

—Tu voulais quelque chose, ou tu étais juste venue nous sauver? s'enquit Stryke.

—En fait, je me demandais où on en était avec les étoiles.

—Comme tu le sais, nous les avons cachées en cinq endroits différents. J'en ai déjà récupéré quatre. Quant à la cinquième… (Il y eut un mouvement à la lisière de la foule.) Je crois justement que la voilà.

Un individu massif apparut, une escorte dans son sillage. Bien qu'âgé, il demeurait fort impressionnant. Il portait autour du cou l'emblème de sa valeur guerrière : un collier composé d'au moins une douzaine de dents de léopard des neiges. Et il était couvert de cicatrices de bataille qu'il arborait fièrement.

— Difficile de croire qu'il ait pu engendrer une telle mauviette, fit remarquer Coilla.

— Je te conseille de garder cette opinion pour toi, répliqua Stryke.

Le chef de clan et son entourage se dirigèrent vers les trois officiers.

— C'est très aimable à vous d'être venu, Quoll, le salua Stryke.

— Vous ne m'avez pas tellement laissé le choix, grogna le vieil orc.

— Désolé de vous bousculer ainsi, mais nous devons faire vite.

— Vous partez bientôt ?

— Demain aux premières lueurs de l'aube.

— Et vous avez tout ce qu'il vous faut ?

— Excepté l'objet que nous vous avons confié. L'avez-vous apporté ?

— Bien sûr. Mais j'ai réfléchi.

— À quel sujet ?

— Je me disais que vous pourriez me rendre un service.

— Nous serons ravis de vous aider, du moment que c'est en notre pouvoir, répondit prudemment Stryke.

— Oh, n'ayez crainte…, ça l'est, grimaça Quoll.

— Et à condition que ça ne compromette pas notre mission.

— Je ne vois pas pourquoi ça la compromettrait. Vous connaissez mon fils ?

Une froide appréhension s'empara de Stryke.

— Wheam ? Il était là à l'instant.

— Encore en train de déblatérer, j'imagine.

— Et comment ! s'exclama Haskeer.

Stryke lui jeta un regard venimeux.

— Et donc, votre fils… ?

— Je veux qu'il vous accompagne, annonça Quoll.

— Pas question ! rugit Haskeer.

—Qui est-ce qui commande ici ? demanda Quoll sur un ton hautain. Vous ou votre sergent ?

—C'est bien moi, confirma Stryke. Haskeer, la ferme ! Entendons-nous bien, Quoll : vous voulez que votre fils parte en mission avec nous ?

—C'est ça.

—Pourquoi ?

—Regardez-le. (Le vieil orc désigna Wheam, qui torturait les cordes de son luth face à un groupe de spectateurs peu intéressés.) J'ai donné naissance à une chochotte. Un abruti.

—Quel rapport avec nous ?

—Je veux qu'on lui fasse passer sa coquetterie et ce goût ridicule pour la musique. Il a besoin de s'endurcir.

—Nous n'avons pas de place pour les amateurs. Les Renards sont une unité de combat disciplinée.

—De la discipline, c'est justement ce qu'il lui faut. Vous emmenez d'autres nouvelles recrues, pourquoi pas Wheam ?

—Les autres ont montré des dispositions martiales. Chose que je ne décèle pas chez votre fils.

—Alors, il est temps qu'il en acquière.

—Mais pourquoi avec nous ? Il doit y avoir d'autres moyens pour lui de se faire les dents.

—Aucun qui vaille une véritable mission où sa vie sera en danger.

—Sa vie et la nôtre ! Nous comptons six bleus dans nos rangs ; c'est déjà bien assez. Nous embarrasser de quelqu'un qui n'a ni entraînement ni aptitudes guerrières mettrait toute l'unité en péril.

—Ça m'ennuie de vous le rappeler, Stryke, mais vous et les vôtres faites à peu près ce que vous voulez depuis votre arrivée ici. N'est-il pas temps que vous nous remerciiez de notre hospitalité ?

—Ça m'ennuie de vous le rappeler, Quoll, mais ce monde ne vous appartient pas. Vous êtes un chef de clan, et nous respectons votre statut, mais vous n'êtes pas le seul à Ceragan.

—Je suis le seul dans cette région, et je veux que Wheam vous accompagne dans cette mission.

—Que se passera-t-il si nous refusons ?

—Si vous refusez, je crains d'avoir du mal à retrouver l'artefact que je garde pour vous. Oh, je finirai par remettre la main dessus, mais ça risque de prendre du temps. Beaucoup de temps.

Stryke soupira.

—Je vois.

—C'est du chantage! explosa Coilla.

Quoll la foudroya du regard.

—Je vais faire comme si je n'avais rien entendu.

—Faites ce que vous voulez, ça reste du chantage!

—Ça suffit, caporal! aboya Stryke.

—Mais il n'a pas le droit de…

—J'ai dit: ça suffit! (Il se tourna vers Quoll.) D'accord, nous l'emmènerons.

Le vieil orc sourit.

—Bien.

Il claqua des doigts. Un des membres de son escorte s'avança, un petit coffret de bois dans les mains. Quoll l'ouvrit et en sortit l'instrumentalité restante.

—J'avoue que je suis bien content de m'en débarrasser. Ça ne me plaisait guère d'avoir un totem aussi puissant dans ma loge.

Tandis que Coilla et Haskeer fulminaient en silence, il tendit l'étoile à Stryke, qui la glissa dans sa sacoche de ceinture.

—Je dirai à Wheam de se présenter au rapport ce soir, conclut Quoll. (Il fit mine de s'éloigner, puis se ravisa et ajouta :) Et, Stryke… S'il lui arrive quoi que ce soit, ne vous donnez pas la peine de revenir.

Suivi par son escorte, il s'en fut à grandes enjambées.

—Génial, se lamenta Haskeer. Nous voilà ravalés au rang de nounous.

—Calme-toi, ordonna Stryke.

—Haskeer a raison, intervint Coilla. La dernière chose dont nous avions besoin, c'était bien d'un boulet dans le genre de Wheam.

—Qu'est-ce que je pouvais faire d'autre?

—Refuser, évidemment!

—Et ne jamais récupérer l'étoile?

—Nous aurions pu la lui prendre de force.

—Ça n'aurait pas été très malin. Ce monde est le nôtre à présent.

—Il ne le sera plus si cette andouille se fait tuer, rappela Haskeer.

—Discuter ne sert à rien. On est condamnés à se le farcir. Tentons juste de limiter les dégâts, d'accord ? On va lui filer les menues corvées et demander à un des anciens de garder un œil sur lui.

—Un clown dans l'unité, grommela Haskeer. Ah, elle commence bien, notre mission !

—Que ça te plaise ou non, c'est comme ça. Mais je dois quand même des excuses à quelqu'un ici. Coilla…

—Oui ?

—J'aurais dû te faire monter en grade et te donner le second poste de sergent. Tu es capable de faire le boulot, et les dieux savent que tu l'as mérité.

—Merci, Stryke, mais ça m'est égal. Vraiment. Je ne cours pas après davantage de responsabilités. Le niveau que j'ai atteint me convient parfaitement.

—J'ai dit que l'unité avait besoin de deux caporaux, et tout le monde ne l'a pas bien pris. (Stryke jeta un coup d'œil entendu à Haskeer.) Mais elle a aussi besoin de deux sergents.

—Alors, qui envisages-tu de faire monter en grade ?

—Personne.

—Hein ?

—Mon idée initiale, c'était de reconstituer l'unité le plus fidèlement possible.

—Pour ça, il faudrait récupérer Jup, et il est resté à… Oh !

—Eh oui ! On retourne à Maras-Dantia.

Chapitre 6

— **E**lles sont dangereuses, chuchota Coilla. Souviens-toi de ce qu'elles ont fait à Haskeer. Putain, souviens-toi de ce qu'elles t'ont fait, à toi !

Stryke fixait les instrumentalités. Il les avait disposées sur un banc par ordre croissant de nombre de pointes : deux, quatre, cinq, sept et neuf. Grise, bleue, verte, jaune, rouge. Il les trouvait fascinantes.

— Stryke ! siffla Coilla.

— Tout va bien, je ne fais que les regarder. Il ne se passe rien de louche.

— Tu sais de quoi elles sont capables, Stryke. Ou du moins, tu connais une partie de leurs pouvoirs. Et ils ne sont pas tous bons.

— Les étoiles ne sont que des outils.

— Ah ouais ?

— Tant que tu ne t'y attaches pas trop.

— C'est justement ce que je voulais dire.

— Pourquoi on parle à voix basse ?

— À cause d'elles. (La femelle orc désigna les instrumentalités.) Quand elles sont toutes réunies, elles donnent envie de chuchoter.

— Je me demande de quoi elles sont faites.

— Que je sois damnée si j'en ai jamais eu la moindre idée.

— J'aimerais bien avoir une lame taillée dans le même matériau.

—Ne t'intéresse pas trop à elles. Nous avons déjà assez de problèmes potentiels sans que tu recommences à péter un câble.

—Merci bien.

—Je suis sérieuse, Stryke. Si tu recommences à les entendre chanter…

—Ça n'arrivera pas.

—C'est toi qui les porteras. Tu seras exposé à elles en permanence. Elles pourraient t'affecter.

—J'y ai déjà réfléchi. Une fois qu'on sera à Maras-Dantia, tu voudrais bien en prendre une? Les séparer atténuera peut-être leur influence.

—Je suis flattée. Dans le temps, tu n'étais jamais très chaud pour les confier à quelqu'un d'autre.

—Oui, et regarde où ça m'a mené. Alors, tu veux bien le faire? J'aurais pu demander à Haskeer, mais il est trop impétueux.

—Tu veux dire, plutôt que de t'en remettre à une faible femelle? Tu étais bien parti, Stryke; ne gâche pas tout.

Stryke sourit.

—Je ne suis pas un humain. Jamais je ne pourrais te considérer comme « faible ».

—Bien sûr que je vais le faire. Mais si ça ne marche pas? Accepterais-tu de les partager avec d'autres membres de l'unité?

—Je ne veux pas prendre le risque d'en perdre une seule. Franchement… je ne sais pas.

—Génial. Un autre sujet de préoccupation.

—Nous résoudrons le problème quand il se posera, le cas échéant. C'est presque l'heure. Il faut nous préparer.

Ils enfilèrent d'épais surpantalons et des bottes fourrées, puis une veste de fourrure. Avant de mettre le sien, Coilla laça un fourreau de couteaux de lancer sur chacun de ses avant-bras.

—C'est bizarre de se fringuer comme ça en pleine vague de chaleur, commenta-t-elle.

—Il va faire beaucoup plus froid à Maras-Dantia qu'ici.

Stryke récupéra les instrumentalités et les rangea dans sa sacoche de ceinture. Ils ceignirent leurs épées, leurs dagues et leurs hachettes.

—N'oublie pas tes gants, recommanda Stryke.

—Je les ai.

—Alors, on y va.

Dehors, près de l'entrée de la grotte par laquelle ils étaient arrivés à Ceragan quelques années plus tôt, les autres Renards attendaient, transpirant dans leurs fourrures. Haskeer maintenait l'ordre dans les rangs quand il n'était pas occupé à jeter des regards dégoûtés à Wheam, qui avait insisté pour apporter son luth.

Quoll et son entourage habituel se tenaient au premier rang de la foule des spectateurs. Thirzarr aussi était là, avec les petits. Stryke se dirigea vers eux.

Avant qu'il puisse parler, Thirzarr articula :

—On s'est déjà fait nos adieux. (Elle désigna Corb et Janch.) Dans leur intérêt, tâchons d'expédier ça.

Stryke s'agenouilla devant les petits.

—Je compte sur vous pour veiller sur votre mère. D'accord ?

Ils acquiescèrent gravement.

—Et pour être sages en mon absence.

—On le sera, promit Corb.

—Tue la sorcière, couina Janch.

Son frère hocha vigoureusement la tête, et tous deux agitèrent leurs hachettes miniatures avec un enthousiasme désordonné.

Stryke grimaça.

—Nous ferons de notre mieux.

Il jeta un dernier coup d'œil à sa progéniture et se détourna.

—Bonne chance ! lança Quoll comme il passait près de lui.

Stryke lui adressa un léger signe de tête mais ne répondit pas.

Arrivé devant l'entrée de la caverne, il fit face à son unité.

—Les conditions de vie étaient mauvaises à Maras-Dantia lorsque nous sommes partis. Elles seront bien pires à notre retour. Attendez-vous à une hostilité extrême, et pas seulement de la part du climat. Ceci est particulièrement valable pour les nouvelles recrues. Ne vous éloignez pas du partenaire qu'on vous a assigné. Je suppose que nous allons atterrir à Ilex, dans le Grand Nord ; par conséquent, nous ne pouvons pas emmener de chevaux : ils seraient incapables d'endurer le froid et la neige. Préparez-vous à une marche longue et rude en direction du sud.

Il soupesa soigneusement ses paroles suivantes.

— La dernière fois, nous avons eu affaire à des Sluaghs pendant que nous étions là-bas. (Il aurait parié que plus d'un Renard venait de réprimer un frisson en pensant à ces démons répugnants.) J'ignore si nous les rencontrerons cette fois. Mais nous les avons déjà battus ; nous pouvons recommencer si nécessaire. Sommes-nous prêts, sergent ?

— Prêts et impatients de nous mettre en route, répondit Haskeer.

— Si quelqu'un a changé d'avis concernant cette mission, c'est sa dernière chance de faire marche arrière. Il n'y aurait aucun déshonneur à ça.

Stryke fixa intensément Wheam. Personne ne dit rien.

— Des questions ?

Wheam leva la main.

— Oui ?

— Traverser ce… portail. Ça va faire mal ?

— Pas autant que prendre mon pied au cul, lui assura Haskeer.

Quelques éclats de rire soulagèrent un peu la tension ambiante.

Stryke vérifia que la foule se tenait à une distance prudente, puis hocha la tête.

Haskeer aboya un ordre. Les flambeaux furent allumés, les vestes de fourrure fermées.

Un martèlement rythmique s'éleva comme les spectateurs frappaient sur leur bouclier avec leur lance – l'adieu traditionnel fait aux orcs qui s'en allaient à la guerre. Quelques encouragements fusèrent, et aussi des vivats.

Stryke pénétra dans la caverne à la tête de son unité.

À l'intérieur, il faisait sombre et frais.

Coilla rattrapa Wheam.

— Le passage du portail est assez désagréable, expliqua-t-elle. Souviens-toi que nous sommes tous là avec toi.

Le jeune orc pâlit.

— Merci, dit-il en continuant à marcher.

Stryke avait entendu.

— « Désagréable » ? répéta-t-il.

— Je ne pouvais pas dire « terrifiant », se justifia Coilla. Ce n'est qu'un gamin.

Ils atteignirent le centre de la caverne. Stryke ordonna à son unité de faire cercle autour de lui. À la lumière des flambeaux, il étudia l'amulette. Puis il sortit les étoiles et commença à les manipuler.

L'espace d'un instant de panique, il crut qu'il n'allait pas y arriver. La façon dont les instrumentalités s'attachaient les unes aux autres semblait dépourvue de sens. Ses gestes se firent maladroits, son esprit confus.

Puis quatre des étoiles s'emboîtèrent en succession rapide, et il vit exactement où il devait mettre la cinquième.

— Cramponnez-vous, recommanda-t-il en la glissant à son emplacement.

Ils dégringolèrent dans un puits de lumière.

Le conduit était sinueux, palpitant et apparemment infini. Au-delà de ses parois translucides s'étendait du velours bleu piqueté d'étoiles.

Ils tombaient de plus en plus vite. Le paysage céleste se brouilla, se changeant en un faisceau de couleurs filantes.

Des images éphémères défilèrent sur les côtés, des aperçus d'ailleurs stupéfiants.

Puis des sons se firent entendre. Une cacophonie inexplicable, discordante, assourdissante.

Elle dura une éternité.

Enfin, un abysse ténébreux les engloutit.

Stryke ouvrit les yeux.

Son corps était perclus de douleur, comme s'il venait de recevoir une bonne raclée, et sa tête lui faisait affreusement mal.

Se dressant sur ses genoux, il mit un moment à se focaliser sur ce qui l'entourait. Mais ce qu'il découvrit n'était pas du tout ce à quoi il s'attendait.

Autour de lui, il n'y avait pas de neige ni de glace. Pourtant, il faisait très froid, et le paysage austère semblait sous l'emprise de l'hiver. Les arbres n'avaient plus une seule feuille. L'herbe était brune et pelée. La plus grande partie de la végétation n'était pas en sommeil, mais bel et bien morte. Des nuages noirs dominaient le ciel. Tout cela contrastait à l'extrême avec le climat estival que les orcs venaient de laisser derrière eux.

Stryke se releva.

Le reste de l'unité était éparpillé autour de lui. Certains Renards gisaient sur le sol, encore sonnés. Quelques-uns grognaient tandis que d'autres se ressaisissaient déjà.

— Tout le monde va bien ? appela Stryke.

— La plupart d'entre nous, répondit Haskeer.

D'un pouce dédaigneux, il désigna Wheam qui, soutenu par Dallog, était en train de vomir contre un arbre.

Coilla et Haskeer rejoignirent leur capitaine. Ils semblaient un peu secoués par le transfert, mais ils tenaient le coup.

— Nous ne sommes pas à Ilex, annonça Haskeer.

— Ça, on avait remarqué, répliqua Stryke.

— Mais c'est bien Maras-Dantia, affirma Coilla. Certains points de repère me sont familiers. Je pense que nous nous trouvons près du bord des Grandes Plaines, non loin de Bevis.

— Tu as sans doute raison, acquiesça Stryke. On dirait que les étoiles ne nous expédient pas toujours au même endroit.

Constatant qu'il les serrait toujours dans sa main, il entreprit de les démanteler.

— L'avantage, c'est que nous aurons moins à marcher, se réjouit Coilla.

— Et avec un peu de chance, nous n'aurons pas besoin de repasser par Ilex la prochaine fois que nous les utiliserons, ajouta Stryke en remettant les instrumentalités dans sa sacoche de ceinture. Mais du coup, je regrette que nous n'ayons pas emmené de chevaux.

— Ce n'est pas le matin, décida Haskeer.

Coilla soupira.

— Tu es doué pour énoncer des évidences, pas vrai ?

On aurait dit que l'après-midi touchait à sa fin.

— Et la saison n'est pas la bonne, s'obstina Haskeer.

— Ça, je n'en suis pas si certain, contra Stryke. Qui te dit que ce n'est pas ce qui tient lieu d'été à Maras-Dantia ces jours-ci ?

Coilla balaya le paysage du regard.

—Tu crois vraiment que les choses ont dégénéré à ce point ?

—Elles en prenaient le chemin quand nous sommes partis.

Haskeer fronça les sourcils.

—Qu'est-ce qu'on fait ? On campe jusqu'à l'aube ?

—Je propose plutôt qu'on se mette en marche, suggéra Coilla. On s'est levés il y a moins de deux heures. Ce n'est pas comme si on avait besoin de repos.

Stryke acquiesça.

—Entièrement d'accord. Si nous sommes bien là où tu penses, nous devons prendre la direction du sud-ouest. Il nous reste une bonne trotte jusqu'à Quatt, mais ça ne sera pas aussi long que prévu.

—On pourra peut-être trouver un moyen de transport en route.

—J'espère bien. Allez, on s'organise. Haskeer, vois comment se portent les bleus. Coilla, sécurise les environs.

La femelle orc s'en fut choisir des sentinelles.

Haskeer se dirigea vers Dallog et Wheam. L'étendard de l'unité planté dans le sol à côté de lui, le caporal tendait sa gourde au jeune orc. Celui-ci la prit avec des mains tremblantes.

—C'est quoi, ces simagrées ? aboya Haskeer.

—Wheam a été secoué par la traversée, expliqua Dallog.

—Il est assez grand pour répondre tout seul. (Haskeer foudroya le jeune orc du regard.) Alors ?

Wheam frémit.

—Ce truc… Ça m'a retourné l'estomac.

—Oh, pauvre petit ! railla Haskeer. Tu veux ton papa ?

—Vous n'êtes pas obligé de me…

—Ce n'est pas une promenade de santé ! Nous sommes en mission ! Ressaisis-toi !

—Du calme, Haskeer, intervint Dallog.

—Le jour où j'aurai besoin de tes conseils, fulmina Haskeer, on pourra m'égorger et danser sur mon cadavre. Et c'est « sergent ». Pour vous deux.

—Je ne fais que mon boulot, sergent.

—Tu le couves.

—Je fais juste preuve d'un peu d'indulgence envers un petit gars qui ne connaît pas encore les ficelles.

—Tu ne les connais pas non plus. Tu n'as jamais été en mission, et tu ignores tout du fonctionnement de cette unité.

—Possible. Mais je m'y connais en orcs, sergent, et je sais comment les soigner.

—Un seul Renard était capable de faire ça, et tu ne lui arrives pas à la cheville.

—Je suis sûr qu'Alfray était…

—Tu n'es pas digne de prononcer son nom, Dallog. Personne ne pourra jamais remplacer Alfray.

—Dans ce cas, vous auriez dû faire plus attention à lui.

Le visage d'Haskeer s'assombrit dangereusement.

—Qu'est-ce que tu viens de dire ?

—Les choses changent. Acceptez-le, sergent.

Wheam observait l'altercation, bouche bée.

—Être vieux ne te dispense pas de recevoir une raclée en cas de besoin, gronda Haskeer, les poings serrés.

—Essayez donc de m'en donner une, je vous en prie. Mais le moment est peut-être mal choisi.

—Maintenant, tu me dictes ma conduite ?

—Je dis juste que ça me paraît une mauvaise idée de nous battre devant nos subordonnés.

—Et pourquoi ça ? répliqua Haskeer en marchant sur Dallog. Au contraire : qu'ils me regardent t'inculquer le respect. De la manière forte.

Quelqu'un poussa un cri. D'autres voix le reprirent en chœur.

—Euh, sergent…

Wheam tendit un doigt.

Haskeer s'interrompit et pivota.

Au loin, un groupe de cavaliers se détachait sur l'horizon. Il était encore impossible d'évaluer leur nombre, mais une chose était sûre : ils se dirigeaient vers les orcs.

—On en reparlera plus tard, promit Haskeer à Dallog.

—Que se passe-t-il, sergent ? interrogea Wheam. Qui sont ces gens ?

—Probablement pas un comité de bienvenue. Tenez-vous prêts à vous battre. Et tâchez de ne pas faire honte aux Renards en mourant bêtement.

Haskeer s'éloigna, laissant derrière lui un Wheam terrifié.

Le temps qu'il rejoigne Stryke et Coilla, les cavaliers étaient devenus identifiables.

—Ma race préférée, grommela-t-il. Génial.

—À votre avis, combien? interrogea Coilla. Dans les soixante?

—Plus ou moins, acquiesça Stryke. Et ils ne portent pas d'uniforme.

Dallog arriva à cet instant, échangeant un regard furibond avec Haskeer au passage.

—Que sont ces gens, capitaine?

—Des humains.

—Quelle apparence étrange…

—Ils ne sont pas jolis-jolis, hein? grimaça Stryke.

—Et ils se rapprochent, leur rappela Coilla.

—Exact. Partons du principe qu'ils sont hostiles. Haskeer, Dallog, disposez l'unité en formation défensive autour de ce promontoire rocheux, là-bas. Et gardez un œil sur les nouvelles recrues. Exécution!

Les deux officiers s'en furent au pas de course en aboyant des ordres.

—Et moi? demanda Coilla.

—Combien de bons archers avons-nous?

—Cinq ou six, donc deux bleus.

—Et toi. Positionnez-vous sur le plateau. Tout de suite.

Le promontoire que Stryke avait indiqué était une dalle de pierre qui jaillissait du sol en diagonale. Mais son point le plus élevé, aussi haut qu'un arbre, était plat.

Déjà, les Renards dégainaient leur épée et se débarrassaient de leurs vestes de fourrure pour mieux se battre.

Coilla entraîna ses archers vers le promontoire et commença à escalader celui-ci. Stryke rejoignit le reste de l'unité dans l'abri formé par l'angle de la dalle.

Les humains arrivaient au galop. Une clameur monta de leurs rangs. Stryke crut les entendre scander le mot « monstres ».

Il gifla la pierre au-dessus de sa tête.

—Nous bénéficierons d'une bonne défense naturelle – tant que nous ne romprons pas la formation. (Les vétérans le savaient déjà; il s'adressait surtout aux nouvelles recrues.) Levez-moi vos boucliers!

Les vétérans s'exécutèrent avec habileté, faisant glisser leur bouclier depuis leur dos jusqu'à leur poitrine d'un seul mouvement fluide. Les bleus tâtonnèrent davantage – et nul autant que Wheam, qui s'empêtra dans un fouillis de lanières en tentant d'inverser son bouclier et son bien-aimé luth.

—Là, dit Stryke en l'aidant à se dégager. Et tiens ton épée comme ça.

Wheam acquiesça d'un air légèrement ahuri. Stryke poussa un soupir.

Dans un hurlement de bataille, les cavaliers chargèrent.

Les archers de Coilla avaient déjà encoché une flèche et bandé leur arc. Certains s'étaient agenouillés pour mieux viser; la femelle était restée debout.

Les humains de tête ne se trouvaient plus qu'à un jet de lance, leurs chevaux écumant et soufflant des nuages de vapeur.

—Tenez la position! rugit Haskeer.

Coilla attendit jusqu'au dernier moment avant de crier:

—Feu!

Une demi-douzaine de projectiles filèrent vers les cavaliers. Un homme reçut une flèche en pleine poitrine. Désarçonné par l'impact, il atterrit dans les pattes des montures de ses camarades, et en fit tomber plusieurs.

Une poignée d'humains avaient des arcs; ils contre-attaquèrent aussitôt. Mais il était difficile de viser depuis le dos d'un cheval lancé au galop, et la plupart de leurs traits se perdirent dans la nature.

La volée suivante des orcs fit trois victimes. Un homme fut touché à la cuisse, un autre à l'épaule. Le dernier ne récolta qu'une entaille à la tempe, mais cela suffit à provoquer sa chute, et il se fit piétiner.

L'équipe de Coilla continua à tirer.

Arrivés à distance de crachat du promontoire, les humains ralentirent, et leur charge se délita dans la plus grande confusion. Quelques cris furent échangés ; après quoi, ils se séparèrent en deux groupes. Le plus gros des deux entreprit de contourner le promontoire, sans doute en quête d'une brèche dans les défenses adverses. Le second s'avança vers les orcs restés au niveau du sol.

Certains des Renards avaient des frondes. Comme les humains approchaient, ils firent feu. Leur salve de cailloux fractura deux crânes et autant de bras. Mais ils n'eurent pas le temps de renouveler la manœuvre plus de trois ou quatre fois avant que les cavaliers arrivent au contact.

Leurs montures donnaient aux humains l'avantage de la hauteur, et elles pouvaient décocher des ruades meurtrières. En revanche, elles les handicapaient au niveau de l'allonge. Pour atteindre les orcs, les cavaliers devaient se pencher sur le côté, ce qui les rendait vulnérables.

Au pied du promontoire, ce n'était que chevaux piétinant et moulinets d'épée. Des coups pleuvaient sur les boucliers dressés des orcs. Ceux-ci ripostaient et s'efforçaient de désarçonner leurs adversaires. Dans certains cas, une dague plantée dans le mollet suffisait. Dans d'autres, des efforts concertés étaient nécessaires pour faire vider les étriers aux humains. C'était une mêlée aussi chaotique qu'acharnée.

Une dizaine de cavaliers mirent pied à terre de leur plein gré pour bénéficier d'une plus grande liberté de manœuvre dans l'espace exigu sous la saillie rocheuse.

L'un d'eux jeta son dévolu sur Stryke. Il était costaud, couturé de cicatrices, et avait une longue barbe broussailleuse. Comme ses camarades, il portait des vêtements dépareillés et en lambeaux. Et il brandissait une hache à double lame.

Stryke esquiva sa première attaque et sentit le souffle de l'air déplacé par l'arme. Avant que celle-ci atteigne le bout de sa trajectoire, il plongea en zébrant l'air de son épée.

L'humain était rapide. Il recula juste à temps pour éviter de se faire ouvrir la panse. Puis il riposta en faisant décrire un arc meurtrier à sa hache. Stryke s'accroupit brusquement et parvint ainsi à conserver sa tête.

L'humain se mit à marteler son bouclier pour le faire sauter. Stryke endura la volée de coups et se lança à la première occasion dans une série d'attaques foudroyantes – qui ne lui permirent pourtant pas de franchir la garde de son adversaire. Pourtant, malgré sa robustesse, celui-ci commençait à fatiguer. Le maniement de sa lourde hache sapait peu à peu ses forces.

Parce qu'il ne voulait pas rompre la formation, Stryke le força à venir à lui. L'homme écumant de fureur se rua en avant. Une nouvelle attaque siffla près du crâne de Stryke, un peu trop près à son goût. Rentrant la tête dans les épaules, l'orc fonça en tenant son bouclier devant lui comme un bélier.

Les deux adversaires se percutèrent. Ils luttèrent de toutes leurs forces, chacun tentant de neutraliser l'autre. Brusquement, Stryke fit un pas sur le côté, arrachant son bouclier à l'humain qui en avait saisi les bords. Déséquilibré, le colosse trébucha et laissa échapper sa hache. Une dragonne de cuir passée à son poignet retenait celle-ci. Il tenta de la reprendre en main, mais Stryke fut plus rapide. D'un coup brutal, il lui trancha la main. L'homme poussa un hurlement tandis qu'un flot écarlate jaillissait de son moignon et que sa hache s'écrasait sur le sol. Stryke lui transperça le cœur pour mettre fin à ses souffrances.

Tandis que l'humain s'écroulait, un autre bondit pour prendre sa place. Il avait plusieurs dents cassées. Les sourcils froncés, il engagea Stryke avec un couteau et une épée. Le chant de leurs lames vint s'ajouter à la mélodie de l'acier qui s'entrechoquait.

La ligne des orcs tenait toujours. Mais l'agitation bouillonnante au pied du rocher la rendait indistincte.

Au sommet du promontoire, les archers de Coilla continuaient à tirer où ils pouvaient. Au fur et à mesure que la bataille s'intensifiait, amis et ennemis commençaient à s'entremêler, leur compliquant la tâche. Coilla jugeait les attaquants aussi indisciplinés et mal assortis que leurs vêtements. Non que cela les rende moins déterminés, et l'imprévisibilité du désordre pouvait se révéler plus dangereuse qu'une force bien organisée.

La femelle orc se rabattit sur ses couteaux de lancer, qu'elle maniait mieux que l'arc et qui lui semblaient plus appropriés dans une situation aussi chaotique. Balayant la scène du regard, elle repéra deux cibles potentielles. Monté sur une jument blanche, un humain coiffé comme un balai à franges s'acharnait sur un orc avec son épée large. Coilla visa et projeta un couteau avec force. L'arme se planta dans la trachée de l'homme. Celui-ci vola en arrière, les bras écartés, et s'écrasa lourdement sur le sol. Mieux encore, son cheval paniqua et décocha une ruade qui fit s'écrouler un autre humain à pied.

La seconde cible de Coilla était à pied, elle aussi. Il s'agissait d'un chauve au visage glabre, bâti comme des latrines en pierre. Alors que la femelle orc se tournait vers lui, il s'élança vers la ligne défensive en brandissant un javelot. Coilla arma son bras et lança de toutes ses forces.

Elle avait bien visé mais, au dernier moment, l'humain fit un écart pour éviter un camarade tombé à terre. La lame se planta dans son flanc, près de sa taille : une blessure douloureuse mais non fatale. Il poussa un rugissement, faillit trébucher et tenta d'arracher le couteau. Très vite, Coilla en saisit un autre et le projeta. Cette fois, l'arme se ficha à l'endroit qu'elle visait, dans la poitrine de l'homme.

Stryke dégagea son épée des boyaux de l'humain qu'il venait d'embrocher et laissa retomber sa victime. Il jeta un coup d'œil à la ronde. Des corps jonchaient le sol, ralentissant l'avance des pillards, mais il en restait encore beaucoup debout.

Un peu plus loin dans la ligne, Wheam se recroquevillait sous l'assaut d'un humain armé d'une masse. Le martèlement continu de la boule métallique déformait son bouclier. Les jointures blanchies, le jeune orc s'accrochait à ce dernier sans faire mine de riposter. Les vétérans qui l'encadraient devaient se charger de le défendre.

Dallog s'en tirait beaucoup mieux. L'étendard de l'unité planté dans le sol derrière lui, il faisait bon usage de son épée et de sa dague. Il lacéra le visage de son agresseur et enchaîna en lui plantant sa lame dans le ventre.

Hurlant de toute la force de ses poumons, un humain armé d'une lance chargea Stryke. Celui-ci bondit sur le côté et empoigna le manche de l'arme. Les deux adversaires luttèrent pied à pied en montrant les dents. Puis Stryke décocha à l'humain un coup de tête qui le fit s'effondrer net. Retournant sa lance, il le transperça de part en part.

Au-delà du siège, des cavaliers continuaient à tourner autour du promontoire. De temps en temps, l'un d'eux décochait une flèche aux archers de Coilla. Aucun des projectiles n'avait encore fait de dégâts, mais ce n'était qu'une question de temps avant que la chance guide l'un d'eux jusqu'à une cible.

Au sommet de son perchoir, la femelle orc se tenait épaule contre épaule avec le bleu Yunst, qui se montrait plutôt doué à l'arc. Elle projeta un couteau, et un humain s'étala de tout son long sur le sol.

—Bien visé, commenta Yunst.

—Tu as compté les tiens ? demanda Coilla.

—Pas vraiment.

—Avec celui-là, on est à égalité.

—Ça ne va pas du tout. (Yunst se choisit une nouvelle cible et banda son arc.) Voyons si je peux…

Il y eut un impact mou. Du sang éclaboussa Coilla. Une flèche venait de transpercer le cou de Yunst. Celui-ci s'écroula sur Coilla, l'entraînant dans sa chute. L'impact projeta la femelle orc vers le bord du promontoire. Avec un cri, elle bascula dans le vide.

Coilla ne tomba pas de très haut, mais elle se reçut mal. Le choc de l'atterrissage lui coupa le souffle et ébranla ses perceptions. Gisant sur le côté, submergée par la douleur, elle tenta de se ressaisir. Elle avait conscience de la bataille qui faisait rage non loin d'elle, du piétinement des combattants et des chevaux, des cris et des hennissements. Avec un grognement, elle roula sur le dos et leva la tête.

Quelque chose envahit son champ de vision. Une forme se pencha vers elle. Elle cligna des yeux. Un cavalier grimaçant s'apprêtait à lui planter sa lance dans la poitrine. Elle lutta pour s'écarter tout en cherchant sa lame à tâtons. Allait-elle mourir piétinée par le cheval qui se cabrait au-dessus d'elle ou transpercée par un pied d'acier ? C'était cinquante-cinquante.

Puis quelqu'un s'interposa entre elle et la menace. Agrippant la bride du cheval à deux mains, Haskeer se baissa et se tortilla pour esquiver la lance du cavalier. Orc et animal luttèrent un moment. À plusieurs reprises, le cheval qui tentait de se dégager souleva Haskeer de terre, et la lance du cavalier passa très près de l'embrocher.

Finalement, l'orc perdit patience. Lâchant la bride, il arma son bras et décocha un puissant coup de poing à l'animal. Les pattes antérieures du cheval à demi assommé se dérobèrent sous lui. Le cavalier fut désarçonné et lâcha sa lance. Comme il s'écrasait à terre, plusieurs vétérans se précipitèrent pour l'achever.

Stryke apparut. Haskeer et lui relevèrent promptement Coilla et la traînèrent vers la relative sécurité de la ligne orc.

— Rien de cassé ? s'enquit Stryke.

Coilla secoua la tête.

— Je ne crois pas.

— Que s'est-il passé là-haut ?

— On a perdu un des bleus. Yunst.

— Et merde.

— Voilà ce qui se passe quand on engage des amateurs, commenta Haskeer.

— C'était un bon combattant, répliqua sévèrement Coilla. Et on ne frappe pas les chevaux, espèce de salaud.

— Surtout ne me remercie pas, répliqua Haskeer sur un ton acerbe. Je viens juste de te sauver la vie.

— Il nous reste encore pas mal de travail, les rabroua Stryke.

Ils reportèrent leur attention sur les agresseurs.

Les rangs humains commençaient à s'éclaircir. Mais la lutte demeurait intense. Encouragés par la mort de Yunst, les pillards survivants redoublèrent d'ardeur, mettant la défense orc à rude épreuve. Le paysage silencieux par ailleurs continua à résonner du fracas de l'acier et des hurlements des mourants.

Seules la chance et l'aide de ses camarades avaient maintenu Wheam en vie jusque-là. À présent, la chance semblait sur le point de l'abandonner. Pendant que tous autour de lui étaient occupés, un humain se précipita et l'entreprit avec zèle. Wheam adopta sa tactique habituelle : se cacher derrière son bouclier et laisser pleuvoir les coups. Mais son assaillant était déterminé. Brandissant son épée large à deux mains, il s'acharna sur le bouclier avec tant de force qu'il fit jaillir des étincelles de sa surface bosselée.

Un coup encore plus violent que les autres fit lâcher prise à Wheam. Les yeux écarquillés de terreur, le jeune orc se retrouva face à l'humain sans autre protection que son épée. Il esquissa deux attaques maladroites, qui atteignirent tout juste la lame adverse. La riposte du pillard faillit faire sauter son épée de sa main tremblante. Le coup suivant brisa sa lame en deux. Il se figea tel un agneau sacrificiel.

Un orc percuta violemment l'humain. Oubliant Wheam, celui-ci empoigna son nouvel adversaire. Il sembla un instant que le Renard allait avoir le dessus dans cette lutte au corps à corps. Malheureusement, il tournait le dos au reste de l'ennemi. Un cavalier qui se trouvait non loin de là en profita pour lui plonger sa lame dans les reins. Le vétéran s'écroula, et les deux hommes l'achevèrent sans pitié.

— C'est Liffin ! glapit Coilla.

Elle fit mine de se porter à son secours.

— *Ta position !* aboya Stryke. (Plus doucement, il ajouta :) Tu ne peux rien faire pour lui.

Les deux humains n'eurent guère le temps de savourer leur victoire. Depuis le sommet du promontoire, les archers orcs se remboursèrent leur dette de sang. L'homme à l'épée large reçut trois flèches dans le corps – n'importe laquelle d'entre elles aurait suffi à le tuer. Son camarade en reçut deux. Pour la bonne mesure, plusieurs Renards se jetèrent sur eux en brandissant épées et lances.

La fureur des orcs ne diminuait pas. Tous les humains qui s'approchaient d'eux se faisaient tailler en pièces, mutiler ou transpercer. Leur résolution fléchit en même temps que leur nombre. Lorsque la moitié de leurs camarades se furent écroulés, morts ou agonisants, ils battirent en retraite et s'éloignèrent au galop vers la plaine.

Les Renards poussèrent un soupir collectif. Ils récupérèrent les corps de Yunst et de Liffin, puis entreprirent de panser leurs blessures et de nettoyer leurs lames.

— Ça commence bien, enragea Haskeer. Déjà deux morts, dont Liffin !

— Parfois, on encaisse des pertes, répliqua Stryke sur un ton égal. Ça fait partie du boulot. Tu le sais.

—On s'est mis en route il y a moins d'une heure! À ce rythme-là, on sera tous morts avant d'avoir trouvé Jup!

—Ta colère ne les ramènera pas, intervint Coilla.

Haskeer ne se laissa pas apaiser.

—On n'aurait jamais dû les perdre! Liffin, en tout cas. Je me fiche du bleu, mais Liffin était un vieux de la vieille. Et il s'est fait tuer pour quoi? Pour ce… ce petit connard!

—Il est mort pour les Renards. Nous veillons les uns sur les autres, tu te souviens?

—Certains ici ne valent pas la peine qu'on veille sur eux! Si ça ne tenait qu'à moi…

Wheam s'approcha, tenant toujours son moignon d'épée.

—Je… Je voulais vous dire que je suis désolé, bredouilla-t-il.

—Espèce de lâche! rugit Haskeer. Je devrais te tuer pour ce que tu viens de faire!

—Ça suffit, aboya Stryke.

—Je ne voulais pas…, insista Wheam, penaud.

—Liffin en valait dix comme toi, tempêta Haskeer, sale petit merdeux!

—La ferme, Haskeer! ordonna Stryke.

—C'est lui qui va la fermer!

Les deux bras tendus, Haskeer donna une violente bourrade dans la poitrine de Wheam. Puis, comme le jeune orc s'écroulait, il fit mine de saisir son couteau. Stryke et Coilla lui immobilisèrent les bras.

—J'ai dit: ça suffit! tonna Stryke à l'oreille de son sergent. Je ne tolérerai aucune insubordination dans cette unité!

—D'accord, d'accord.

Haskeer cessa de se débattre. Comme Stryke et Coilla relâchaient leur étreinte, il se dégagea rageusement.

—Encore un coup de ce genre, et je te ravale au rang de simple troufion, menaça Stryke. Pigé?

Haskeer acquiesça à contrecœur.

—Mais ce n'est pas fini, grogna-t-il. (Il agita un index en direction de Wheam.) Que ce crétin ne s'approche pas de moi!

Chapitre 7

Ils auraient dû respecter la tradition et disposer de leurs morts dans les flammes. Mais ils ne pouvaient pas se permettre d'attirer l'attention en allumant un feu. Aussi ensevelirent-ils Yunst et Liffin très profond, leur épée à la main. Dallog, qui était doué pour la sculpture, façonna de petits marqueurs portant les symboles de Neaphetar et Wystendel, les dieux orcs de la guerre et de la camaraderie.

Le temps qu'ils procèdent à l'enterrement et rattrapent quelques-uns des chevaux abandonnés par les humains, une bonne partie de la journée s'était déjà écoulée. Le soleil blafard atteignait son zénith quand ils se mirent enfin en route pour les contrées naines.

Il n'y avait pas assez de chevaux pour tout le monde, même en montant à deux sur chaque animal. Un tiers de l'unité dut se relayer pour marcher – à l'exception d'Haskeer, qui était d'une humeur si massacrante que Stryke l'encouragea à monter seul. Il veilla également à ce que Wheam, apparié avec Dallog, demeure aussi loin que possible du sergent. Rien de tout cela ne se prêtait à une progression rapide.

En tête du groupe, Stryke et Coilla, qui partageaient un cheval, tentaient de choisir le chemin offrant le moins de risques d'embuscade. Le paysage était froid et lugubre ; en quatre heures de route, ils n'avaient pas aperçu une seule autre créature vivante. Aucun des Renards ne se sentait d'humeur particulièrement bavarde, et la colonne avançait en silence.

Coilla fut la première à reprendre la parole.

—Tu sais, Stryke, il avait raison, dit-elle à voix basse.

—Mmmh?

—Haskeer. Pas d'agir comme il l'a fait, mais de dire que cette mission ne commençait pas très bien.

—Je suppose que oui.

—Je culpabilise à propos de Liffin. C'était un frère d'armes, et nous avions partagé beaucoup de choses avec lui. Mais je culpabilise encore plus à propos de Yunst. Parce que c'était sa première mission, qu'il dépendait de nous et que…

—Je sais.

—Ne va pas t'imaginer que je te considère comme responsable de ce qui est arrivé.

—Je ne m'imagine rien du tout.

—Si quelqu'un est responsable, c'est moi. Pour Yunst, du moins. J'étais le chef de cette équipe. J'aurais dû veiller sur lui.

Stryke tourna la tête vers Coilla.

—Et moi, tu crois que je ne culpabilise pas?

Ils se turent un moment.

—À ton avis, qui étaient ces humains? demanda la femelle orc, guidant la conversation vers des eaux moins troubles.

—De vulgaires maraudeurs. Ils n'avaient pas l'apparence d'Unis ou de Multis – et pas la discipline, non plus.

—S'ils sont typiques de la population d'aujourd'hui, Maras-Dantia a sombré encore plus profondément dans l'anarchie depuis notre départ.

—Raison de plus pour faire ce que j'avais prévu, dit Stryke en plongeant une main dans sa sacoche de ceinture. (Il en sortit un objet qu'il tendit à Coilla.) Si tu es toujours d'accord pour la prendre.

Une instrumentalité reposait dans la paume de la femelle orc – la bleue, celle qui avait quatre pointes. Son contact était étrange : elle semblait trop lourde et trop légère à la fois. Et elle possédait une autre qualité plus profonde que Coilla avait encore davantage de mal à comprendre.

—Bien sûr que je suis toujours d'accord, répondit-elle en s'arrachant à sa rêverie.

Elle glissa l'étoile dans sa propre sacoche.

—Si elle commence à t'affecter, n'hésite pas à me la rendre, conseilla Stryke.

—Pourquoi ne pas demander aux autres de la porter chacun à leur tour, disons, pendant deux heures? Pas tous, évidemment – juste les vrais Renards.

—Et que se passera-t-il quand viendra le tour d'Haskeer? Non, ça ne ferait que causer des problèmes supplémentaires. Mais si tu ne veux pas la prendre…

—Je t'ai dit que je le ferais, non?

Instinctivement, Coilla porta la main à sa sacoche. Qu'est-ce que ça devait être pour Stryke, qui en trimballait quatre… De nouveau, elle changea de sujet.

—Tu penses qu'on va mettre combien de temps pour atteindre Quatt?

—À cette allure, je dirais deux jours.

—En supposant que Jup soit bien là-bas.

—Ce qui est certain, c'est qu'on ne sera pas fixé ce soir.

La lune se levait, large disque couleur d'étain à demi masqué par des nuages filandreux. Le vent était de plus en plus froid.

—Où veux-tu dresser le camp? demanda Coilla.

—C'est toi, notre stratège, répliqua Stryke. Quel endroit te paraît le plus facile à défendre?

Coilla balaya le morne paysage du regard. Le terrain était pratiquement dépourvu de relief.

—Il n'y a pas beaucoup de choix dans le coin, se plaignit-elle. Attends. (Elle tendit un doigt.) C'est quoi, ça?

Assez loin devant eux, un peu en retrait de la piste qu'ils suivaient, se dressait un amas de formes sombres.

—À cette distance, je ne peux pas dire, répondit Stryke en plissant les yeux. Curieuse?

—Toujours.

—Alors, allons jeter un coup d'œil.

En approchant, ils virent que les formes sombres étaient des ruines. Une petite communauté avait dû vivre là jadis; à présent, il ne restait que des bâtiments pareils à des coquilles vides. Des poutres noircies indiquaient que le feu avait joué un rôle dans leur destruction. Il y avait quelques palissades abattues et un chariot abandonné. Un lichen d'un vert malsain recouvrait la pierre. Des mauvaises herbes avaient envahi les rues.

Stryke ordonna aux Renards de mettre pied à terre.

—Cet endroit était habité par des humains, commenta Coilla.

—C'est ce qu'on dirait, acquiesça Stryke.

—Je me demande ce qui les a chassés d'ici…

—Probablement d'autres humains. Tu sais comment ils sont…

—Ouais.

—Organisons-nous. Je veux que tu postes des sentinelles.

Coilla s'éloigna. Stryke se tourna vers le Renard le plus proche.

—Finje! Il y a peut-être un puits, là-bas. Va voir s'il contient de l'eau.

Haskeer le rejoignit, le visage pareil à un masque de granit.

—Fais fouiller les environs, ordonna Stryke. On peut se passer d'une deuxième surprise.

—D'accord, grommela son sergent.

Il se détourna d'un air morose.

—Hé, Haskeer! le rappela Stryke.

Haskeer lui jeta un coup d'œil par-dessus son épaule.

—Ce qui est fait est fait. Accepte-le. Tes humeurs perturbent l'unité, dit sévèrement Stryke. Je ne veux pas de ça. Garde ta colère en réserve pour nos ennemis.

Haskeer acquiesça sèchement. Puis il partit constituer une équipe de reconnaissance.

—Le puits est à sec! cria Finje.

En guise de preuve, il renversa un seau délabré, dont il ne tomba que de la poussière et des cailloux.

Coilla revint.

—On en est où, avec l'eau?

—Ce n'est pas encore un problème, répondit Stryke. Mais ça en deviendra un si nous tardons trop à trouver une source potable. Les sentinelles sont postées?

—Oui. Mais je voudrais te montrer quelque chose.

—Je te suis.

La femelle orc entraîna son capitaine vers le plus grand et le plus intact des bâtiments. Trois murs tenaient encore debout; à leur sommet, on distinguait les vestiges d'un avant-toit. Deux lourds battants gisaient parmi les gravats. Ils semblaient avoir été défoncés.

Tandis que Stryke et Coilla examinaient les alentours, Haskeer les rejoignit.

—Qu'est-ce qu'elles ont de spécial, ces ruines?

—Je pense que cet endroit était un lieu de culte, expliqua Coilla.

—Et alors?

—Venez voir ça.

Les deux mâles la suivirent jusqu'à un muret de pierre. Bien que partiellement effondré, celui-ci arborait encore un portail branlant. Il délimitait une zone d'environ un demi-hectare, dans laquelle rien ne poussait hormis trois ou quatre arbres squelettiques. En revanche, des dizaines de dalles de pierre et de marqueurs en bois saillaient du sol selon des angles fantaisistes.

—Tu sais ce que c'est? interrogea Stryke.

—Oui. Un cimetière.

—Génial, marmonna Haskeer.

—Tu n'as quand même pas peur de quelques humains morts? railla Coilla.

Haskeer la foudroya du regard.

—Mais pourquoi ne pousse-t-il rien là-dedans? s'étonna la femelle orc. Dehors, il y a des mauvaises herbes partout. La nature reprend ses droits. Alors, pourquoi pas ici aussi?

—Les humains ont peut-être fait quelque chose à la terre, suggéra Stryke. Ils ont pu la saler, ou…

—Pourquoi?

—Par respect pour leurs morts, par exemple? Qui peut savoir, avec eux?

—Tout juste, grogna Haskeer. Ils sont complètement barges.

Stryke trouva ça un peu fort venant d'Haskeer, mais il garda cette opinion pour lui.

—Cet endroit en vaut un autre pour passer la nuit. Le mur nous servira de coupe-vent. Dis aux gars de monter le camp, Haskeer. Mais pas de feu.

—Ça ne va pas être très gai.

—Contente-toi d'obéir.

Haskeer s'éloigna, l'air mécontent. Coilla le suivit des yeux.

—Un vrai petit rayon de soleil. Comme d'habitude.

—Ce n'est pas notre principal problème pour le moment.

—Wheam ?

—Wheam.

—Que comptes-tu faire de lui ?

—Lui donner un boulot qui l'occupera et le tiendra à l'écart d'Haskeer. Viens.

Apparemment ahuri par l'agitation qui régnait autour de lui, Wheam se tenait près de Dallog, un peu plus loin contre le muret. Une expression gênée se peignit sur son visage quand il vit approcher Stryke.

Avant que son capitaine puisse parler, le jeune orc lança :

—Vous allez me punir, pas vrai ?

—À cause de Liffin ?

—Évidemment. Mais j'avais la trouille, et…

—Sous mon commandement, aucun orc ne sera jamais puni pour avoir eu peur, le détrompa Stryke.

—Oh.

Wheam était perplexe.

—Seuls les imbéciles ignorent la peur, poursuivit Stryke. C'est ce que tu fais malgré ta peur qui affecte notre survie. Donc, on va te former au combat, et tu feras de ton mieux pour apprendre vite ; d'accord ?

—Euh, oui.

—Nous n'emmenons pas de non-combattants. Chacun des Renards doit être capable de se défendre. C'est ta moitié du marché. Entendu ?

—Oui, capitaine, monsieur.

—Très bien. Je vais te préparer un programme d'entraînement. Si tu veux honorer la mémoire de Liffin, tu le suivras avec assiduité.

En attendant, il te faut un rôle attitré. Quelles compétences spéciales possèdes-tu ?

— Je pourrais être le barde officiel de l'unité, suggéra Wheam, plein d'espoir, en brandissant son luth.

— Je parlais de compétences utiles, rectifia Stryke. (Il se tourna vers son nouveau caporal.) Dallog, qu'est-ce que tu fais ?

L'orc d'âge mûr désigna un petit groupe d'orcs qui attendaient.

— J'allais jeter un coup d'œil aux blessés. Changer leurs bandages, ce genre de trucs.

— Wheam peut t'aider. Ça te va ?

— Ça me va. Si toutes les journées ressemblent à celle-ci, un assistant ne sera pas de trop.

Wheam eut une grimace pleine d'appréhension.

— Par contre, nous ne pouvons pas prendre le risque d'allumer un feu, ajouta Stryke. Tu auras assez de lumière pour travailler ?

— Le clair de lune devrait me suffire.

— Alors, mets-toi au boulot.

Dallog fit signe au premier orc de la file. Pirrak, une des nouvelles recrues, s'avança. Un pansement crasseux enveloppait son avant-bras.

— Ça te fait mal ? interrogea Dallog.

— Un peu, oui.

Dallog entreprit de défaire le bandage.

— Vous saviez que le sang coule plus fort pendant la pleine lune ? lança-t-il à la cantonade.

— Bien sûr que oui, répliqua Coilla. Je suis une femelle.

— Ah. Évidemment, acquiesça le caporal, un peu mal à l'aise.

Chacune des couches de tissu qu'il déroulait était plus raide de sang séché que la précédente. Quand il eut exposé la plaie, il drapa machinalement le pansement souillé sur le mur du cimetière.

— Mmmh. Ça a pas mal pissé. Il faudra peut-être recoudre. Tu vois comment les bords de la plaie pendouillent, Wheam ? Et tout ce pus…

Il y eut un grognement et un impact sourd.

— Il s'est évanoui, constata Coilla.

Les orcs qui faisaient la queue s'esclaffèrent. Même Pirrak ne put s'empêcher de rire – ce qui lui arracha une grimace de douleur.

— Quel genre d'orc est-il ?

Avec ses dents, Coilla ôta le bouchon en liège de sa gourde et versa un filet d'eau sur le visage cendreux de Wheam.

— Vas-y mollo avec la flotte, lui recommanda Stryke. Il ne nous en reste plus beaucoup ; autant ne pas la gaspiller.

Wheam toussa et cracha. Les spectateurs redoublèrent d'hilarité.

— Je vais m'occuper de lui, soupira Dallog en s'agenouillant près de son nouveau patient.

Stryke et Coilla s'éloignèrent.

— La médecine n'est sans doute pas la vocation de Wheam, commenta sèchement la femelle orc.

— Je vais finir par me demander s'il en a une, soupira Stryke.

— Il faut pourtant lui trouver un boulot.

— Lequel ? Je n'ai pas assez confiance en lui pour lui faire monter la garde ou pour l'envoyer chasser. Il arriverait peut-être à creuser des latrines et à préparer des rations – mais ça ne m'étonnerait qu'à moitié qu'il nous empoisonne par inadvertance.

— Je ne pense pas que c'est ce qu'envisageait Quoll.

— Que Quoll aille se faire foutre ! Il aurait dû éduquer son rejeton correctement au lieu de nous le coller dans les pattes.

— L'entraînement que tu lui as promis remédiera peut-être un peu à ses lacunes.

— Peut-être.

— C'est toujours difficile d'intégrer de nouveaux membres, plaida Coilla. Tu le sais.

Stryke acquiesça.

— Que penses-tu de Dallog ?

— Il me plaît. Il s'est bien battu aujourd'hui, et c'est un médecin compétent. Je sais qu'il ne remplacera jamais Alfray, mais qui le pourrait ?

— Si seulement tout le monde pouvait partager ton avis…

Ils atteignirent le chariot renversé et se perchèrent sur ses essieux intacts pour observer les orcs qui dressaient le camp.

Comme le crépuscule cédait la place à la nuit, le vent se fit encore plus froid.

Les blessés continuaient à défiler devant Dallog, qui déposait leurs bandages sanglants sur le muret derrière lui. Plus d'une dizaine de pansements s'étaient déjà accumulés là. Le vent agitait leurs extrémités.

Soudain, une rafale plus forte que les autres en souffla une bonne partie à l'intérieur du cimetière. L'un d'eux se prit dans les branches émaciées d'un arbre ; un autre s'enroula autour du marqueur d'une tombe, et le reste s'éparpilla sur le sol aride.

Dans le ciel, les étoiles brillaient d'une lumière dure et aiguë, comme des diamants.

— C'est drôle de penser que nous sommes nés ici, murmura pensivement Coilla. Ça t'arrive parfois d'avoir le mal du pays ?

— Non.

— Même pas un petit pincement au cœur ?

— Ce n'est plus le même pays qu'autrefois. Les humains l'ont ravagé.

— C'est vrai. Mais ça fait quand même bizarre d'être de retour ici. Tout me paraît à la fois très loin, et aussi proche que si c'était arrivé hier.

Stryke sourit.

— Je vois ce que tu veux dire.

Ils continuèrent à observer la scène en silence. Les orcs s'affairaient de toutes parts, s'installant pour la nuit. Ils nettoyaient leurs armes et faisaient circuler des rations de nourriture. Au loin, les sentinelles patrouillaient.

Les quelques bleus que Dallog devait examiner s'étaient assis sur le muret du cimetière. L'air toujours nauséeux, Wheam triait des bandages pour le caporal.

— J'ai fini, annonça-t-il. Et maintenant, je fais quoi ?

— Je suis occupé, répondit Dallog, nettoyant une plaie que le jeune orc se refusait à regarder. Utilise ton sens de l'initiative. (Puis il se ravisa. Il releva la tête et jeta un coup d'œil à la ronde.) Rends-toi utile en ramassant ces pansements sales. Nous ne voudrions surtout pas que les infections se répandent.

— Dans quoi je les mets ? voulut savoir Wheam.

Dallog lui fourra entre les mains une petite besace en toile qui servait normalement au transport des projectiles de fronde.

— Là-dedans.

Wheam s'attela à la tâche avec un enthousiasme minimal. Grimaçant, il saisit entre le pouce et l'index les deux ou trois bandages restés sur le muret. Les vétérans qui le regardaient se donnèrent des coups de coude et ricanèrent.

Tournant la tête, le jeune orc aperçut les pansements éparpillés dans le cimetière. Il escalada maladroitement le muret. Une fois à l'intérieur, il se pencha, ramassa le premier bandage ensanglanté et le fourra dans sa besace. Puis il avisa celui qui était accroché au marqueur de bois et se dirigea vers lui. Lentement, il parcourut le cimetière en collectant les bandes de tissu souillé.

L'un des derniers pansements gisait en travers d'une tombe. Wheam venait de s'accroupir et de tendre la main quand il entendit un son. Il se figea et tendit l'oreille. Rien. Mais à l'instant où ses doigts effleuraient le bandage, le son se répéta. Une fois de plus, il interrompit son geste et chercha la provenance du bruit. On aurait dit un raclement, un grattement souterrain pareil à celui d'une créature fouisseuse.

Wheam baissa les yeux. À ses pieds, la terre bougeait et se soulevait. Intrigué, il se pencha en avant pour mieux voir.

Le sol explosa. Une main osseuse fusa et lui saisit l'avant-bras. Wheam se débattit en vain contre sa poigne de fer. Il ouvrit la bouche pour crier, mais aucun son n'en sortit.

De la terre jaillit de tous les côtés, livrant passage à des silhouettes torturées.

Perchés sur les essieux du chariot, Stryke et Coilla savouraient l'air nocturne et le calme.

— Ça n'a plus l'air si terrible, pas vrai ? lança la femelle orc. Avec la lune dans le ciel et la tranquillité ambiante, on pourrait presque se croire encore à Ceragan.

— Je n'irais pas jusque-là.

— Que ferais-tu par une nuit comme celle-ci si tu étais encore là-bas ?

— Si j'étais chez moi, je…

Un cri perçant déchira l'air.

Coilla se leva d'un bond.

— Que diable… ?

— Là-bas ! Le cimetière ! Viens !

Stryke et elle s'élancèrent vers le muret. D'autres Renards couraient déjà dans la même direction.

Il y eut un nouveau hurlement.

À leur arrivée, Stryke et Coilla découvrirent Wheam accroupi au milieu du cimetière. Apparemment, il tirait sur quelque chose – une grosse racine qu'il essayait de déterrer, peut-être. Tout autour de lui, des formes indistinctes s'extrayaient du sol.

Stryke et Coilla se rapprochèrent, la plupart de leurs camarades sur les talons. Les tombes vomissaient d'étranges fruits. Des formes rondes, qui ressemblaient à des melons pourris ou à des œufs géants, émergeaient de la terre. Ils mirent un moment à réaliser que c'était des têtes.

Des créatures s'arrachèrent au sol en se tortillant. Enfin, les Renards purent distinguer leurs silhouettes. Elles étaient humaines. Ou du moins, elles l'avaient été. Certaines arboraient encore de la chair putride et décolorée, à un stade plus ou moins avancé de la décomposition ; d'autres n'avaient plus que des lambeaux de vêtements et la peau sur les os. Elles progressaient avec des mouvements saccadés, et leurs yeux flamboyaient d'une faim avide. Une odeur nauséabonde les accompagnait.

L'une d'elles ramassa un bandage souillé et le fourra dans sa bouche. Sa mâchoire déboîtée cliqueta bruyamment comme elle mâchait le tissu ensanglanté.

Une vingtaine de cadavres avaient déjà fait surface, et d'autres continuaient à apparaître. Les orcs les observaient, pétrifiés.

Haskeer arriva en courant.

— C'est quoi ce bordel ? haleta-t-il.

— C'est la question qu'on se pose tous, répliqua Coilla.

— On se bouge ! glapit Stryke. Renards, à l'attaque !

Les orcs dégainèrent leur épée et foncèrent vers le muret.

— Je m'occupe de Wheam, annonça Coilla.

—On ne pourrait pas oublier ce petit morveux? implora Haskeer.

Coilla l'ignora.

Comme les Renards approchaient, les cadavres ambulants s'immobilisèrent et tournèrent la tête d'un même mouvement. Puis ils marchèrent sur les orcs.

La créature qui tenait Wheam avait fini par s'extirper de sa tombe. La chair décomposée de sa poitrine révélait ses côtes et ses boyaux pourrissants. Wheam continuait à se débattre. Il tâta son fourreau de sa main libre, s'efforçant d'atteindre son épée. La créature l'attira vers elle.

Les Renards atteignirent le muret. Coilla sauta par-dessus et s'élança à travers le cimetière. Stryke et Haskeer se dirigèrent vers le portail branlant, que deux des monstruosités s'apprêtaient à franchir. Il semblait à Stryke que, déjà, elles gagnaient en rapidité et en aisance.

Il chargea la plus proche. La créature fit un écart, mais pas assez vite pour esquiver. L'épée de Stryke plongea dans sa poitrine fétide sans rencontrer aucune résistance. Son attaque, cependant, n'eut pas d'autre résultat que de faire légèrement vaciller la créature – et de libérer un petit nuage de poussière quand il dégagea son arme.

Haskeer frappa à son tour, et sa lame mordit profondément dans le flanc de sa cible. Elle trancha sa chair parcheminée et lui brisa plusieurs côtes sans toutefois la ralentir de manière significative.

Haskeer arma de nouveau son bras. Cette fois, il visa le ventre de la créature, l'entaillant d'une hanche à l'autre. Des entrailles se déversèrent par la plaie en exhalant une indicible puanteur. Ses boyaux pendant entre ses jambes, l'abomination continua à avancer, les bras tendus devant elle et les doigts recourbés comme des griffes.

Quelques créatures franchirent le portail. D'autres enjambèrent laborieusement le muret. Les orcs leur firent un barrage de leurs épées et de leurs lances. Mais Stryke ne s'était pas trompé: à chaque minute passée hors du sol, les monstres devenaient plus vifs et plus puissants. Avec une rapidité étonnante, l'un d'eux assena un coup à la tempe d'un bleu, qui s'écroula assommé. Ignorant les lames menaçantes des Renards, un autre percuta un vétéran et l'enserra dans une étreinte d'ours comme pour lui broyer les côtes. Tous deux s'écroulèrent, luttant l'un contre l'autre.

Coilla esquiva autant de créatures qu'elle en combattit pour atteindre Wheam. Même s'ils gagnaient en vitesse, les cadavres animés demeuraient plus lents que des adversaires vivants. Mais, lorsqu'un spécimen particulièrement robuste lui barra le chemin en écartant les bras, la femelle orc eut tout juste le temps de s'arrêter. L'humain en décomposition lui assena un violent revers, et elle s'écroula.

Roulant sur elle-même, elle se releva d'un bond. Elle cracha un peu de sang et attaqua aussitôt, l'épée tendue devant elle. Son adversaire vint obligeamment s'empaler sur sa lame. La pointe entra un peu au-dessus de son cœur (ou de l'endroit où son cœur avait dû se trouver jadis) et ressortit dans son dos sans rencontrer de résistance – mais sans faire de dégâts non plus.

Coilla dégagea son arme et changea de tactique, frappant avec le tranchant de son épée. Cette fois, elle parvint à emporter plusieurs morceaux de chair pourrie, mais le monstre ne ralentit pas pour autant.

Alors, la solution lui apparut. Elle se maudit d'avoir mis si longtemps à réaliser l'évidence. Bondissant sur le côté, elle s'accroupit et frappa. La jambe de la créature était si desséchée, si fragile qu'un seul coup suffit à la sectionner. Amputé sous le genou, le monstre perdit l'équilibre et s'écrasa sur le sol. Coilla l'abandonna gesticulant pour se relever.

Quand elle atteignit Wheam, le jeune orc se débattait toujours en vain. Son agresseur était une femelle aux traits émaciés, dont les cheveux sales avaient dû être blonds jadis. D'une main, elle agrippait le poignet de Wheam. De l'autre, elle avait saisi le devant de son pourpoint pour l'attirer à elle.

Une brusque secousse rapprocha le malheureux orc de son visage à la peau marbrée. Sa bouche s'ouvrit, révélant une paire d'incisives jaunes inhabituellement longues. Avec la rapidité d'un serpent venimeux, elle planta ses crocs dans le cou de Wheam.

Coilla surgit, hurlant et brandissant son épée. La femelle blonde releva la tête et s'écarta légèrement de Wheam. Du sang coulait au coin de ses lèvres blêmes. Wheam semblait en état de choc : il avait le teint cendreux, et du sang dégoulinait de sa jugulaire.

Sans lâcher son poignet, la créature pivota vers Coilla. Une large cavité béait dans sa poitrine, exposant ses côtes et ses viscères. Le sang de Wheam coulait à l'intérieur.

Coilla abattit brutalement son épée sur le bras de la femelle, le sectionnant au niveau du coude. Wheam tituba en arrière, une main flétrie toujours crispée autour de son poignet. Les crocs découverts, les traits déformés par une hideuse grimace, la créature poussa un sifflement guttural.

Coilla frappa de nouveau. Cette fois, elle décapita son adversaire. La tête de la femelle rebondit sur le sol et alla se perdre dans l'obscurité. Son corps vacilla l'espace d'une seconde puis s'écroula, se changeant en un tas de peau desséchée et d'os poussiéreux.

— Des sangsues ! glapit Coilla.

Les orcs qui se battaient près du muret entendirent son avertissement. Mais Stryke et Haskeer n'en eurent pas besoin : les morts-vivants qu'ils affrontaient avaient déjà essayé de les mordre à la gorge.

— On fait comment pour les tuer ? cria Haskeer, agitant sa lance pour maintenir un cadavre affamé à distance.

— Il faut leur couper la tête ! rugit Stryke en joignant le geste à la parole avec son adversaire.

— D'accord !

Lâchant sa lance, peu efficace dans ce genre de situation, Haskeer empoigna sa hachette.

— Ou les brûler ! ajouta Dallog.

— Utilisez du feu ! aboya Stryke. À vos arcs !

Une poignée d'archers se détachèrent de la mêlée. Certains avaient des pointes de flèches déjà goudronnées ; ils se hâtèrent de les fixer. Les autres utilisèrent des bandes de tissu trempées dans de l'huile, qu'ils allumèrent à l'aide de leur briquet à silex.

L'air nocturne s'emplit de traînées flamboyantes. Les projectiles incendiaires se plantèrent dans les sangsues. Changées en boules de flammes, les créatures vacillèrent et hurlèrent.

Dallog attaqua le problème de manière encore plus directe. Sortant une flasque, il versa une copieuse quantité de brandy sur le mort-vivant le plus proche. Une étincelle lui suffit pour changer celui-ci en brasier ambulant.

Stryke fut impressionné.

—Bonne idée !

Il saisit sa propre flasque et arrosa une autre créature. Une fois en flammes, celle-ci en percuta une troisième, l'embrasant à son tour.

Haskeer jeta un regard noir à son capitaine, comme s'il lui en voulait d'avoir approuvé l'initiative de Dallog.

—Qu'est-ce que tu attends pour utiliser la tienne, Haskeer ? s'impatienta Stryke.

—Ma ration de *brandy* ?

Instinctivement, Haskeer porta la main à sa flasque en un geste protecteur.

—Haskeer !

—D'accord, d'accord, bougonna-t-il.

Il prit sa flasque et en arracha le bouchon. Puis il eut une idée, lui aussi. Arrachant un lambeau de tissu sur le corps d'une sangsue décapitée, il le fourra dans le goulot de la petite bouteille et l'alluma aux flammes d'un cadavre qui brûlait.

Armant son bras, il projeta la flasque vers un trio de morts-vivants. Sa bombe improvisée explosa au milieu des créatures, qui reçurent une douche incendiaire. Elles titubèrent et s'écroulèrent en proie aux flammes. Les orcs poussèrent des vivats.

Dix minutes supplémentaires de décapitation et d'incinération vinrent à bout des derniers monstres.

—Tout le monde est indemne ? appela Stryke.

—Ici ! cria Coilla.

Ils se ruèrent dans le cimetière. Wheam était assis par terre. La femelle orc se tenait près de lui.

—Que s'est-il passé ? demanda Stryke.

—Il a été mordu.

—Évidemment, grommela Haskeer. On peut toujours compter sur ce petit crétin pour se faire remarquer.

—Je vais bien, leur assura Wheam.

Dallog s'accroupit près de lui.

—Tu n'en as pas l'air.

—Si, si. Je vous assure. C'était quoi, ces… choses ?

—À la base, des humains, répondit Stryke.

—C'est à ça que ressemblent les fameux humains ?

—Non, le détrompa Coilla. Ils sont répugnants, mais pas à ce point. Enfin, en général.

—Alors, qu'est-ce que… ?

—Je crois que c'est la magie, avança Stryke. Cette contrée en est imprégnée. Ou elle l'était jusqu'à ce qu'ils débarquent. Leur cupidité et leurs pillages l'ont quasiment saignée à blanc. J'imagine que ce qui restait a viré ou a été corrompu… Je ne sais pas, je ne suis pas sorcier.

Coilla suivit le fil de son raisonnement.

—Et quand ces humains sont morts et ont été enterrés, la magie souillée les a fait revenir dans cet état ? suggéra-t-elle.

—Tu vois une meilleure explication ?

—Je n'y connais rien en magie, intervint Dallog en examinant le cou de Wheam, mais je sais qu'il faut panser cette plaie.

—Il faut faire bien plus que ça, contra Stryke.

—Que voulez-vous dire ?

—Nous avons déjà eu affaire à des vampires. Pas tout à fait comme ceux-ci, mais ils y ressemblaient suffisamment. Ils transmettent l'infection.

Coilla acquiesça.

—Stryke a raison. Si on ne réagit pas immédiatement, Wheam va devenir comme eux.

—Quoi ?! couina l'intéressé, affolé.

—La soif de sang est contagieuse. Ta plaie doit être purifiée.

Dallog fouillait déjà dans sa trousse médicale.

—Comment ?

—Des herbes ou un onguent ne suffiront pas.

—Il faut utiliser ce avec quoi nous avons déjà tué la plupart d'entre eux, ajouta Stryke. Quelqu'un a encore du brandy ?

—Je suis sûr que ça va aller, protesta faiblement Wheam.

—Tiens.

Coilla tendit sa flasque à Stryke.

—Allumez une flamme, ordonna Stryke. Et tenez-le-moi.

La pathétique résistance de Wheam ne servit à rien. Ses camarades eurent tôt fait de l'immobiliser. Dallog versa du brandy sur la plaie. Wheam glapit. Avec un plaisir non dissimulé, Haskeer appliqua la flamme sur les marques de crocs. Le jeune orc hurla. Et continua à hurler pendant une bonne demi-minute, le temps que l'alcool achève de se consumer.

—Il s'est évanoui, diagnostiqua finalement Dallog.

—Pour changer, ricana Haskeer.

—Vous croyez que ça a marché? lança Stryke.

Dallog évalua les dégâts.

—On dirait. Mais je suppose que nous ne tarderons pas à le découvrir. Je vais lui faire un pansement.

Stryke et Coilla se relevèrent. De tous côtés, des cadavres fumaient et crépitaient.

—Et nous qui voulions éviter d'allumer un feu, commenta la femelle orc.

Chapitre 8

Un diamant brut gisant parmi une avalanche de gravats. Un scarabée qui avance sans se presser sur une table couverte de raisins noirs. Un pétale de lys emporté par le vent au milieu d'un vol de colombes. Le fait qu'ils soient difficiles à voir ne diminue en rien leur réalité.

Il en va de même dans l'océan infini de l'existence, où se pressent des mondes parallèles en nombre incommensurable. Parmi eux se trouvent des anomalies, des structures qui, bien que superficiellement identiques, diffèrent de la norme. Leur rareté confine à l'improbabilité – et pourtant, elles sont bien réelles.

L'une de ces singularités était une sphère radieuse, créée et alimentée par la vigueur d'une magie inimaginablement puissante. Elle abritait un monde dont toutes les ressources et la population se dévouaient à une seule cause : une entreprise secrète dont le cœur se tapissait dans son unique ville.

La cité elle-même était aussi remarquable que l'étrange monde conçu pour lui servir d'écrin. Si un étranger avait été autorisé à la contempler – non que cela arrive jamais –, il aurait été stupéfié par son extravagante diversité. Une myriade de styles architecturaux s'y côtoyaient : tours de cristal et enceintes trapues, arches jaillissantes et bâtiments pareils à des rochers. De majestueux amphithéâtres voisinaient avec des maisons haut perchées dans des arbres ; des huttes rondes se massaient à l'ombre de citadelles aux multiples tourelles. La cité était faite de pierre, de verre, de bois, de quartz, de coquillages, de boue séchée, de fer, de brique, de marbre, d'ébène, de toile, d'acier et de matériaux impossibles à identifier.

Beaucoup de constructions semblaient incompréhensibles, sans fonction pratique ou esthétique apparente. Certaines se fondaient les unes dans les autres comme si elles avaient poussé de manière organique au lieu d'être érigées. Quelques-unes défiaient la gravité ou se métamorphosaient continuellement, adoptant des formes différentes comme si elles se remodelaient de leur propre chef.

Les voies de circulation pullulaient. Les routes sinueuses, surélevées à certains endroits, enfouies sous terre à d'autres, défiaient toute logique, et seul un petit pourcentage des innombrables canaux et aqueducs contenait effectivement de l'eau. Dans d'autres coulait une substance visqueuse de couleurs variées, que l'on aurait pu prendre pour du mercure.

Ce chaos affolant ne semblait guère mériter l'appellation de « métropole » ; pourtant, il possédait une sorte de cohérence excentrique. Si on lui en avait laissé le temps, un visiteur éventuel aurait fini par réaliser que cet endroit était le produit du mélange de multiples cultures. Un coup d'œil à ses habitants le lui aurait confirmé.

Au centre de la cité se dressait un groupe de bâtisses particulièrement imposantes. Il était couronné par une tour qui semblait taillée dans de l'ébène polie. Cette tour n'avait pas de fenêtres, et elle n'en avait pas besoin : ses occupants voyaient bien davantage que ce que du verre aurait pu leur révéler.

Son noyau vital était une vaste salle située non loin de son sommet. Si un étranger y avait pénétré, il aurait constaté que les murs disparaissaient sous des centaines d'œuvres d'art encadrées, uniformément rectangulaires. Une inspection plus poussée aurait révélé qu'il ne s'agissait ni de tableaux ni de dessins, et encore moins de natures mortes. À l'intérieur, il y avait du mouvement.

Les cadres étaient semblables à des ouvertures par lesquelles on pouvait admirer une incroyable variété de paysages perpétuellement changeants : déserts, forêts, océans, villes, villages, rivières, champs, hameaux, falaises, marécages, jungles, lacs et autres endroits étranges, impossibles à identifier.

L'un des murs se composait d'un unique et énorme écran dont la surface ondulait légèrement, comme si elle était recouverte par un film huileux et transparent. La scène qu'il montrait était moins aisée à appréhender que les autres. Elle était entièrement noire, à l'exception de cinq points de lumière dorée, groupés et ardents comme des braises.

Des représentants de nombreuses races se trouvaient dans la pièce ; tous fixaient l'image d'un air fasciné.

Le plus gradé de ces spectateurs était humain. Karrell Revers avait des cheveux argentés coupés très court et une barbe soigneusement taillée. Bien qu'approchant la fin de sa maturité, il demeurait vigoureux et avait encore le dos droit. Ses yeux de jade brillaient d'intelligence.

—C'est ça, déclara-t-il en tendant un doigt vers les points lumineux. Nous les avons trouvées.

—Vous en êtes sûr ? interrogea Pelli Madayar.

C'était une jeune femelle elfe à la silhouette gracile et aux traits si délicats qu'elle semblait toujours sur le point de se briser – une apparence trompeuse, car elle avait une endurance et une volonté de fer.

—Vous n'aviez encore jamais vu les instrumentalités à travers le pisteur, répliqua Revers. Au fil des ans, cela m'est arrivé plusieurs fois. Croyez-moi, il s'agit bien d'elles.

—Et elles ont été activées.

—Comme vous pouvez le voir.

—Savons-nous par qui ?

—Étant donné l'endroit où elles se trouvent, nous pouvons supposer qu'elles sont entre les mains de la seule race non représentée dans la brigade des Portails.

—Les orcs ?

—J'en mettrais ma main à couper.

—Donc, vous pensez qu'il s'agit du jeu créé par le sorcier Amgrim, déduisit Madayar.

—C'est quasiment sûr. Nous savons qu'elles ont été fabriquées ici (Revers désigna l'écran), dans les contrées localement connues sous le nom de Maras-Dantia, et qu'elles sont passées par de nombreuses mains avant d'entrer en possession d'une unité d'orcs renégats.

—Puis elles ont disparu.

—Il y a plusieurs années, après que nous avons détecté leur dernier embrasement. Ce qui, bien entendu, indiquait qu'elles avaient dû transporter leurs propriétaires vers un autre lieu. Lequel exactement ? Nous n'en avons pas la moindre idée. Le pistage est un art imprécis, qui repose beaucoup sur la chance. Où que les orcs soient allés, les instrumentalités sont demeurées en sommeil jusqu'à maintenant.

—Donc, nous ne sommes pas certains qu'il s'agisse du jeu fabriqué par Amgrim, argumenta Madayar.

—Son origine peut être établie, fit valoir Revers. Comme vous le savez, chaque jeu d'instrumentalités possède une signature – sa propre chanson. Nous pourrons vérifier la provenance de celui-ci dès que nous l'aurons récupéré. Ce n'est pas important. Tout ce qui compte, c'est qu'un jeu a été activé, et que les conséquences seraient déjà effrayantes dans les meilleures des conditions. Si on pense en outre qu'il se trouve entre des mains orcs…

—De cela non plus, nous ne pouvons pas être certains. Quelqu'un d'autre peut avoir récupéré les instrumentalités.

—Quelqu'un qui aurait été capable de les prendre à des orcs ? C'est peu probable. Et j'imagine mal nos lascars les échanger de leur plein gré après avoir compris l'étendue de leur pouvoir.

—Encore faudrait-il qu'ils l'aient comprise, lâcha Madayar avec une moue dubitative. Corrigez-moi si je me trompe, mais les orcs ne sont pas réputés pour leur intelligence.

—Ils possèdent tout de même une ingéniosité basique qui, apparemment, leur a suffi pour utiliser les instrumentalités, répliqua Revers. Néanmoins, une maîtrise complète des artefacts requiert certaines capacités magiques. Réjouissons-nous que les orcs n'en aient aucune.

—Tout comme la plupart des membres de votre race, commandant, lui rappela gentiment Madayar.

—Vous ne suggérez quand même pas que ces renégats pourraient aussi être des sorciers ?

—Les anomalies de la nature sont rares, mais elles existent. À moins qu'ils bénéficient de l'aide d'une personne compétente.

—Donc, nous sommes confrontés à deux perspectives tout aussi alarmantes l'une que l'autre, résuma Revers. Des instrumentalités entre les mains d'une race ignorante et belliqueuse, ou un mystérieux marionnettiste guidant les orcs pour leur faire accomplir un dessein inconnu. Dans les deux cas, les ramifications sont incalculables.

—Alors, que faisons-nous ?

—Nous accomplissons la mission pour laquelle la Brigade a été créée. Nous remplissons le devoir que nos ancêtres se sont transmis au fil des siècles. Nous faisons ce que nous sommes nés pour faire, Pelli. Quel qu'en soit le prix.

—Je comprends.

—Cette affaire doit être traitée au plus haut niveau. Puisque vous êtes mon bras droit, je vous charge personnellement de la récupération des artefacts.

L'elfe acquiesça.

Revers se tourna vers le reste de son équipe. Des nains, des gnomes, des brownies, des centaures, des elfes et des représentants d'une demi-douzaine d'autres races lui rendirent son regard. Tous portaient une variante du même uniforme noir que Madayar et lui, avec un champ d'étoiles stylisé sur la poitrine.

—Une crise se prépare, annonça-t-il. Il est si rare que des instrumentalités tombent entre des mains non autorisées que ce doit être une première pour certains d'entre vous. Mais vous avez été formés pour faire face à une telle occurrence, et j'attends de vous que vous agissiez conformément aux principes les plus stricts de la brigade des Portails.

Il pivota vers l'écran et ses cinq points lumineux. Tous les autres suivirent la direction de son regard.

—Nous tenons la multiplicité des dimensions pour acquise. Nous ignorons qui a, le premier, découvert leur existence et le moyen de circuler entre elles. Certains pensent qu'il s'agit d'une race très ancienne, depuis longtemps disparue. D'autres parmi vous en attribuent le mérite à vos dieux. Nous pourrions spéculer jusqu'à la fin des temps sans trouver de réponse, pas plus que nous ne devinerons jamais l'origine de la magie. Mais ça n'a pas d'importance. Notre objectif n'est pas de percer le mystère : c'est d'empêcher un usage irresponsable des portails.

Il scruta tour à tour chacun de ses interlocuteurs et lut de la détermination sur leur visage. Satisfait, il conclut :

— Jusqu'ici, la Brigade n'a jamais manqué de récupérer les instrumentalités égarées, ni de punir ceux qui en avaient fait un mauvais usage. Cette fois ne fera pas exception à la règle. Vous connaissez tous votre tâche. Mettez-vous au travail.

La foule se dispersa.

Revers reporta son attention sur Madayar.

— Nous devons agir vite, avant que les orcs utilisent de nouveau les artefacts et que nous perdions leur trace. Formez une équipe et emmenez ce dont vous estimerez avoir besoin.

— Ai-je toute latitude pour régler ce problème ?

— Absolument. Juste une chose, Pelli. Je sais que c'est beaucoup vous demander, mais n'oubliez pas qu'il est vital que l'existence de la Brigade demeure secrète.

— Ce ne sera pas facile, surtout si nous devons recourir à la force.

— Essayez d'abord la persuasion, si possible. Même si je doute que cette approche fonctionne avec des orcs. Ils ont la tête dure comme du bois. Souvenez-vous que vous servez un dessein supérieur. S'il s'avère nécessaire d'exterminer des gêneurs, qu'il en soit ainsi. Vous jouirez d'une puissance de feu plus importante que tout ce que vous pourrez être amenée à rencontrer sur Maras-Dantia.

— J'espère ne pas en arriver là. Nous, les elfes, pensons que peu de créatures sont au-delà du salut. Si obtus qu'ils soient, il est sûrement possible de raisonner des orcs.

Chapitre 9

Stryke retira sa lame des entrailles de l'humain et laissa tomber son cadavre. Faisant volte-face, il trancha la gorge d'un autre homme. Un torrent écarlate jaillit. Alors, il se jeta sur un troisième adversaire et fit pleuvoir des coups brutaux sur son épée.

Autour de lui, les Renards étaient engagés dans un féroce corps à corps. Coilla et Haskeer se débarrassèrent de deux humains : la première, avec une paire de couteaux maniés simultanément, le second, d'un moulinet de hachette. Dallog empala un homme avec la lance dont l'unité se servait comme porte-étendard. Sous leurs pieds, l'herbe desséchée était humide de sang.

C'était l'aube. Ils se battaient au milieu d'un campement sis dans un creux du terrain et abrité de la piste par un épais bosquet. Sur un côté se trouvaient un chariot couvert et plus d'une vingtaine de chevaux – le trophée dont les orcs voulaient s'emparer et que les humains tentaient de défendre.

La lutte fut intense mais brève. Lorsque plus de la moitié des humains eurent succombé, un des survivants cria un ordre. Les autres désengagèrent le combat et s'enfuirent.

— Laissez-les filer, aboya Stryke. Ils nous laissent ce que nous voulons.

Coilla suivit du regard une des silhouettes qui battaient en retraite : celle d'une femme aux longs cheveux couleur de paille.

— Tu as vu ça ? lança-t-elle à Haskeer.

— Quoi ?

—Là-bas. La femelle à peine adulte.

—Euh, oui. Et alors?

—Il me semble l'avoir déjà vue. Mais que je sois damnée si je me souviens où.

—Pour moi, tous les humains se ressemblent.

—C'est vrai. (Coilla haussa les épaules.) Ça ne veut probablement rien dire.

Stryke les rejoignit, essuyant sa lame ensanglantée avec un chiffon.

—Ça, c'était un coup de chance. Du moins, pour nous.

—À ton avis, qui étaient ces gens? demanda Coilla.

—C'est important?

—Tu as remarqué qu'ils étaient tous plus ou moins habillés pareils? Ça aurait pu être des Unis.

—Donc, les humains sont toujours divisés. Quelle surprise. Mettons-nous au boulot, tu veux bien? Il devrait y avoir de l'eau potable et des vivres dans ce chariot. Et nous avons maintenant assez de chevaux pour tout le monde. En nous bougeant un peu, nous pouvons atteindre Quatt d'ici la fin de la journée.

Même s'ils descendaient vers le sud et vers des climats censément meilleurs, le paysage devenait un peu plus sinistre à chaque kilomètre. Il n'y avait pas la moindre feuille sur les arbres et, quand ils croisèrent enfin un ruisseau, ils virent que son eau était jaune.

—Tu es certain qu'on va dans la bonne direction? interrogea Coilla.

Stryke, qui chevauchait à côté d'elle, lui jeta un regard agacé.

—Pour la dixième fois, oui, j'en suis certain.

—Ça ne ressemble pas trop à mes souvenirs, c'est tout.

—Les humains ont eu quatre ans de plus pour ravager ces contrées. Et pour corrompre la magie de la terre. Nous en avons eu la preuve avec ces sangsues.

—Au moins, Wheam semble se rétablir.

Pivotant, Coilla jeta un coup d'œil vers l'arrière de la colonne, où Wheam et Dallog chevauchaient de front. Le jeune orc, un pansement au cou, arborait une expression misérable, mais il avait partiellement retrouvé sa couleur olivâtre naturelle.

—C'est quoi, ça ? demanda Stryke.

Coilla reporta son attention sur la route. Un petit groupe de silhouettes approchait. Une moitié d'entre elles occupait un chariot branlant ; les autres marchaient.

Haskeer galopa jusqu'à l'avant de la colonne.

—Des ennuis, Stryke ?

—Je ne sais pas. Ils n'ont pas l'air menaçants.

—Ça pourrait être un piège, fit valoir Haskeer.

—Restez en alerte ! ordonna Stryke au reste de l'unité.

Coilla mit une main en visière pour mieux observer les nouveaux venus.

—Ce sont des elfes.

—Et pas des plus fringants, ajouta Haskeer.

Le groupe se composait d'une dizaine d'individus. Ceux qui étaient à pied semblaient avoir du mal à se traîner. À bord du chariot se trouvaient trois ou quatre vieillards et deux jeunes. Tous paraissaient épuisés et mal nourris. À la vue des orcs, ils n'eurent aucune réaction perceptible – ils ne firent même pas mine de s'arrêter.

Le mâle qui les guidait était assez vieux, bien qu'il soit toujours difficile d'attribuer un âge exact aux membres de sa race. Ses vêtements jadis élégants étaient déchirés et couverts de poussière.

Lorsqu'il atteignit la colonne orc, il leva une main émaciée, et les elfes qui l'accompagnaient s'immobilisèrent.

—Nous n'avons rien, lança-t-il en guise de salut.

—Et nous n'avons rien l'intention de vous prendre, répliqua Stryke.

—Pas même notre vie ? insista l'elfe sur un ton fataliste. C'est tout ce qui nous reste.

—Nous ne faisons pas de mal à ceux qui ne nous menacent pas. (Stryke détailla la pitoyable petite procession.) Vous êtes loin de chez vous.

—Nous n'avons plus de chez nous.

—Qu'est-ce qui a pu réduire une race aussi noble que les elfes à une misère pareille ? s'enquit Coilla.

—Je pourrais vous retourner la question, orcs.

—Nous nous débrouillons bien, merci, l'informa Haskeer sur un ton bourru.

—Dans ce cas, vous êtes une rareté, soupira l'elfe. Plus aucune race ne prospère en ces contrées. À l'exception d'une seule.

—Vous voulez parler des humains, devina Stryke.

—Qui d'autre? Ils sont en pleine expansion. Chaque jour, ils repoussent un peu plus les races aînées vers des enclaves reculées. Bientôt, nous ne serons plus qu'un mythe pour eux.

Le vieil elfe secoua tristement la tête.

Stryke aurait pu lui expliquer que Maras-Dantia appartenait doublement aux humains: parce qu'ils avaient hérité de ces terres, et parce qu'ils les avaient reconquises. Au lieu de ça, il demanda:

—Où allez-vous?

—Il ne reste que peu de refuges pour nous, et tous se trouvent loin d'ici. Nous avons opté pour le Grand Nord.

—C'est une région bien hostile.

—La vie n'y sera pas plus difficile qu'elle l'est devenue ici.

—Vous n'êtes tout de même pas les seuls survivants de la nation elfe? s'inquiéta Coilla.

—Non. Notre population a gravement décliné, mais pas à ce point. Nous sommes juste les seuls survivants de notre clan.

—Et les autres membres de votre race?

—Ceux qui ne sont pas morts ont été réduits en esclavage ou se sont éparpillés. Nous semblons destinés à une diaspora.

—Pourquoi vous enfuir? gronda Haskeer. Tenez-leur tête. Combattez ces salauds d'humains.

—Nous ne possédons pas les talents martiaux supérieurs des orcs, et nous n'aimons guère verser le sang. La magie était notre seule arme véritable. Mais ses réserves sont quasiment épuisées, inutilisables. Elle ne représente plus qu'une chose pour nous: l'espoir que nous continuerons à exister.

—Pouvons-nous vous aider? s'enquit Stryke.

—Vous nous avez épargnés. En ces temps troublés, c'est une aide suffisante, répondit le vieil elfe, résigné. Maintenant, si vous voulez bien nous laisser passer...

Stryke saisit sa gourde et la lui tendit.

— Vous aurez probablement l'usage de ceci. Et nous pouvons vous donner un peu de nourriture.

Le vieil elfe hésita un instant. Puis il prit la gourde et hocha la tête en signe de remerciement. Stryke ordonna à deux des Renards de charger quelques provisions à bord du chariot des réfugiés.

Les elfes s'apprêtaient à repartir lorsque leur chef leva la tête vers Stryke.

— En échange de votre bienveillance, permettez-moi de vous donner un conseil – même si vous devez déjà savoir ce que je m'apprête à vous dire. Maras-Dantia n'abrite plus que misère et péril, y compris pour les orcs. C'est devenu une meule qui broie jusqu'aux esprits les plus robustes. Vous feriez bien de vous trouver une forteresse où attendre que passe l'orage.

Sans attendre de réponse, il se détourna et s'en fut.

Les Renards regardèrent la petite procession s'éloigner lentement en direction du nord. Lorsque les elfes furent hors de portée d'ouïe, Haskeer lança :

— Qu'est-ce que vous en pensez ?

— Je vais te dire ce que j'en pense, répliqua Coilla. Pourquoi les mâles ne demandent *jamais* leur chemin ?

En poussant leurs chevaux, ils atteignirent Quatt trois heures plus tard.

Cette région jadis particulièrement verdoyante semblait désormais sous l'emprise d'un interminable hiver. Comme tous les autres paysages que les Renards avaient traversés, elle paraissait à bout de ressources et de forces.

Depuis le sommet d'une colline, les orcs observèrent le cœur boisé des contrées naines.

— Je ne me sens pas tranquille, avoua Coilla.

— Pourquoi ? voulut savoir Stryke. Tu as peur qu'ils ne nous fassent pas bon accueil ?

— Nous sommes des orcs, Stryke. Personne ne nous fait jamais bon accueil. Mais le problème n'est pas là. Je crains plutôt qu'ils aient migré, comme les elfes. Ou que Jup soit mort.

—À moins que les mercenaires aient pris le pouvoir dans le coin, intervint Haskeer.

Stryke le fixa.

—Les mercenaires ?

—Tu sais bien. Ceux qui s'étaient alliés avec les humains pour de l'argent.

Coilla leva les yeux au ciel.

—Tu ne vas pas recommencer avec ça !

—On ne peut pas faire confiance aux nains, tu le sais bien, s'obstina Haskeer.

—On pouvait faire confiance à Jup, lui rappela Stryke. Et sa tribu ne s'est pas vendue.

—Possible, mais…

—Tu veux rebrousser chemin ?

—Non, je dis juste que…

—Que quoi ?

—Merde, Stryke, je dis juste ce que nous savons tous. Les nains ne sont pas fiables. Ils sont même réputés pour leur traîtrise.

—Garde cette opinion pour toi. Nous avons déjà assez de problèmes sans que tu viennes y mettre ton grain de sel. Maintenant, retourne à ta place.

—On devrait rester vigilants, c'est tout, grommela Haskeer en faisant demi-tour et en talonnant son cheval.

Stryke surprit l'expression de Coilla.

—Tu trouves que j'ai été trop dur avec lui ?

—C'est possible d'être trop dur avec Haskeer ? grimaça la femelle orc. D'accord, peut-être un peu.

—C'est qu'il faut y aller pour faire entrer quelque chose dans sa caboche. Et honnêtement, je préfère parlementer avec le peuple de Jup que me battre contre lui.

—Si Jup est toujours vivant, tu crois qu'on arrivera à le persuader ?

—Aucune idée. Il a déjà refusé une fois de quitter Maras-Dantia. Il se peut qu'il n'ait pas changé d'avis entre-temps. Mais ce n'est pas en restant plantés ici que nous le découvrirons. Venez.

Stryke fit signe à l'unité de se remettre en route.

Quatt était niché dans une vallée assez large pour qu'on puisse tout juste en distinguer l'autre bout à travers l'air brumeux. Les arbres qui entouraient son cœur n'étaient que de pâles vestiges de sa fécondité d'autrefois, mais leur feuillage demeurait assez abondant pour former une barrière dense.

Les Renards suivirent un chemin qui serpentait entre les troncs à l'écorce grise. Les frondaisons filtraient la maigre lumière du jour, et l'atmosphère de la forêt n'avait rien d'estival : son odeur âcre de pourriture évoquait plutôt l'automne. On n'entendait pas d'autre son que le martèlement des sabots sur le sol boueux. Les orcs avançaient en gardant une main sur la poignée de leur épée.

La pénombre céda la place à un soleil pâle comme ils pénétraient dans une clairière de bonne taille. Au milieu de celle-ci s'étendait un large bassin de pierre alimenté par un torrent souterrain, dont l'eau sulfureuse bouillonnait doucement. Des guirlandes de fleurs flétries s'entassaient tout autour. Trois sentiers s'éloignaient dans des directions différentes.

—De quel côté ? interrogea Coilla.

Stryke hésita.

—Attends, j'ai perdu mes repères.

—Merveilleux.

—Je ne suis pas venu ici depuis longtemps, et tout a tellement changé…

—Tu veux qu'on envoie des éclaireurs ?

—Non, pas question qu'on se sépare. On trouvera les nains tous ensemble.

—Euh, je crois qu'ils nous ont trouvés les premiers.

Des dizaines d'hommes trapus se déversèrent dans la clairière par les sentiers et en coupant à travers les fourrés. Ils étaient armés de bâtons et d'épées courtes, et au moins quatre fois plus nombreux que les Renards. Très vite, ils les encerclèrent.

—On ne bouge pas ! ordonna Stryke au reste des orcs.

Un nain ventripotent s'avança.

—Qui êtes-vous ? demanda-t-il, les sourcils froncés. Que faites-vous dans notre forêt ?

— Nous sommes venus en paix, répondit Stryke. Nous ne vous voulons pas de mal.

— Depuis quand les orcs vont-ils où que ce soit en paix ?

— Depuis que nous cherchons un allié.

— Vous n'avez pas d'alliés ici. (Le nain désigna le bassin de pierre.) Cet endroit est sacré. La présence d'étrangers offense nos dieux.

— Parce que vos dieux vivent au fond de l'eau ? ne put s'empêcher de ricaner Haskeer.

Le nain lui jeta un regard meurtrier, et ses compagnons se raidirent.

— Haskeer ! siffla Stryke sur un ton menaçant.

— Nos dieux vivent partout dans la forêt, rétorqua le nain en gonflant sa poitrine pareille à une barrique. Ils sont dans les arbres et dans l'esprit des animaux des bois. Ils imprègnent la terre même.

— Je vois. Et de temps en temps, il faut bien qu'ils prennent un bain.

— Haskeer ! aboya Stryke. (Il se tourna vers le nain.) Merci de ne pas faire attention à mon sergent. Il ignore tout de votre culture.

— La stupidité n'est pas une excuse valable pour blasphémer.

Haskeer se hérissa.

— C'est moi que vous traitez d'imbécile ?

— La ferme, sergent ! rugit Stryke. Écoutez, dit-il au nain, laissez-moi vous expliquer…

— Vous aurez droit à une audience. Nous ne sommes pas des gens déraisonnables. Mais d'abord, remettez-nous vos armes.

— Ça, ce serait déraisonnable pour des orcs, grimaça Coilla.

— Elle a raison, approuva Stryke. Nous ne pouvons pas faire ça.

— Vous les voulez ? Venez les prendre, ajouta Haskeer.

— Si vous refusez de nous remettre vos armes, lâcha froidement le nain, nous devrons vous considérer comme hostiles. Je vous donne une dernière chance de jeter vos lames.

Haskeer s'esclaffa bruyamment et cracha, manquant de peu les bottes du nain.

— Tu peux toujours courir, demi-portion.

Brandissant leurs armes, les nains marchèrent sur les Renards, qui dégainèrent leur épée.

Puis une silhouette se fraya un chemin parmi la foule à grands coups de coude.

—Qu'on me patafiole avec une lance dentelée!

Coilla haussa les épaules.

—Si tu insistes. (Elle sourit.) Salut, Jup.

Chapitre 10

—Donc, vous contrôlez les instrumentalités ? demanda Jup.

—En partie, répondit Stryke. Et seulement grâce à ça.

Il sortit l'amulette.

—Je peux la voir ? réclama Jup.

Stryke fit passer la chaîne par-dessus sa tête et tendit le bijou au nain. Celui-ci l'examina en tirant machinalement sur sa barbe.

—Je n'avais encore jamais rien vu de pareil à cette écriture, avoua-t-il.

—Moi non plus. Mais c'est ce qui nous a amenés ici.

Il rendit l'amulette à Stryke.

—Et l'influence des étoiles ? Tu sais, la… C'est quoi le mot, déjà ? La fascination qu'elles exerçaient sur Haskeer et toi ? Ça ne t'inquiète pas ?

—Que serait la vie sans quelques risques ?

—Tu ne peux pas traiter ce problème par-dessus la jambe, Stryke.

—Je sais. C'est pour ça que j'en ai confié une à Coilla. J'ai pensé que les séparer diminuerait leur pouvoir.

—Toi, tu as confié quelque chose à quelqu'un ? (Jup sourit.) Mais d'accord, c'est une bonne idée.

Ils jetèrent un coup d'œil à Coilla qui se tenait un peu plus loin le long de la rangée de bancs en chêne.

Les tables étaient disposées en gradins dans une clairière encore plus vaste que celle du bassin sacré. Elle abritait un village de huttes au toit de chaume, des entrepôts et des enclos à bétail. Des feux avaient été allumés dans plusieurs fosses peu profondes, pour maintenir le froid à distance et rôtir de la viande.

Les nains avaient offert leur hospitalité aux Renards après que Jup eut certifié qu'ils étaient des hôtes de marque. Mais beaucoup d'entre eux ne semblaient guère convaincus. Ils s'étaient assis à l'écart des orcs et les observaient d'un air soupçonneux.

Haskeer arriva et se laissa lourdement tomber près de ses deux amis.

— Et toi, comment vas-tu, vieux brigand ? interrogea Jup.

— Je crève la dalle. (Haskeer s'agita.) Et ces sièges sont trop petits.

— Ils n'ont pas été conçus pour un cul aussi large que le tien, répliqua Jup. Ah, comme cette sale gueule m'a manqué ! Vous savez, j'ai du mal à m'habituer à l'absence de vos tatouages. Ça vous fait une drôle de tête. Comment vous êtes-vous débarrassés d'eux ?

— On a été voir un rebouteux à Ceragan, expliqua Stryke. Il a utilisé un genre de vitriol. Ça a brûlé affreusement, et ça a mis une éternité à cicatriser.

— Et ensuite, ça a encore gratté pendant un mois, ajouta Haskeer. Mais ça en valait la peine. Ça montre que nous ne sommes les esclaves de personne. (Il fixa les croissants qui, sur les joues de Jup, indiquaient son ancien grade de sergent.) Toi aussi, tu devrais faire enlever les tiens. Tu veux que je t'arrange ça tout de suite ?

Il fit mine de saisir son couteau.

— Ne te donne pas cette peine. Je préfère les garder. Ils me confèrent un certain statut ici.

— Vraiment ? s'étonna Stryke. Il me semblait qu'avoir appartenu à la horde de Jennesta n'était pas le genre de chose dont tu voudrais te vanter.

— Tout le monde ne la considère pas comme la garce maléfique que nous connaissons et haïssons. Ça aussi, j'ai du mal à m'y faire : qu'elle ait survécu au vortex…

— C'est pourtant le cas. À en croire Serapheim.

— Justement, je ne suis pas certain de le croire.

Un nain s'approcha d'eux avec des chopes, qu'il déposa sur la table sans un mot. Haskeer en saisit une et but une longue gorgée. Stryke l'imita avec plus de modération.

—Tout de même, murmura-t-il pensivement, sans Jennesta, nous n'aurions jamais connu Ceragan. Je n'aurais pas rencontré Thirzarr et eu des petits avec elle.

—Tu as des petits? demanda Jup.

—Deux. Des garçons.

—Les choses ont réellement changé.

—Et, comme je viens de le dire, si Jennesta ne nous avait pas envoyés à la recherche de la première étoile…

Haskeer reposa brutalement sa chope.

—Nous ne lui devons rien du tout. Nous n'avons fait que prendre ce qui était notre dû.

Jup acquiesça.

—Je suis rarement d'accord avec Haleine de chiottes ici présent, mais sur ce coup-là… je trouve que c'est une compensation équitable pour tout le mal qu'elle nous a fait. Et en parlant de Ceragan… (Il regarda autour de lui.) Je vois de nouveaux visages, et l'absence de certains des anciens.

—Les deux sont liés, marmonna Haskeer, l'air sombre.

Du pouce, il désigna Wheam et Dallog.

—Ne fais pas attention à lui, dit Coilla en les rejoignant et en s'asseyant avec eux.

—Comme si j'avais besoin de tes conseils pour ça…

La femelle orc se saisit d'une chope.

—Mmmh… Costaud! commenta-t-elle.

—Nous sommes très fiers de cette cuvée, grimaça Jup.

Coilla but encore une gorgée et fit remarquer à voix basse :

—Tes copains semblent prendre leurs dieux très au sérieux.

—Certains, oui. Et ils sont de plus en plus nombreux depuis que la situation a commencé à dégénérer. En votre absence, le zèle religieux n'a fait qu'augmenter, et pas seulement chez les humains.

—Nous avons croisé un groupe de réfugiés elfes pendant que nous venions ici. Ils avaient l'air de croire que les humains finiraient par éradiquer les races aînées.

—Autrefois, je les aurais sans doute contredits. Maintenant que ce sont les fanatiques qui tiennent le fouet…, il se peut bien qu'ils aient raison.

Coilla claqua des doigts.

—Les fanatiques. Mais bien sûr ! C'était *elle* !

—Qui ça ?

—La femelle que j'ai aperçue quand nous avons volé les chevaux de ces humains.

—Oui, et alors ? s'enquit Stryke, intrigué.

—Il me semblait bien que je l'avais déjà vue quelque part. C'était Miséricorde Hobrow. La fille de cet illuminé de Kimball Hobrow. Elle est adulte maintenant, mais je l'ai reconnue.

Jup siffla tout bas.

—Dans ce cas, vous avez eu de la chance de vous en tirer à si bon compte. Elle est aussi cinglée que son père, dont elle a poursuivi l'œuvre. Son groupe sert de point de ralliement aux Unis, et elle a une armée de fidèles encore plus grande que celle de son défunt papa. Un vrai fléau.

—Et nous venons de lui donner une raison supplémentaire de nous en vouloir, commenta Stryke.

—À l'avenir, vous seriez bien inspirés de vous tenir à l'écart d'elle, conseilla Jup.

—Nous n'avons pas l'intention de moisir ici longtemps. Mais, en parlant de pères et de filles…, je voulais te demander : la dernière fois que nous t'avons vu, tu aidais Sanara à s'enfuir du palais d'Ilex. Qu'est-elle devenue ?

—Bonne question. L'armée de Jennesta était en proie au chaos, et ceci… (le nain désigna ses tatouages)… nous a permis de passer. Après ça, nous avons marché dans les champs de glace pendant plusieurs jours. Cette nana était costaud, je peux te l'assurer. Et puis, quand on est arrivés dans les plaines… Ce n'est pas que je l'aie perdue – pas exactement. Mais elle a disparu. Ne me demande pas comment. Une minute elle était là ; celle d'après, elle n'y était plus.

—Saloperie de magiciens, grommela Haskeer. Aussi glissants que des boyaux crevés.

—Je l'ai cherchée un moment, puis j'ai renoncé et je suis venu ici. Depuis, je ne l'ai pas revue.

—Sacrée famille, hein ? grimaça Coilla. Serapheim et ses filles…

Des nains se dirigeaient vers eux, portant des plateaux chargés de viande fumante. Stryke donna un coup de coude à Haskeer.

—Ton estomac va enfin cesser de gargouiller.

—Désolé, ce n'est pas exactement un festin, s'excusa Jup. La forêt n'est plus aussi généreuse qu'autrefois, et le gibier se fait rare.

Wheam et Dallog s'approchèrent d'eux.

—On peut se joindre à vous ? interrogea le caporal.

—Si vous y tenez vraiment, grogna Haskeer.

Coilla lui jeta un regard dur.

—Bien sûr. Asseyez-vous.

Devant eux étaient disposés des plats de viande rôtie et épicée, des corbeilles de pain tiède et des saladiers de baies et de fruits secs.

—Tu ne peux pas savoir combien tout ça est bienvenu après nos rations de voyage, se réjouit Stryke.

—Mmmh, acquiesça Wheam, la bouche pleine. Ch'est délichieux.

—Nous vous sommes très reconnaissants, ajouta Coilla. D'autant plus que la nourriture est rare. (Elle donna un coup de coude à son voisin de table.) Pas vrai, Haskeer ?

L'interpellé la foudroya du regard et s'essuya la bouche avec sa manche.

—Ce n'est pas mauvais, concéda-t-il de mauvaise grâce. Mais un peu léger.

—S'agit-il d'un repas nain typique ? s'enquit diplomatiquement Dallog.

—Plus ou moins, répondit Jup. Évidemment, nous préférerions qu'il y en ait davantage.

Il visait Haskeer, qui ne parut même pas s'en apercevoir.

—Ceux d'entre nous qui sont originaires de Ceragan n'avaient jamais vu de nains, dit Dallog. Ne prenez pas mon ignorance pour un manque de courtoisie.

—Je ne suis pas vexé, lui assura Jup. Je me souviens de ma première rencontre avec un orc.

—Vous n'avez pas pensé que nous étions aussi répugnants que les humains, j'espère? lança Wheam.

Jup sourit.

—Non, et de loin. Même si les conteurs essaient de nous faire croire que vous mangez la chair des vôtres – entre autres inventions.

—Je suis un barde, déclara fièrement Wheam.

—J'avais remarqué ton luth.

—Tu t'avances un peu, intervint Stryke. Dis plutôt que tu espères en devenir un.

—Je peux le prouver, se défendit Wheam. Je peux vous chanter quelque chose.

—Misère! gémit Haskeer. (Il retourna sa chope vide.) Il me faut encore à boire.

—Ça, nous avons, lui dit Jup en faisant signe à une naine qui passait près d'eux, un plateau dans les mains.

Pour autant que les orcs puissent en juger, elle avait une silhouette plaisante, une peau aussi lisse que de la céramique, un teint bronzé et de longues tresses auburn. Bien que solidement bâtie, elle se mouvait avec une aisance gracieuse pour quelqu'un de sa race.

Elle posa le plateau sur la table et se pencha pour embrasser Jup. Longuement.

—Ça, c'est du service, commenta Coilla.

La naine se redressa.

—Désolé, grimaça Jup. Je vous présente Spurral.

—Quelqu'un de… spécial? demanda Stryke.

—C'est ma cohorte. (Voyant que ses amis ne comprenaient pas, le nain précisa :) Ma partenaire. Ma compagne. Mon épouse. Ma femme, quoi.

—Tu avais raison : les choses ont vraiment changé, grimaça Stryke.

—Félicitations, dit gentiment Coilla.

Haskeer baissa sa chope.

—Je n'aurais jamais pensé que tu te laisserais coincer par une femelle, Jup. Condoléances.

— Tu dois être Coilla, dit Spurral en souriant. Et toi, Stryke.

— Bien vu.

— Oh, j'ai beaucoup entendu parler de vous tous. (Le sourire de la naine s'estompa.) Et toi, tu es forcément Haskeer.

Haskeer agita vaguement sa chope en direction de Spurral avant d'en vider le contenu.

— Spurral et moi, on se connaît depuis tout petits, expliqua Jup. Quand je suis revenu ici, ça nous a paru normal d'officialiser.

— Et d'unir ainsi deux nobles familles naines, ajouta son épouse, puisque je suis une Gorbulew et Jup, un Podsambre.

Haskeer faillit s'étrangler avec sa bière.

— Enfin une parole sensée !

— Un Podsambre, répéta Jup, les dents serrées. Pod*sam*bre.

Haskeer se tenait le ventre.

— Donc, s'esclaffa-t-il en tendant un doigt vers Spurral, qui le fixait d'un air peu amène, tu as cessé d'être une Gorbulew et… tu es devenue une… Podch…

— Haskeer ! gronda Jup.

— Décidément, on en apprend tous les jours, poursuivit Haskeer, mort de rire et apparemment imperméable à la désapprobation de ses amis. Tu ne nous as jamais dit que tu étais un… un Podsambre.

— Je me demande bien pourquoi, lâcha sèchement Spurral.

— Ça suffit, Haskeer, le prévint Stryke sur un ton légèrement menaçant.

— Pitié. Je sais bien que le mariage tue le sens de l'humour, mais…

— Nous sommes des invités ici. Tâche de ne pas l'oublier.

Haskeer se ressaisit.

— Du coup, on a perdu notre temps.

— Pourquoi ? interrogea Jup.

— Parce que tu ne vas pas nous accompagner, maintenant que tu as une femme. On aurait mieux fait de s'épargner le détour.

Jup et Spurral échangèrent un regard.

— Pas nécessairement, dit Jup.

D'un large geste du bras, Coilla désigna les nains massés dans la clairière.

— Je croyais que tu étais resté à cause d'eux.

— Si tu avais le choix entre passer le reste de ta vie avec une autre race ou avec la tienne, qu'est-ce que tu ferais ?

— Serapheim aurait pu t'envoyer dans la dimension originelle des nains. Il te l'a proposé.

— Je n'aurais connu personne là-bas.

— Alors, pourquoi as-tu changé d'avis ?

— Je n'aurais jamais pensé dire ça un jour, mais je veux me tirer d'ici. Le moment est venu.

— Ces contrées sont en train de mourir, ajouta Spurral, et notre peuple avec. Vous avez bien regardé notre tribu ? Pratiquement que des vieux ou des infirmes.

Jup haussa les épaules.

— Nous n'avons pas spécialement envie de partir, mais…

— *Nous* ? répéta Stryke.

— Il n'est pas question que je m'en aille sans Spurral.

— Ça complique un peu les choses, Jup.

— Pourquoi ? À moins que la présence de nains dans l'unité te pose problème.

— Tu sais bien que ce n'est pas ça. Nous ne savons pas du tout dans quoi nous allons mettre les pieds. Une seule chose est sûre : ce sera dangereux.

— Je suis capable de me défendre, protesta Spurral. Mais tu as peut-être quelque chose contre les femelles ?

— Au cas où tu n'aurais pas remarqué, j'en suis une, intervint Coilla. L'important, c'est de savoir se battre.

Plus d'une paire d'yeux se tourna involontairement vers Wheam.

— Spurral sait se battre, répliqua Jup. Elle a dû apprendre.

— Tu ne céderas pas sur ce point, pas vrai ? devina Stryke.

— Non, confirma Jup. C'est tous les deux ou aucun des deux.

— Je dirige cette unité comme dans le bon vieux temps. Tout le monde doit obéir aux ordres.

— Ça ne nous dérange pas.

—Ne me dis pas que tu vas accepter, Stryke, geignit Haskeer.

—C'est moi qui prends les décisions, pas toi.

—Alors, tâche de ne pas en prendre une mauvaise. On se trimballe déjà assez de boulets comme…

—Je croyais que tout le monde devait obéir aux ordres, coupa Spurral. Apparemment, tu es l'exception qui confirme la règle.

—Toi, ne t'en mêle pas.

—C'est moi qui suis concernée !

—Rappelle ta femelle, Jup, gronda Haskeer.

—Elle peut se débrouiller seule.

—Absolument, cracha Spurral en faisant face à Haskeer. Tu veux qu'on règle ça aux poings ?

—Je ne frappe pas les femelles.

Coilla éclata de rire.

—Première nouvelle.

—Ça suffit, trancha Stryke. Haskeer, tu la fermes. Spurral, tu laisses tomber, s'il te plaît. Tout le monde se rassoit. (Les autres obtempérèrent.) C'est mieux. Jup, je vais réfléchir à propos de Spurral. D'accord ?

—C'est tout ce que nous te demandons.

—En attendant, on passe à autre chose.

—Oui. À l'origine, on devait célébrer nos retrouvailles. (Le nain saisit un pichet et remplit les chopes vides de ses amis.) Là. On a aussi un peu de pellucide si ça vous tente.

—Pas question, dit vivement Stryke. Pas après ce qui s'est passé la dernière fois. La mission d'abord, le plaisir ensuite.

—Et merde, marmonna Haskeer.

—Une petite chanson, alors ? suggéra Jup. Wheam ?

Coilla leva les yeux au ciel.

—Il faut vraiment qu'on subisse ça ?

Mais le jeune orc avait déjà son luth dans les mains.

—Le morceau est en cours d'écriture, prévint-il. Il faut encore que je remanie un peu le texte.

Et il se mit à pincer les cordes de son instrument.

Les Renards, ces audacieux guerriers
Sont enfin de retour dans leur natale contrée

Cheminant dans la boue et sous la pluie
Trucidant au passage leurs vils ennemis
Ils affrontent bravement des démons féroces
Monstres et créatures au faciès atroce
Mais même les pires de tous, les humains,
S'effondrent à leurs pieds et meurent de leur main.
En arrivant au royaume de leur ami nain
Ils réalisent que tout ne va pas bien
Pourtant, ils reçoivent un accueil chaleureux
Et on les honore presque comme des dieux.

—Je le tue, ou tu t'en charges ? demanda Spurral à Jup.

—Et maintenant, le refrain, annonça Wheam, accélérant le tempo de son jeu discordant.

Nous sommes les Renards vaillants !
Des âmes maléfiques nous déjouerons les plans !
Le pied agile et le bras musclé,
Nous…

—Bon, ben, il se fait tard, lança Stryke d'une voix forte.

Wheam s'interrompit à contrecœur.

—Mais je n'ai pas…

—La journée a été longue, ajouta Coilla en s'étirant.

—Pour sûr, approuva Jup, et celle de demain risque de l'être plus encore.

—Vous ne me laissez jamais fin…, protesta Wheam.

—Ou tu la fermes, ou je te casse ta foutue caisse à cordes sur la tête, promit Haskeer.

—Il est temps d'aller nous coucher, dit Dallog en prenant Wheam par le bras.

—Nous repartirons demain matin. De bonne heure, précisa Stryke.

Ils se dispersèrent pour gagner les logements qui leur avaient été attribués. La plupart des non-gradés se dirigèrent vers les entrepôts tandis que Jup entraînait Stryke, Haskeer et Coilla vers deux huttes de plus petite taille. Il poussa la porte de la première.

—Stryke et Haskeer, vous allez devoir partager celle-là.

En entrant, Haskeer se cogna la tête contre le linteau. Il lâcha une bordée de jurons. Spurral se couvrit la bouche pour étouffer un gloussement.

—N'oubliez pas qu'ici tout est à échelle naine, ajouta Jup.

—Merci de me le rappeler, dit Haskeer sur un ton aigre. (Regardant autour de lui, il aperçut les lits qui auraient tout juste pu accueillir des enfants orcs.) Évidemment, c'est aussi valable pour le mobilier.

Stryke haussa les épaules.

—On dormira par terre. Et si tu ronfles, je te tue.

—On vous laisse, grimaça Jup. Stryke, tu nous diras ce que tu as décidé au sujet de Spurral ?

—Demain matin, promis.

Les deux nains entraînèrent Coilla vers la hutte voisine. Spurral fit entrer la femelle orc.

—Tu auras celle-là pour toi toute seule. Mais le lit n'est pas plus grand, s'excusa-t-elle.

—Peu importe. Je pourrais dormir sur un râtelier plein de couteaux.

Ils la laissèrent en train d'arracher les couvertures et de les jeter par terre.

Coilla était si fatiguée qu'elle ne prit même pas la peine d'enlever ses bottes. Sitôt allongée, elle sombra dans le velours noir de l'oubli. Plus de pensées, plus de temps qui passe : juste une étreinte enveloppante à laquelle il faisait bon s'abandonner.

Les premières lueurs de l'aube s'infiltrèrent par l'encadrement de la porte et les interstices des volets.

Coilla se réveilla.

Elle sentit aussitôt qu'elle n'était pas seule. Une silhouette la surplombait.

Elle tenta de bouger. Le fil d'une lame d'acier se pressa contre sa chair. Et une voix indubitablement humaine chuchota :

—Ne me force pas à te trancher la gorge.

Chapitre 11

—S i tu as l'intention de me tuer, finissons-en, dit Coilla, la lame pressée sur sa gorge.

—Nous ne te voulons pas de mal.

—Vous ?

—Je ne suis pas seul.

Du coin de l'œil, la femelle orc aperçut une autre silhouette dans la pénombre de sa hutte.

—Nous essayons seulement de t'aider, ajouta l'humain qui la menaçait.

—Vous avez une drôle de façon de le prouver, répliqua Coilla en avançant discrètement la main vers sa propre dague.

—Je ne voulais pas que tu te mettes à hurler et que tu alertes les autres. (L'homme lui saisit le poignet, puis lui arracha le fourreau qui contenait sa dague et le jeta dans un coin de la pièce.) Ou que tu essaies de faire la maligne.

—Qui êtes-vous, ton copain et toi ?

—C'est une longue histoire.

—Pourquoi voudriez-vous aider une orc ?

—Encore une longue histoire.

—Tu n'es pas très bavard, pas vrai ?

—Le temps presse. Cet endroit va bientôt être attaqué. Mais tu peux peut-être y faire quelque chose si tu arrives à rassembler tes forces.

—Pourquoi te croirais-je ?

—Nous avons vu ce qui se passe là-dehors. Je t'en donne ma parole.

—La parole d'un humain?

—Comment un avertissement pourrait-il être un piège? Écoute, je retire mon couteau si tu me promets de te tenir à carreau.

Coilla hocha la tête.

—Entendu.

L'humain baissa son bras et recula. Elle ne bougea pas.

—Laisse-moi au moins vous voir.

Il tâtonna un moment. Puis une flamme jaillit et alluma la mèche d'une bougie.

Pour autant que Coilla puisse en juger, son étrange agresseur était dans la force de l'âge. En tout cas, il semblait robuste. Il avait une épaisse chevelure blonde, mais pas de poils sur la figure, contrairement à la plupart des mâles de sa race qui se laissaient pousser barbe ou moustache.

Il dirigea la lumière de la bougie vers son compagnon. Celui-ci était un peu plus âgé et considérablement plus gras. Des fils gris striaient sa chevelure noire clairsemée et sa courte barbe. Malgré la fraîcheur matinale, sa peau blême luisait de sueur.

—Vous avez des noms? interrogea Coilla.

—Je m'appelle Jode Pepperdyne, annonça l'humain blond. Lui, c'est mon… C'est Micalor Standeven. Et toi?

Elle se leva.

—Coilla.

Le nommé Standeven prit la parole.

—Nous perdons du temps. Une petite armée de fanatiques religieux va débarquer d'une minute à l'autre.

Il était visiblement plus nerveux que son compagnon.

—Des Unis? s'enquit Coilla.

—Qu'est-ce que ça peut faire? répliqua Pepperdyne. Tout ce que tu as besoin de savoir, c'est qu'ils sont salement remontés.

—Le village est bien gardé.

—Vraiment? Nous n'avons pas eu beaucoup de mal à nous faufiler jusqu'ici.

—Je ne comprends pas pourquoi vous voulez vous allier avec nous contre vos semblables.

—Nous n'avons rien à voir avec ces gens, affirma Standeven.

—Disons juste que nous avons des intérêts communs, ajouta Pepperdyne. Et que nous mourrons ensemble si tu ne commences pas à organiser une défense tout de suite. Fais-moi confiance.

—C'est beaucoup me demander.

—Qu'as-tu à perdre? Si nous mentons, tu n'auras fait que mettre tes camarades en alerte pour rien. Si nous disons la vérité, vous aurez une chance de repousser l'attaque.

—Mais décide-toi tout de suite, insista Standeven. Parce que si ta réponse est non, on peut encore essayer de s'échapper par nous-mêmes.

—Alors, Coilla?

—Je vais le faire. Mais si c'est une ruse, vous me le paierez tous les deux, jura la femelle orc.

Pepperdyne eut un sourire reconnaissant.

—Sois discrète. Nous ne voudrions pas alerter les pillards.

—Vraiment? Je n'y aurais jamais pensé toute seule. (Coilla jeta un regard glacial à l'humain, puis se dirigea vers la sortie.) Dans votre propre intérêt, ne me lâchez pas d'une semelle. Beaucoup de gens ici seraient capables de vous abattre à vue.

Elle les entraîna vers la hutte voisine, dans laquelle elle fit irruption sans s'annoncer.

Haskeer dormait encore, comme le prouvaient ses ronflements. Stryke se tenait à l'autre bout de la pièce, astiquant son épée. Il fit volte-face.

Coilla leva les mains.

—Du calme.

Stryke foudroya les humains du regard.

—Que diable se passe-t-il?

—Ce sont… des amis. Enfin, disons qu'ils ne sont pas hostiles.

—Quoi?

—Écoute, Stryke. Il se peut qu'une attaque se prépare.

—D'après qui?

—D'après eux. (Du pouce, Coilla désigna Pepperdyne et Standeven.) Et je ne crois pas que nous puissions prendre le risque d'ignorer leur avertissement.

—Mais...

—S'ils disent vrai, il n'y a pas de temps à perdre, et... Tu ne peux pas arrêter ce putain de raffut ?

—Hein ? Ah, oui.

Stryke pivota et donna un coup de pied dans les côtes de son sergent. Celui-ci se redressa en sursaut, tout empêtré dans sa couverture.

—Gniii ? Merde, des humains !

Il dégaina un couteau.

—Repos, ordonna Stryke. Nous sommes au courant.

—Mais que... ?

—On a des ennuis. Enfin, peut-être.

—Des ennuis ?

Haskeer n'était pas encore tout à fait réveillé.

—Oui. D'après eux, précisa Stryke avec un signe du menton en direction des nouveaux venus.

—D'après eux ? répéta Haskeer en frottant ses yeux pleins de sommeil. Ce ne sont que de misérables...

—Nous nous rendons bien compte que vous ignorez tout de nous, intervint Pepperdyne.

—Oh, nous savons tout ce qu'il faut savoir, grogna Haskeer.

—Et vous n'avez aucune raison de nous faire confiance. Mais si vous refusez de nous écouter, vous ne tarderez pas à avoir toute une horde de fanatiques sur le dos.

—Ce n'est pas si improbable, argumenta Coilla. Nous avons provoqué Miséricorde Hobrow et ses Unis. S'ils nous ont suivis jusqu'ici...

Le regard de Stryke passa de la femelle orc aux deux humains.

—Quel intérêt avez-vous à nous prévenir ?

—Nous n'avons pas le temps de vous raconter toute l'histoire de notre vie, fit remarquer Pepperdyne.

Plusieurs longues secondes s'écoulèrent tandis que Stryke les dévisageait en réfléchissant.

— D'accord, donnez l'alarme, ordonna-t-il enfin.

Haskeer ouvrit la bouche pour protester. Son capitaine lui fit signe de se taire.

— Mieux vaut être préparés pour rien que pris par surprise.

Haskeer poussa un soupir résigné.

— Alors, qu'est-ce qu'on fait d'eux ? demanda-t-il en fixant les humains d'un air peu amène.

— On les enferme quelque part.

Pepperdyne se raidit.

— Personne ne nous enferme nulle part. On se bat avec vous.

— On ne peut pas les laisser se balader armés parmi nous, objecta Haskeer.

— Je n'ai pas d'arme, dit Standeven en ouvrant son pourpoint pour le prouver.

— Pas d'arme ? répéta Haskeer, consterné. Les humains sont fous !

— Celui-ci a une lame, intervint Coilla.

— Et si quelqu'un la veut, répliqua Pepperdyne sur un ton de défi, il devra me la prendre.

Coilla apprécia sa bravache.

— C'est une attitude parfaitement respectable.

— Mais si jamais tu nous as menti, ta lame ne nous empêchera pas de vous écorcher vifs tous les deux, promit Stryke. Maintenant, on se bouge !

Ils quittèrent la hutte. Stryke ordonna aux humains d'attendre et demanda à Coilla de garder un œil sur eux. Puis Haskeer et lui partirent réveiller discrètement les autres, se faufilant de porte en porte sur la pointe des pieds. Dans leur sillage, orcs et nains armés jusqu'aux dents émergèrent rapidement des habitations.

Tout ébouriffés, Jup et Spurral traversèrent la clairière pour rejoindre Stryke. La naine semblait indignée.

— Qu'est-ce qu'ils font là ? demanda-t-elle en désignant Pepperdyne et Standeven.

— Ils sont venus nous prévenir. Du moins, c'est ce qu'ils prétendent. Et avant que tu me poses la question : non, je ne sais absolument pas pourquoi.

— Tu les crois ?

— Mieux vaut ne pas prendre de risques. (Stryke se tourna vers Jup.) Les gens de ta tribu sont capables de se mettre en formation défensive ?

— Dans leur sommeil si nécessaire. À quoi avons-nous affaire ?

— Aucune idée. Peut-être rien. Peut-être des ennemis redoutables et nombreux.

— Tu as vu l'état des miens. Il ne reste guère de guerriers dans la force de l'âge parmi nous.

— Nous sommes là.

Jup acquiesça et s'éloigna. Spurral foudroya une dernière fois les deux humains du regard, puis emboîta le pas à son époux.

Haskeer arriva.

— L'unité est prête, Stryke. Comment on se déploie ?

— Il faut rester mobiles. On va se répartir en cinq groupes dirigés par toi, moi, Coilla, Jup et Dallog.

— *Dallog ?*

— Inutile de discuter. Organise les équipes, et fais gaffe à bien répartir les bleus.

Abandonnant Haskeer à sa mission, Stryke rejoignit Coilla à petites foulées.

— Je divise l'unité en cinq groupes, l'informa-t-il. Tu en dirigeras un. On va rassembler les non-combattants dans un abri. (Il jeta un coup d'œil aux humains.) Vous deux, vous n'aurez qu'à aller là-bas.

— Ça me convient, approuva très vite Standeven.

Pepperdyne toisa Stryke d'un air hautain.

— Moi, non.

— On ne te demande pas ton avis.

— Je sais me battre, et vous aurez besoin de bras compétents.

— Ta place est à côté de moi ! protesta Standeven.

Intrigués par le ton qu'il avait employé, Stryke et Coilla échangèrent un regard.

Pepperdyne ignora l'indignation de son maître.

— Je serai plus utile là-dehors.

— Fais ce que tu veux, décida Stryke. Nous n'avons pas de temps à perdre en vaines querelles.

—Mais tu ferais mieux de rester avec mon équipe, ajouta Coilla. À moins que tu veuilles être pris pour un ennemi.

Pepperdyne acquiesça.

—Entendu.

—Haskeer est en train de former les groupes, expliqua Stryke à Coilla. Va le rejoindre. (Il désigna Standeven.) Et emmène celui-ci se planquer avec les vieillards et les gamins. (Puis il pointa un doigt menaçant vers la poitrine de Pepperdyne.) Quant à toi, fais un mouvement de travers ou mets-nous des bâtons dans les roues et tu es mort.

Pour ce qui était de repousser les intrus, les nains avaient de l'entraînement. Très vite, ils descendirent dans leurs tranchées. Leurs sentinelles grimpèrent aux arbres pour surveiller les environs, tandis que les archers se postaient sur le toit des bâtiments. Les cinq équipes d'orcs furent positionnées à des emplacements stratégiques dans la clairière.

Standeven et ceux qui ne pouvaient pas se battre se réfugièrent dans la plus solide des granges. Wheam reçut pour mission de veiller sur eux – une mission absolument inutile car, si l'ennemi parvenait jusqu'à lui, tout serait déjà perdu.

Puis l'agitation retomba, et les défenseurs s'installèrent le plus confortablement possible pour attendre. Rien, pas même le chant des oiseaux, ne troublait le calme matinal.

Le groupe de Coilla était tapi derrière un petit amas de buissons, prêt à intervenir en cas de besoin. La demi-douzaine de simples fantassins orcs jetait des regards méfiants à l'humain accroupi parmi eux, son pantalon humide de rosée.

Les minutes semblaient s'écouler à contrecœur.

—J'espère pour toi que vous avez raison, chuchota Coilla à Pepperdyne en scrutant la lisière des arbres.

—Nous ne vous avons raconté que la pure vérité.

—Vraiment? Nos soi-disant agresseurs mettent du temps à se montrer.

—Oh, ils viendront! (Pepperdyne se tourna vers la femelle orc.) Avez-vous la moindre idée de ce que vous allez affronter?

—Nous nous sommes déjà battus contre des Unis.

—Récemment?

—Il y a quelques années.

—On raconte qu'ils sont devenus encore plus impitoyables dans cette région.

—J'en déduis que tu n'es pas d'ici?

Pepperdyne se détourna.

—Pas vraiment.

—Dans ce cas, peut-être ne connais-tu pas bien les orcs.

—Ces fanatiques sont des sauvages assoiffés de sang! Ils vénèrent la mort!

Coilla sourit.

—Nous aussi.

Il y eut un cri aigu. De l'autre côté de la clairière, un nain dégringola d'une branche d'arbre, le corps criblé de flèches. D'autres projectiles fusèrent à travers la végétation, tranchant des feuilles, fendant de l'écorce et déblayant la voie pour des silhouettes en noir qui venaient d'émerger de la forêt.

Coilla empoigna son épée.

—Il est temps de montrer de quel bois tu es fait, peau rose, lança-t-elle à Pepperdyne.

Le groupe de Stryke se trouvait loin du sien, en embuscade dans l'une des tranchées naines. Celui de Jup se cachait derrière plusieurs chariots à foin, au milieu de la clairière. Celui de Dallog se dissimulait à l'intérieur et aux abords d'une grange. Mais ce fut celui d'Haskeer, tapi dans les fourrés non loin de la lisière des arbres, qui encaissa le plus gros du premier assaut.

Les humains déferlèrent en silence, tel un océan de poix.

Depuis leurs perchoirs, les archers nains décochèrent une volée de flèches dentelées. Une vingtaine d'assaillants s'effondrèrent. Puis trente ou quarante nains bondirent hors de leur cachette et s'élancèrent en brandissant des épées courtes et des bâtons. Ainsi le groupe d'Haskeer n'eut-il pas d'autre choix que de se joindre à la mêlée.

Pendant les premières minutes d'une bataille, le temps paraît s'étirer à l'infini, et les perceptions des combattants sont submergées. Le mouvement, la clameur, l'odeur de la peur oblitèrent tout le reste. La seule chose qui permet de les surmonter, c'est la soif de sang.

Haskeer se jeta dans la marée humaine et ne tarda pas à faire ses deux premières victimes. Le bouclier d'un troisième fanatique encaissa l'impact de son épée large. Déséquilibré, le porteur baissa sa garde, dans laquelle la lame de l'orc s'engouffra aussitôt. Du sang jaillit. L'homme s'écroula. Haskeer se tourna vers un nouvel adversaire.

L'air résonnait du fracas des armes, des jurons et des cris de douleur des belligérants. Tout autour d'Haskeer, ses soldats luttaient pour endiguer la marée de chair rose, fauchant les humains telles des tiges de blé mûr.

Les nains ne ménageaient pas leurs efforts, mais peu de races possédaient les dispositions martiales des orcs. Aussi les nains furent-ils les premiers à tomber.

L'un d'eux s'écroula en travers du chemin d'Haskeer, le crâne fendu. Haskeer enjamba son cadavre pour affronter l'Uni qui venait de le tuer. D'une carrure impressionnante, l'homme brandissait une paire de haches qui ressemblaient presque à des jouets dans ses poings massifs. Et il se mouvait à une vitesse étonnante pour quelqu'un de son gabarit.

Haskeer plongea pour éviter la première hache et roula sur lui-même pour ne pas se faire couper un bras par la seconde. Il se releva d'un bond, pivota et réengagea le combat. Attaquant et esquivant tour à tour, il chercha une ouverture. Mais son adversaire maniait ses haches avec beaucoup d'habileté et il semblait infatigable. C'était tout juste si Haskeer parvenait à ne pas se faire toucher.

Sachant que n'importe quel autre humain pouvait le poignarder dans le dos pendant qu'il était ainsi occupé, il redoubla d'efforts pour enfoncer la garde du fanatique. Celui-ci le repoussa une première fois. Haskeer se ressaisit et fit une seconde tentative. Un moment, les forces parurent équilibrées ; des coups féroces furent échangés sans qu'aucun des deux adversaires cède le moindre pouce de terrain à l'autre. Puis l'humain vacilla et fit un pas en arrière. Haskeer bondit en faisant tournoyer son épée.

Sa lame mordit dans la chair du fanatique, lui ouvrant le bras depuis le creux du coude jusqu'au poignet. Du sang jaillit, et l'humain lâcha une de ses haches. Haskeer ne perdit pas de temps à se féliciter. Sa lame s'abattit sur son adversaire dans un éclair argenté. L'Uni cria tandis qu'une balafre rouge fleurissait en travers de sa poitrine. La blessure n'était pas fatale, mais elle suffit à lui faire lâcher son autre hache. Il tituba.

Haskeer se rua en avant, ramassa une des haches abandonnées et la balança de toutes ses forces. La tête de l'humain fusa et se perdit dans la mêlée. Son corps demeura brièvement debout telle une fontaine écarlate avant de s'écrouler.

Non loin de là, Seafe avait le dessous dans la rixe qui l'opposait à un Uni costaud armé d'une épée. Haskeer projeta sa hache, qui se planta entre les omoplates de l'humain. Celui-ci battit comiquement des bras et s'effondra. Seafe leva le pouce pour remercier son sergent avant de se choisir un nouvel adversaire.

Des pillards continuaient à jaillir de la forêt, et la bataille faisait rage de tous côtés. Tandis qu'il échangeait des coups avec un autre fanatique à peau rose, Haskeer commença à penser que Quatt allait succomber.

Un petit groupe de défenseurs fendit la mêlée. Ils avançaient avec détermination, en abattant tous les humains qui leur barraient la route. Il ne leur fallut que quelques minutes pour rejoindre Haskeer et ses camarades afin de leur prêter main-forte.

— Vous en avez mis du temps, grommela Haskeer en écartant la lance d'un fanatique.

— Tu as de la chance qu'on soit venus ! répliqua Coilla.

Elle fit sauter l'épée de la main d'un Uni et lui fracassa le crâne. Puis elle ouvrit le ventre de l'humain suivant, et eut encore la force d'embrocher un troisième fanatique dans son élan.

Haletante, elle regarda deux autres Unis s'approcher prudemment d'elle. Tandis qu'elle hésitait à se servir de ses précieux couteaux de lancer, elle aperçut Pepperdyne.

L'humain blond se déplaçait parmi les rangs ennemis comme un poisson dans une eau limpide. Il maniait sa lame avec la précision et l'efficacité d'un vétéran. Bondissant et tournoyant, il esquivait les attaques avec une agilité presque méprisante. Il frappait aussi vite que l'éclair, et toujours à un endroit décisif.

Coup sur coup, il abattit deux Unis qui n'avaient pas eu le moindre geste hostile envers lui. Ses victimes n'avaient pas encore touché le sol qu'il se cherchait déjà une nouvelle cible, manipulant son épée avec la précision d'un chirurgien. Quelques secondes plus tard, sa danse sinueuse apportait la mort à un autre fanatique vêtu de noir.

À présent, on se battait sur tout le pourtour de la clairière. Ça et là, les Unis avaient enfoncé la ligne et les défenseurs battaient en retraite. Plusieurs nains gisaient morts sur le sol. Pour l'instant, les orcs n'avaient subi que des blessures légères, mais Stryke doutait que cela dure beaucoup plus longtemps.

Armé de son épée et d'une dague, le capitaine des Renards fauchait les envahisseurs. Deux coups simultanés, et deux Unis s'effondrèrent comme un seul homme. En quelques battements de cœur, la rapidité de ses lames en abattit trois de plus. Mais l'ennemi continua à affluer de toutes parts.

Stryke se retrouva face à un humain qui brandissait une massue cloutée avec un manque de finesse largement compensé par sa brutalité crue. Pendant la première minute, il ne put rien faire d'autre qu'esquiver. Puis il repéra une faille dans les gesticulations désordonnées de son adversaire. Il attendit que celui-ci lève son arme bien haut ; alors, il plongea à l'intérieur de sa garde et lui transperça la poitrine. L'Uni s'écroula.

Stryke s'essuya le front d'un revers de main moite et enchaîna.

Malgré la résistance farouche des défenseurs, quelques humains avaient réussi à atteindre les premiers bâtiments. Alimentés par le combustible de leur zèle religieux, ils se jetaient sauvagement sur tous les nains et les orcs qui passaient à leur portée. Les défenseurs les ralentissaient sans parvenir à les arrêter complètement.

Dallog et ses troupes avaient obéi à l'ordre de Stryke : rester près de la grange. Jusque-là, ils n'avaient pas pris part à la bataille. Cela n'allait pas tarder à changer, réalisèrent-ils en voyant un groupe d'humains hurlants et deux fois plus nombreux qu'eux leur foncer dessus. Une demi-douzaine de duels inégaux s'engagèrent.

Trois fanatiques chargèrent Dallog. Leur frénésie et leur nombre jouèrent en la faveur de l'orc. La fureur obscurcissait leur jugement, et ils se gênaient les uns les autres. Dallog en profita pour défoncer la tempe du plus proche.

Les deux survivants se montrèrent plus coriaces. Tandis que le premier menaçait l'orc avec une lance raccourcie, à la pointe extrêmement dentelée, le second tenta de le contourner pour l'attaquer par le flanc ou par-derrière. Ils œuvraient de concert. Diminuer le nombre de ses adversaires avait augmenté le risque qu'il courait. L'ironie de la situation n'échappait pas à Dallog.

Pivotant pour esquiver la lance, il attaqua l'humain qui se tenait sur sa droite. Plusieurs tintements métalliques se succédèrent comme leurs deux épées larges s'entrechoquaient. Aucun d'eux ne parvenait à prendre le dessus sur l'autre. Ça aurait pu durer longtemps si le lancier n'était pas intervenu. Perdant patience, il se jeta dans la mêlée. Son imprudence lui coûta cher. Dallog fit volte-face et abattit violemment son épée, lui faisant sauter son arme des mains. Il enchaîna en lui portant un coup fatal.

La rapidité avec laquelle son camarade venait de succomber désarçonna le dernier membre du trio. Avant qu'il puisse se ressaisir, Dallog se jeta sur lui et lui entailla le torse de l'aisselle jusqu'à la taille. Puis il brandit son épée de toutes ses forces et lui fendit le crâne en deux. L'humain s'écroula, mort avant de toucher le sol.

Dallog s'appuya sur son épée ensanglantée pour reprendre son souffle. Il haletait et espérait qu'aucun de ses subordonnés ne remarquerait sa fatigue.

Les Unis avaient mis le feu à la grange, dont les portes ouvertes vomissaient une épaisse fumée noire. À l'extérieur, des flammes escaladaient les murs de planches, et le toit fumait déjà. Dallog aperçut un humain hurlant qui titubait, les vêtements en feu. Partout, orcs et Unis se battaient sans répit. Le chaos régnait dans la clairière.

Quelque chose attira l'attention de Dallog. De hautes silhouettes émergeaient de la forêt. Au début, il ne parvint pas à les identifier. Puis elles s'avancèrent à découvert, et il vit que c'était des cavaliers vêtus de noir. Des dizaines de cavaliers.

— Seconde vague! tonna-t-il. Seconde vague!

Chapitre 12

Des cavaliers chargeaient à travers le champ de bataille, piétinant les défenseurs ou les transperçant de leurs lames.

Au milieu de la clairière, près de deux chariots à foin, Jup et ses Renards ne s'étaient rendu compte de rien : ils étaient trop occupés à se battre contre les fanatiques à pied.

Spurral était au côté de son époux. Ils brandissaient les armes naines traditionnelles : un bâton à l'extrémité plombée pour lui, une épée courte à lame incurvée et un couteau pour elle. Et ils ne les ménageaient pas.

Jup esquiva une attaque. La seconde d'après, son bâton défonça le crâne d'un humain avec un craquement sonore. Puis l'extrémité lestée cueillit un autre fanatique dans l'estomac. Jup maniait son arme avec grâce et rapidité. Spurral n'était pas en reste avec ses lames. Prise en tenaille par deux Unis, elle lacéra le visage de l'un d'eux et poignarda son compagnon.

Eldo se battait avec le couple de nains. Tandis qu'il s'efforçait de maintenir à distance une brute armée d'une massue, le vétéran reçut un coup qui cabossa son casque et le fit vaciller. Spurral dévia habilement l'attaque suivante de l'humain et l'éventra dans la foulée. Bien que sonné, Eldo lui adressa un signe de tête reconnaissant, et Spurral y gagna le respect accru de tous les orcs qui avaient assisté à la scène.

Après ce qui leur parut une éternité de corps à corps féroce, il y eut une brève pause – qui n'était cependant pas un répit.

Chuss, une des nouvelles recrues, tendit un doigt.

— Regardez !

Les Renards virent les cavaliers. Deux d'entre eux avaient enfoncé la ligne de défense et galopaient vers eux.

— À couvert ! rugit Jup en désignant les chariots.

Il ordonna à Chuss et à l'autre bleu, Ignar, de s'abriter sous l'un des deux véhicules. Le reste des orcs se massa en position défensive. Jup et Spurral escaladèrent le second chariot – le plus proche des cavaliers humains.

Quelques secondes plus tard, les fanatiques arrivèrent au contact. Ils brandissaient des coutelas ; leurs montures épuisées avaient les flancs fumants et l'écume à la bouche.

L'un d'eux fonça droit vers Jup et Spurral. Les deux nains luttèrent pour l'éliminer, mais sa mobilité le maintenait hors de leur atteinte. Pendant ce temps, son camarade harcelait les orcs regroupés, qui tentaient de le toucher tout en esquivant les sabots de sa monture.

L'escarmouche se poursuivit ainsi sans qu'aucun des deux camps parvienne à prendre l'avantage. Puis Gleadeg eut une idée. Il sortit une fronde de sa poche, y glissa une poignée de graviers et tira. La nuée de petits projectiles frappa sa cible au visage et à la poitrine. Surpris, l'humain cria, vida les étriers et s'écrasa sur le sol. Son cheval détala. Les orcs se jetèrent sur lui et lui réglèrent son compte.

Jup voulut suivre l'exemple de Gleadeg. Mais, alors qu'il saisissait sa propre fronde pour l'utiliser sur le second cavalier, un sifflement aigu se fit entendre. Une volée de flèches s'abattit sur le fanatique, le projetant à terre.

Jup et les autres regardèrent autour d'eux. Apercevant une dizaine d'archers nains sur le toit des bâtiments voisins, ils agitèrent la main pour les remercier. Les archers les ignorèrent ; ils étaient déjà occupés à viser d'autres cavaliers.

Pour autant, les Unis n'étaient pas vaincus. Ils continuaient à se frayer un chemin dans la clairière, même s'ils semblaient de moins en moins nombreux. Jup et ses camarades recommencèrent à se battre.

Les défenseurs postés près du périmètre avaient la tâche autrement plus difficile : ce n'était pas deux hommes isolés qu'ils devaient affronter, mais toute une charge de cavalerie virtuelle ! Des chevaux, des nains et des humains morts ou mourants jonchaient le sol autour d'eux. Pourtant, le combat se poursuivait.

Saisissant une lance abandonnée par son précédent propriétaire, Haskeer empala un Uni qui lui fonçait dessus. L'homme partit en arrière, la lance toujours plantée dans sa poitrine. Haskeer dut se contenter de sa fidèle épée pour en découdre avec l'intrus suivant.

Coilla avait fait bon usage de ses couteaux de lancer. À présent, il ne lui en restait que deux. Elle projeta le premier vers un cavalier qui faisait un carnage dans les rangs des défenseurs. Elle avait visé sa poitrine mais, au dernier moment, l'homme pivota sur sa selle, et l'arme l'atteignit juste au-dessus de l'aisselle. L'impact suffit cependant à le faire vaciller et lâcher les rênes de sa monture. Deux orcs s'emparèrent de la bride et tirèrent d'un coup sec, provoquant la chute du cavalier. Des lances et des hachettes se chargèrent de sceller son sort.

Pepperdyne se démenait sans donner le moindre signe de fatigue. Son épée tranchait des gorges, perforait des poumons, sectionnait des membres avec une telle rapidité qu'elle apparaissait floue aux yeux des observateurs. Il était plus fort, plus malin et meilleur combattant que tous ses adversaires.

De son côté, Coilla avait jeté son dévolu sur un nouveau cavalier qui massacrait des nains à coups de hache. L'arme de ce dernier s'abattit sur le crâne d'un des défenseurs, qui s'écroula comme une pierre. La femelle orc arma son bras et visa en espérant que, cette fois, elle réussirait à le tuer net.

Hélas, elle rata son coup. Sa lame ne fit qu'effleurer l'encolure du cheval de l'Uni. Surpris, l'animal blessé se cabra, jetant son cavalier à terre. L'homme tomba lourdement mais se redressa aussitôt, fou de rage. Il repéra Coilla et se fraya un chemin jusqu'à elle.

La femelle orc l'attendait de pied ferme quand une lame ennemie faillit lui trancher un bras. Sans qu'elle le remarque, un autre Uni avait émergé de la mêlée pour engager le combat avec elle.

Coilla pivota vers ce nouvel adversaire, et leurs épées s'entrechoquèrent avec fracas. Ils échangèrent une volée de coups furieux. L'humain était puissamment bâti, et il compensait son manque d'agilité par sa force brute. Chacune de ses attaques s'abattait sur Coilla ainsi qu'une avalanche, et la femelle orc avait fort à faire pour les parer.

Elle finit par se laisser déborder et par réagir un peu trop tard pour esquiver un moulinet. La lame de l'Uni écorcha les jointures de sa main droite. Son épée lui échappa et alla s'écraser un peu plus loin, hors de son atteinte. Coilla recula précipitamment en saisissant sa dague – la seule arme qui lui restait.

Elle venait juste de la trouver quand le cavalier qu'elle avait désarçonné apparut devant elle.

Les deux humains marchèrent sur la femelle orc. Le premier avec une épée large et l'autre une hache : des armes contre l'allonge desquelles une simple dague ne pouvait rien faire. Coilla dut se contenter de bondir et de tournoyer pour esquiver les attaques adverses. Mais elle savait qu'elle ne tiendrait pas indéfiniment. Déjà, elle perdait du terrain.

Les humains se rapprochèrent pour lui porter le coup de grâce.

—Coilla !

Soudain, Pepperdyne surgit à ses côtés. Il lui lança une épée et se jeta sur le premier Uni, laissant l'autre à la femelle orc.

Coilla n'hésita pas. Elle avait une revanche à prendre. Pliée en deux pour éviter un coup de hache, elle fonça sur son adversaire en brandissant son épée devant elle. L'Uni fit un pas sur le côté mais ne parvint pas à se dérober totalement. La lame de Coilla lui entailla le flanc. Ce n'était pas une blessure fatale, loin de là, mais la douleur suffit à le distraire une seconde. Il n'en fallut pas plus à Coilla pour pivoter et frapper de nouveau.

Cette fois, le coup porta. Un tiers de sa lame s'enfonça dans le ventre de l'Uni. Dégageant son arme, la femelle orc la brandit au-dessus de sa tête et l'abattit sur le crâne de son adversaire. L'homme s'écroula, raide mort.

Haletant, Coilla jeta un coup d'œil à Pepperdyne. Celui-ci avait eu raison de son propre adversaire et se penchait pour lui administrer le coup de grâce. Comme il se redressait après avoir tranché la gorge du fanatique, son regard croisa celui de Coilla. La femelle orc ne comprenait pas pourquoi il avait pris son parti contre un de ses semblables, mais elle le remercia d'un signe de tête.

— Regardez ça !

Haskeer désignait un cavalier près de la lisière des arbres. Ou plutôt, une cavalière, car la silhouette était indubitablement féminine. Ses longs cheveux blonds flottaient dans son dos, et elle portait un plastron métallique qui scintillait faiblement dans la pâle lumière du soleil. Elle montait un cheval d'un blanc immaculé qui se cabra tandis que, brandissant son épée, elle ralliait ceux de ses fidèles qui avaient survécu.

— Miséricorde Hobrow, cracha Coilla.

— Tu avais raison, concéda Haskeer.

— Cette garce ! Pourquoi je n'ai jamais d'arc sous la main quand j'en aurais besoin ?

Sous leurs yeux, la jeune femme fit pivoter sa monture et rebroussa chemin vers la forêt.

Les défenseurs postés près de la tranchée l'avaient vue eux aussi. Ses fidèles battaient en retraite dans son sillage ; des nains fous furieux poursuivaient les traînards en brandissant bâtons et épées courtes. Partout à travers la clairière, les derniers Unis désengageaient le combat.

— C'était plus un dernier sursaut qu'une seconde vague, commenta Stryke en observant leur fuite.

Breggin acquiesça.

— On ne peut pas faire grand-chose de plus ici. Rassemble les Renards, ordonna Stryke.

Le fantassin grogna et s'éloigna.

Stryke balaya la clairière du regard. Les corps de dizaines de nains jonchaient le sol, mais les cadavres humains étaient bien plus nombreux. Sans compter les blessés, encore valides ou non. Dans cette dernière catégorie, Stryke ne vit aucun orc – ni aucun humain. Suivi par son groupe, il se dirigea vers les huttes.

Les autres Renards s'étaient déjà rassemblés là.

—Des blessés ? interrogea Stryke.

—Quelques-uns, répondit Dallog. Mais rien de trop grave.

—Coilla, tu vas bien ?

La femelle orc agita sa main bandée.

—Quoi, ça ? (Elle eut un geste désinvolte.) Une pauvre petite égratignure. Ça pique un peu, c'est tout.

—Crois-moi, il n'y a pas qu'à toi que ça pique, ricana Haskeer.

—De qui parles-tu ? s'enquit Stryke.

—De Wheam, grimaça Haskeer.

Stryke soupira.

—Qu'a-t-il encore fait ?

—Il s'est pris une flèche dans le cul.

Du pouce, Haskeer désigna un groupe de soldats qui approchait, portant une planche sur laquelle Wheam gisait à plat ventre. Une flèche dépassait comiquement de l'arrière-train du jeune orc. Standeven suivait d'un air maussade.

—Mais il y a mieux, gloussa Haskeer. La flèche… C'est l'une des nôtres !

Les soldats laissèrent tomber leur civière improvisée sur le sol. Wheam poussa un grognement de douleur.

—Occupez-vous de lui, ordonna Stryke.

Dallog s'agenouilla et se mit à fouiller dans sa sacoche.

Coilla prit Pepperdyne à part.

—Merci, lui dit-elle.

L'humain acquiesça en silence.

—Tu te bats bien.

Il eut un sourire crispé.

—Où as-tu appris ?

Il haussa nonchalamment les épaules.

—Ça et là.

—Et voilà que tu recommences à me casser les oreilles…

Cette fois, une trace de chaleur transparut dans son sourire.

—C'est une longue histoire.

—J'aimerais bien l'entendre, l'encouragea Coilla.

—Pepperdyne !

Standeven se frayait un chemin vers eux en jouant des coudes.

Le visage de Pepperdyne redevint aussi inexpressif que celui d'un joueur de poker.

— Ta place est près de moi, affirma l'autre humain.

— Je sais.

Pepperdyne se comportait de manière presque servile envers son compagnon.

— C'est quoi, votre problème ? demanda Coilla, intriguée.

— Coilla ! appela Stryke en lui faisant signe d'approcher.

La femelle orc dévisagea les deux hommes une dernière fois et s'éloigna.

Stryke s'entretenait avec Jup et Spurral, qui semblaient profondément troublés.

— Que se passe-t-il ? demanda Coilla en les rejoignant.

— Notre peuple a chèrement payé cette victoire, répondit Spurral en désignant le champ de bataille jonché de cadavres nains.

— Mais vous vous êtes bien débrouillés. D'autant qu'il y avait très peu de vétérans parmi vous.

— Nous sommes encore moins nombreux à présent, répliqua Jup d'un air sombre.

— Pendant une bataille, il y a toujours des pertes, fit remarquer Stryke. Tu le sais.

— Les Renards ne s'en sont pas si mal tirés.

— Nous sommes nés pour nous battre, et nous avons de l'entraînement. Si certains d'entre nous n'avaient pas survécu, nous accepterions leur mort.

— La plupart des nains ne voient pas ces choses-là du même œil.

Coilla acquiesça.

— Tu m'en diras tant…

Ses camarades suivirent son regard jusqu'à un groupe de villageois qui, plantés au milieu de la clairière, observaient les Renards en chuchotant entre eux. D'autres nains affluaient depuis toutes les directions.

— Ça pourrait virer vilain, diagnostiqua Stryke. Jup, qu'en penses-tu ?

—Ils sont en colère. Mieux vaudrait être prudents jusqu'à ce que l'atmosphère se détende.

—Coilla ?

—Tu connais le proverbe : « Aie foi en les dieux, mais attache ton cheval. »

Stryke détailla la foule qui grossissait.

—Je suis d'accord avec toi. Évitons de les provoquer, mais restons sur nos gardes. (Il se tourna vers Dallog.) Remets-moi Wheam sur pied.

—Je ne suis pas sûr qu'il soit en état de…

—Il survivra. Fais ce que je te demande.

Dallog haussa les épaules et fit signe à deux orcs.

—Donnez-moi un coup de main, réclama-t-il. Tenez-le. Fermement.

Il se pencha vers son patient, qui se mit à gémir. D'un geste vif, il arracha la flèche plantée dans le postérieur de Wheam.

Ce dernier glapit. Dallog sortit une flasque d'alcool pur et en versa une généreuse rasade sur la plaie. Wheam hurla de plus belle. Dallog pansa hâtivement sa blessure. Puis les deux soldats le mirent debout, lui tirant de nouveaux cris.

Wheam avait le teint cendreux. Il grimaçait comme s'il venait de sucer tout un boisseau de citrons. Pour un peu, Coilla aurait eu pitié de lui.

Avec un grognement mécontent, les villageois se dirigèrent vers les orcs. Quelques-uns d'entre eux boitaient ou arboraient une blessure quelconque. Beaucoup avaient une arme à la main.

—À moi ! aboya Stryke.

Son unité se regroupa derrière lui.

La foule était emmenée par un visage familier : celui du nain qui avait harangué les Renards près du bassin à leur arrivée. Le torse bombé, il s'approcha de Stryke en brandissant une courte lance.

—Avez-vous la moindre idée du carnage que vous avez provoqué ? hurla-t-il.

—Ce n'est pas nous qui l'avons provoqué, mais les Unis, répliqua Stryke sur un ton égal.

— Et regardez combien de nos gens y ont laissé leur vie !

— Les orcs se sont battus à nos côtés, Krake, lui rappela Jup. Sans eux, nous n'aurions jamais gagné.

— Sans eux, nous n'aurions jamais été attaqués !

La foule émit un murmure d'assentiment.

— Ce n'est pas juste, protesta Jup. Nous devrions les remercier pour leur aide.

— Ça ne m'étonne pas que tu prennes leur parti. Tu ne nous as jamais apporté que des ennuis, grinça le dénommé Krake.

— Il me semble, intervint Stryke, qu'il était temps que vous teniez tête à ces humains.

Krake s'empourpra.

— Vous croyez peut-être que nous vous avons attendus pour ça ? Par contre, jusqu'ici, nous évitions de les provoquer !

De nouveau, la foule acquiesça.

— Vous ne pouvez pas tenir les orcs pour responsables de cette attaque, insista Jup. Vous savez que les Unis sont cinglés. Si ça n'avait pas été les Renards, ils auraient trouvé un autre prétexte.

— Une fois de plus, tu soutiens des étrangers, cracha Krake. Tu as un peu trop d'affection pour ces monstres.

— Hé, c'est qui que tu traites de monstre ? s'indigna Haskeer.

Krake le foudroya du regard.

— Qui se sent morveux…

— À votre place, j'éviterais de pousser notre sergent à bout, conseilla Coilla.

— Calmons-nous, supplia Jup.

— Traître ! fulmina Krake.

— Je t'interdis de traiter mon Jup de traître ! s'exclama Spurral.

— C'est quoi, un monstre ? s'entêta Haskeer.

— C'est ce que j'ai sous les yeux, siffla Krake en lui agitant sa lance sous le nez.

La foule applaudit et lui cria des encouragements.

— Vous ne devriez pas faire ça, le prévint Coilla.

— Je n'ai pas de conseils à recevoir d'un monstre, répliqua Krake. Et encore moins d'un monstre femelle.

Il éclata d'un rire méprisant. Les autres villageois l'imitèrent.

Haskeer lui arracha sa lance des mains, la retourna et la lui planta prestement dans le pied. Il y eut un geyser écarlate. Krake hurla. Il fit deux pas titubants et s'écroula dans les bras d'un autre nain. La foule poussa un hoquet collectif.

—Oh, génial, grogna Jup.

Les villageois enragés s'élancèrent en brandissant leurs armes. Les Renards se préparèrent à les affronter.

—Stryke, ne vous battez pas contre notre peuple, implora Spurral.

—On n'a vraiment pas besoin de ça, renchérit Jup en surveillant l'avancée des villageois.

—Renards, retraite! aboya Stryke. C'est valable pour tout le monde!

Les orcs reculèrent précipitamment et se rassemblèrent devant une grande bâtisse en bois.

—Là-dedans, rugit Stryke en ouvrant la porte d'un coup de pied.

Les Renards s'entassèrent à l'intérieur. Ils utilisèrent le mobilier pour barricader la porte et l'unique fenêtre. Dehors, le grondement de la foule enflait.

Coilla foudroya Haskeer du regard.

—Heureusement qu'on n'était pas censés les provoquer.

—Cette petite crevure l'a cherché. Il a eu de la chance que je ne lui... (Haskeer s'interrompit.) Qu'est-ce qu'ils fichent ici, ces deux-là? demanda-t-il en tendant un doigt accusateur vers Pepperdyne et Standeven.

—Ils nous ont prévenus, tu te souviens? grinça Coilla.

—Et alors?

—Et alors, on ne peut pas y faire grand-chose maintenant, pas vrai?

—Moi, je pourrais, répliqua Haskeer sur un ton menaçant.

Stryke s'interposa entre ses officiers.

—Vous comptez encore désobéir à un ordre, sergent? gronda-t-il.

—Je ne me souviens pas avoir reçu d'ordre concernant les deux peaux roses.

—En voici un : fichez-leur la paix. Ils ne m'inspirent pas davantage d'affection qu'à vous, mais nous avons des problèmes plus urgents.

Un soldat revint en trottinant depuis le fond de la bâtisse.

—C'est la seule porte, chef. Il n'y a pas d'autre issue.

Stryke leva les yeux vers les poutres du plafond.

—Trop haut. On ne pourra pas atteindre le toit, murmura-t-il.

À peine avait-il fini sa phrase que les orcs entendirent des bruits de pas au-dessus de leur tête.

—Mais eux, ils peuvent, constata Coilla.

Une secousse ébranla la porte, qui trembla sur ses gonds. Plusieurs orcs se précipitèrent pour ajouter leur poids à la barricade.

—On ne peut ni se battre ni s'enfuir, grommela Haskeer. Qu'est-ce qu'on fait, Stryke ?

—On essaie de défoncer le mur du fond pour sortir et…

—Vous ne sentez pas quelque chose ? s'exclama Spurral.

Les coups avaient cessé.

—Et merde ! (Coilla tendit un doigt vers la porte. Une épaisse fumée s'infiltrait par les interstices.) Ils essaient de nous faire cramer.

De la fumée commençait à sourdre entre les planches des murs. Un nuage gris ne tarda pas à se former sous les poutres du plafond.

—Ils nous en veulent au point de brûler un de leurs propres bâtiments ? s'étonna Stryke.

—Ils sont pas mal remontés, confirma Jup.

—Et maintenant ? voulut savoir Haskeer.

Stryke tendit une main.

—Coilla, l'étoile. Tu l'as toujours ?

—Évidemment. Je vérifie que je ne l'ai pas perdue toutes les dix secondes.

La femelle orc sortit l'instrumentalité et la passa à Stryke. Celui-ci se dirigea vers une table bancale et la posa dessus. Puis il y ajouta ses propres étoiles. Il consulta l'amulette qu'il portait autour du cou et, le front plissé par la concentration, entreprit d'assembler les instrumentalités.

La fumée s'intensifia. Les orcs se mirent à tousser et à larmoyer. Dallog déchira des bandes de tissu qu'il trempa dans un seau d'eau trouvé sous la table et les fit passer aux soldats afin qu'ils s'en couvrent le bas du visage.

Le plafond prit feu. Des braises se mirent à tomber en pluie, accompagnées par une odeur âcre.

Stryke continuait à se débattre avec les étoiles. Les Renards s'étaient rassemblés autour de lui et l'observaient attentivement. Seuls Pepperdyne et Standeven demeuraient en retrait, silencieux et oubliés.

Il ne restait plus qu'une instrumentalité à placer.

—Je n'aime pas ça du tout, geignit Wheam.

—La ferme, le rabroua Haskeer.

Stryke enclencha la dernière étoile.

—Accrochez-vous! hurla Coilla.

Pepperdyne saisit le poignet de Standeven et le traîna vers les orcs.

Il y eut une implosion de non-lumière.

Puis le plancher du monde se déroba.

Chapitre 13

Seuls des bruits très doux rompaient la quiétude du lieu. Un ruisseau gazouillant dévalait une légère pente rocheuse pour rejoindre un fleuve paresseux. Des bêlements distants se mêlaient au bourdonnement hypnotique des abeilles.

De part et d'autre du fleuve s'étendaient des prairies verdoyantes, joliment vallonnées. Des arbres en fleurs parsemaient le paysage. Des collines basses, couronnées de bosquets feuillus, se dressaient à l'horizon. Très haut dans le ciel d'un azur immaculé, des oiseaux battaient languissamment des ailes.

C'était une journée calme et tiède, empreinte de tranquillité bucolique…

… du moins, jusqu'à ce que se produise une subtile altération de la qualité de l'air.

Cinquante centimètres au-dessus du sol, celui-ci se mit à onduler comme à l'aplomb d'une pierre brûlante par un après-midi d'été. Bientôt, une tache de lumière laiteuse apparut et commença à grandir. Elle se changea en un vortex frénétique, au milieu duquel tourbillonnaient des points multicolores. De ce vortex naquit une brise qui forcit jusqu'à devenir un vent, puis une bourrasque devant laquelle s'inclinèrent l'herbe, les plantes et même les arbres.

Dans un éclair blanc dont l'éclat aurait pu rivaliser avec celui du soleil à son zénith, la tornade radieuse vomit son chargement. Des dizaines de silhouettes s'écroulèrent en tas sur la berge du fleuve.

Aussitôt, le vent retomba et le vortex se volatilisa, ne laissant derrière lui qu'une forte odeur de soufre.

Pendant quelques minutes, rien ne bougea. Puis, lentement, les voyageurs interdimensionnels reprirent connaissance. Quelques-uns grognèrent. Plusieurs vomirent.

Stryke et Coilla furent parmi les premiers à se relever.

—Misère. Ce n'est pas plus supportable la deuxième fois, hein ? grogna Coilla en secouant sa tête embrumée. (Elle regarda autour d'elle.) Tu nous as ramenés chez nous ? À Ceragan ?

—Non – même si ça y ressemble beaucoup. J'ai réglé les étoiles pour qu'elles nous emmènent dans le monde dont Serapheim nous a parlé.

—Celui où les orcs sont censés être opprimés ? Je n'en vois pas dans les parages.

Stryke scruta le paysage.

—Ils doivent bien être quelque part.

—À condition que nous ayons atterri au bon endroit, tempéra Coilla.

—Nous ne tarderons pas à le découvrir.

Stryke réalisa qu'il serrait encore les instrumentalités assemblées dans sa main. Il en détacha une des autres et la tendit à Coilla. C'était la verte, celle qui avait cinq pointes.

—Tu es toujours d'accord pour… ?

—Bien sûr. (La femelle orc prit l'étoile.) Mais ce n'est pas la même. Celle d'avant était bleue, et elle n'avait que quatre…

—Quelle importance ? coupa Stryke en séparant les autres instrumentalités pour les ranger dans sa sacoche.

—Aucune, concéda Coilla. Je suis juste encore un peu étourdie par la traversée.

Jup et Spurral les rejoignirent. Ils étaient très pâles et semblaient modérément choqués.

—Foutu moyen de voyager, commenta Jup.

—Où sommes-nous ? s'enquit Spurral.

—Je ne sais pas, avoua Stryke. Mais probablement là où Serapheim voulait nous envoyer en mission.

Haskeer avait passé les minutes précédentes à houspiller les Renards. Il se dirigea vers le petit groupe des officiers.

— Tout le monde va bien ? s'enquit Stryke.

— Plus ou moins. Mais ce n'est pas grâce à tes copains, dit Haskeer en foudroyant Jup du regard.

— Ils ont mal réagi, admit Jup. À leur décharge, ils pensaient avoir une bonne raison.

— Une raison ou une excuse ?

— Que veux-tu dire ?

— Je veux dire que vous les nains, vous savez toujours de quel côté le vent souffle.

— Mais encore ?

— Ce n'est pas la première fois que vous vous retournez contre vos soi-disant alliés…

— Oh non, pas encore cette vieille rengaine !

— Cette rengaine a un nom, gronda Haskeer en se penchant pour mettre son visage au niveau de celui de Jup. *Trahison.*

Jup fit un effort pour se contenir.

— Certains des nôtres – certains, pas tous – ont échappé à la pauvreté à laquelle notre peuple avait été acculé en devenant mercenaires. D'une certaine façon, c'est aussi ce que j'ai fait quand je me suis engagé dans la horde de Jennesta. Horde dans laquelle tu servais également, si je peux me permettre de te le rappeler.

— Tu avais le choix. Nous pas. *Podchambre*, siffla Haskeer en enfonçant un doigt entre les côtes de Jup.

— Tu veux qu'on règle ça de la manière forte ? demanda Jup en serrant les poings.

— Jup, s'il te plaît ! implora Spurral. Ce n'est pas le moment de…

— Je t'attends, bas du cul, gronda Haskeer.

Stryke s'interposa et les sépara violemment.

— Vous allez arrêter, oui ? rugit-il. Nous sommes une unité de combat disciplinée, par une bande de traîne-savates qui se bagarrent pour un oui ou pour un non !

— C'est lui qui a commencé, marmonna Jup.

— Ça suffit ! Je ne tolérerai aucun désordre dans les rangs et, si je dois vous donner le fouet pour faire rentrer ça dans votre caboche, je n'hésiterai pas une seule seconde !

Incapables de soutenir le regard de Stryke, les deux sergents baissèrent la tête – mais se jetèrent un coup d'œil mauvais par en dessous.

—Comme au bon vieux temps, hein? commenta Coilla, rompant le silence tendu. Tu as la mémoire courte, Haskeer. Nous n'avons jamais eu à nous plaindre de Jup. Et Spurral s'est battue vaillamment aujourd'hui.

—Tu dois être toute contente, railla Haskeer. Maintenant, tu as une autre femelle avec qui jouer.

—Ouais, on va pouvoir tresser des couronnes de fleurs ensemble, répliqua Coilla du tac au tac.

Spurral réprima une grimace.

—Des greluches et des chiens errants, maugréa Haskeer. Cette unité est devenue un putain de cirque.

—Haskeer! s'exclama Stryke sur un ton menaçant.

—D'accord, d'accord. Mais que fais-tu d'eux? interrogea Haskeer en désignant Pepperdyne et Standeven, un peu plus loin sur la berge. Si ce ne sont pas des poids morts, je ne sais pas…

—Le plus jeune m'a sans doute sauvé la vie, lui rappela Coilla.

—Et tu ne t'es pas demandé pourquoi? répliqua Haskeer. Ils attendent forcément quelque chose de nous.

—Tu as raison, acquiesça Stryke. Pour une fois. Avant qu'on se remette en route, ces deux-là vont devoir répondre à quelques questions.

—Il était temps.

Haskeer fit mine de se diriger vers les deux humains.

—Pas vous, sergent, le détrompa Stryke sur un ton formel. Vous avez posté des sentinelles? Envoyé des éclaireurs? Non? Alors, faites-le. Tout de suite.

Haskeer s'éloigna en grommelant.

—C'est toujours comme ça dans votre unité? s'enquit Spurral.

—Plus ou moins, répondit Coilla.

—Surtout quand Haskeer s'est mis une idée dans la tête, ajouta Jup sur un ton moqueur. Ça ne lui réussit pas de réfléchir.

—Je ne veux pas qu'on leur tombe dessus tous ensemble et que ça ait l'air d'un interrogatoire en règle, décida Stryke. Sinon, ils risquent de se braquer.

—On pourrait leur taper dessus jusqu'à ce qu'ils parlent, suggéra Jup à moitié sérieusement.

—On le fera si nécessaire. Mais d'abord, laissons-leur une chance de parler. On leur doit bien ça pour nous avoir prévenus et pour avoir aidé Coilla. Pendant ce temps, aide à organiser l'unité, Jup. Et tiens-toi à l'écart d'Haskeer. Pigé?

Jup acquiesça et s'en fut. Spurral le suivit.

—Et moi? s'enquit Coilla.

—Toi, tu m'accompagnes pour parler aux humains. Tu t'entends bien avec eux.

—Hé! Ne dis pas ça comme si c'était mes amis!

Sans répondre, Stryke se détourna et se mit à longer la berge. Coilla lui emboîta le pas.

Les Renards se remettaient peu à peu de leur traversée mouvementée. Ceux qui n'en avaient pas eu l'occasion plus tôt nettoyaient leur lame encore couverte du sang et des tripes des Unis. D'autres faisaient soigner leurs blessures. Haskeer passait sa mauvaise humeur en aboyant des ordres.

Stryke et Coilla trouvèrent les deux humains au bord de l'eau. Debout, Pepperdyne toisait Standeven qui était assis dans l'herbe, les genoux remontés contre sa poitrine. Il dégoulinait de sueur et tremblait de tout son corps.

—Que lui arrive-t-il? interrogea Stryke.

—Ça t'a peut-être échappé, mais le voyage jusqu'ici n'a pas été de tout repos, grinça Pepperdyne.

—Tu n'as pas l'air trop affecté, fit remarquer Stryke.

L'humain blond haussa les épaules.

—Où diable sommes-nous?

—C'est moi qui pose les questions. Qui êtes-vous?

—Comme je vous l'ai déjà dit, je m'appelle Jode Pepperdyne et...

—Je voulais dire, qu'est-ce que vous faites dans la vie?

—Nous sommes des marchands, répondit Standeven un peu

trop promptement. (Il leva les yeux vers les deux orcs et frissonna.) C'était affreux. Je n'avais jamais cru ce qu'on racontait sur elles, et pourtant…

—De quoi parles-tu ? demanda Stryke sur un ton bourru.

—De… des objets qui nous ont amenés ici.

—Donc, vous connaissiez leur existence avant de nous rencontrer ?

Les deux humains échangèrent un bref coup d'œil.

Ce fut Pepperdyne qui répondit.

—D'aussi loin que je me souvienne, des tas de rumeurs ont toujours couru au sujet des instrumentalités.

—Nous ne les avions jamais entendues, répliqua Stryke. Du moins, pas jusqu'à récemment.

—Dans notre métier, les gens parlent beaucoup. Y compris de choses inconnues du quidam moyen.

—Vous dites que vous êtes des marchands.

—Moi, j'en suis un, précisa Standeven. Pepperdyne est mon assistant.

—Il se bat drôlement bien pour un vulgaire serviteur, fit remarquer Coilla.

—Entre autres choses, il a pour mission de me protéger. L'argent tend à attirer l'attention des brigands.

La femelle orc s'adressa directement à Pepperdyne.

—Tu n'as pas appris à te battre comme ça chez des marchands, insista-t-elle.

—J'ai pas mal bourlingué.

—Service militaire ?

—Pendant un certain temps, oui.

—Vous êtes des Multis ? s'enquit Stryke.

Standeven eut l'air surpris.

—Quoi ?

—Vous nous avez mis en garde contre des Unis.

—Tous les humains ne soutiennent pas nécessairement une faction religieuse. Et puis, nous ne sommes pas de Centrasie. Les choses sont différentes de notre côté du monde.

Coilla se hérissa.

— Nos contrées s'appellent Maras-Dantia. Centrasie, c'est le nom que les étrangers comme vous lui ont donné.

Standeven s'empourpra.

— Navré, dit Pepperdyne à la place de son maître.

Stryke fronça les sourcils.

— Je ne comprends pas. Vous n'êtes pas des Multis ; pourtant, vous avez pris notre parti contre d'autres humains. Pourquoi ?

— Vous cherchez quelque chose, n'est-ce pas ? devina Coilla.

— Oui, admit Pepperdyne.

Choqué, Standeven ouvrit la bouche pour parler. Mais son serviteur le prit de vitesse.

— Nous avons besoin de votre aide.

Stryke le fixa durement.

— Explique-toi.

— Nous ne vous avons pas prévenus parce que ces Unis étaient nos ennemis. Nous vous avons prévenus à cause d'un autre ennemi que nous avons en commun, vous et nous.

— C'est à peu près aussi clair que de la vase.

— La reine sorcière, précisa Pepperdyne. Jennesta.

Un frisson glacé parcourut l'échine de Stryke, et il sut que Coilla ressentait la même chose.

— De quoi diable parles-tu ?

— Elle a une dette envers nous. Et nous avons entendu dire qu'elle en avait aussi une envers vous, d'une certaine façon.

— Que savez-vous de Jennesta ? Explique-toi, et vite, ou votre voyage s'arrêtera ici. Brutalement.

L'expression de Stryke ne laissait planer aucun doute sur ses intentions.

— Mon employeur ici présent a perdu une cargaison extrêmement précieuse. Il s'est avéré que c'était le fait de Jennesta.

— De quoi s'agissait-il ?

— De gemmes. Et d'une quantité non négligeable de braves gens, dont certains appartenaient à la famille de mon maître.

— Où cela s'est-il produit ?

— Au bord du désert qui sépare la Centra… Maras-Dantia du reste du monde.

— Et vous avez décidé de vous rendre à Maras-Dantia.

— Pour nous faire justice, oui.

Coilla esquissa une moue sceptique.

— À deux, dont un seul avec assez de tripes pour se battre ?

Elle jeta un coup d'œil méprisant à Standeven.

— Nous n'étions pas seuls. Nous avions un groupe de guerriers avec nous. Mais à notre arrivée, nous nous sommes aperçus que le chaos régnait ici… ou plutôt, là-bas. Des Unis nous ont tendu une embuscade et ont tué la plupart de nos hommes. Certains d'entre nous ont été capturés et retenus prisonniers un moment. C'est comme ça que nous avons eu connaissance de votre histoire et eu vent de l'attaque qui se préparait.

— Les Unis vous ont parlé de nous ?

— Oui. Ignoriez-vous que les Renards sont une légende dans ces contrées ? Bref, nous nous sommes échappés et…

— Comment ? coupa Stryke.

Pepperdyne haussa les épaules.

— Rien de très héroïque. Ils s'intéressaient plus à vous et aux nains qu'à leurs prisonniers. Nous n'étions pas très bien gardés.

— Et vous avez pensé qu'en nous aidant…

— Nous espérions qu'en retour vous nous aideriez à nous venger de Jennesta.

— Jennesta est censée être morte. Les Unis ne vous l'ont pas dit ?

— Ils ont dit que personne ne l'avait vue depuis un moment. Ce n'est pas la même chose, n'est-ce pas ? À moins que vous ayez une bonne raison de penser le contraire…

Ni Stryke ni Coilla ne pipèrent mot.

— Bref, vous avez pensé que nous vous serions assez reconnaissants pour nous joindre à votre petite mission, résuma Stryke.

— Quelque chose comme ça.

— Et si la gratitude ne suffisait pas ?

— Nous envisagions de vous proposer une récompense. Au cas où nous récupérerions les gemmes, mon maître serait prêt à les partager avec vous.

— Nous tuons ce que nous mangeons et prenons ce dont nous avons besoin. Les joyaux ne nous sont d'aucune utilité.

— Alors, où est-ce que ça nous laisse ? interrogea Standeven, mal à l'aise.

— Là où on ne veut pas de vous.

— Que comptez-vous faire ? demanda Pepperdyne.

— Je vais y réfléchir, répondit Stryke. En attendant, ne restez pas dans nos pattes. Je m'occuperai de vous plus tard.

Il se détourna et s'en fut, Coilla sur ses talons.

Quand ils furent hors de portée d'ouïe des deux humains, la femelle orc lança sur un ton railleur :

— Alors, ça te fait quoi d'être une légende ?

— Tu crois ce qu'ils ont raconté ?

— Je ne sais pas. Peut-être.

— Moi, je pense que c'est un gros bobard.

— Tu as remarqué que le serviteur avait plus à dire que le maître ? C'était la première fois que je l'entendais parler autant.

— Peut-être est-il plus doué pour mentir. Et je crois qu'ils ont gaffé en révélant qu'ils connaissaient l'existence des étoiles. Nous n'en avions jamais entendu parler avant que Jennesta nous envoie en récupérer une.

— Ça peut s'expliquer facilement. Nous menions une existence assez isolée quand nous appartenions à la horde. On nous cachait beaucoup de choses.

— Ça ne nous empêchait pas d'entendre les rumeurs. Non, décidément, je n'y crois pas. Et pourquoi Jennesta volerait-elle des gemmes à la lisière de Maras-Dantia ? Elle avait tout ce qu'il lui fallait beaucoup plus près…

— Je ne sais pas. Mais elle était capable de tout. Et, Stryke… J'ai une dette envers Pepperdyne. Je ne serais peut-être plus là s'il n'avait pas…

— Je sais. Et quelles qu'aient pu être leurs motivations, ils nous ont prévenus pour l'attaque. Sans ça, je leur aurais tranché la gorge sans remords.

— Vraiment ?

— Si je pensais qu'ils comptaient nous trahir, je n'hésiterais pas une seconde.

—Mais il est possible qu'ils disent la vérité. Alors, qu'est-ce qu'on fait d'eux ?

—On les largue le plus vite possible.

Ils atteignirent l'endroit où Dallog avait planté l'étendard de l'unité. Une brise légère agitait faiblement le drapeau. Malgré son air nauséeux, le caporal s'affairait auprès des blessés.

Wheam semblait mal en point. Il était allongé sur le côté, sans doute pour éviter de mettre du poids sur sa blessure. En appui sur un coude, il fixait la cuvette en bois qu'il venait de remplir.

Apercevant Stryke et Coilla, Dallog se leva. Il indiqua le paysage d'un large geste et dit :

—On jurerait être revenu à Ceragan, non ?

—On s'est déjà fait la même réflexion, l'informa Coilla.

Pepperdyne et Standeven regardèrent les deux orcs s'éloigner. Quand ils furent assez loin, l'expression de Standeven se durcit.

—Qu'espérais-tu accomplir au juste en leur racontant toutes ces salades ?

—J'essayais de sauver nos vies. Et de leur donner une raison valable pour nous autoriser à les accompagner.

—Mais une cargaison de gemmes ? Et pourquoi avoir parlé de cette Jennesta ? C'est tout juste si nous la connaissons de nom ! Tu es en train de nous enfoncer !

—Ils ne peuvent pas prouver que j'ai menti.

—Le problème des mensonges, c'est qu'ils en appellent d'autres. Je suis bien placé pour le savoir.

—Puisque vous êtes un expert en la matière, vous ne devriez pas avoir trop de mal à suivre le mouvement, pas vrai ?

—Les histoires inventées de toutes pièces ne s'improvisent pas. Elles doivent être plausibles. Quand nous avons surpris ces Unis en train de préparer leur attaque, nous aurions dû élaborer un plan.

—Nous n'avons pas eu le temps ; nous avons saisi l'occasion qui s'offrait à nous. Nous savions que ces orcs étaient censés détenir les instrumentalités. À présent, nous en sommes certains.

—Ah ça, pour en être certains ! grinça Standeven, pas encore remis du traumatisme de la traversée. Mais à quoi cela nous avance-t-il ?

—Vous voulez ces artefacts, oui ou non ?

—En ai-je vraiment besoin tout de suite ?

Pepperdyne poussa un soupir exaspéré.

—Ça fait des jours que vous bavez à la perspective de mettre la main dessus ! Que vous me rebattez les oreilles avec leur valeur incommensurable !

—Surveille ta langue ! protesta Standeven en levant le menton et en bombant le torse d'un air hautain. N'oublie pas qui est le maître ici.

—Sinon, vous me ferez quoi ? railla Pepperdyne. Les circonstances ont changé. Désormais, le seul enjeu est notre survie.

Standeven fulmina mais n'insista pas.

—Je vais vous dire pourquoi vous avez besoin des instrumentalités, reprit Pepperdyne. Kantor Hammrik. Il n'abandonnera pas avant de vous avoir retrouvé, et c'est la seule chose qui vous permettra de négocier avec lui.

—Comment pourrait-il nous retrouver ici ?

—J'ai l'intention de rentrer dans notre monde. Pas vous ? Et ma tête est en jeu autant que la vôtre.

—Tout de même, je ne crois pas…

—Je ne pourrai pas nous sortir de là par la force des armes comme je l'ai fait avec l'escorte d'Hammrik. Ce serait pure folie que d'affronter toute une unité de combat orc. Nous devrons opter pour la discrétion et attendre patiemment une occasion. À moins que vous ayez une meilleure idée…

Avant que Standeven puisse répondre, une clameur s'éleva plus loin le long de la berge, à l'endroit où étaient rassemblés la plupart des orcs. Deux des éclaireurs revenaient, et une troisième personne les accompagnait.

—Voyons ce qui se passe, suggéra Pepperdyne.

Standeven lui tendit la main, et il l'aida à se relever.

En approchant, ils virent que les éclaireurs avaient ramené un autre orc. Celui-ci avait l'air assez âgé, pour autant que des humains puissent en juger. Il portait une tunique sans manches en peau de mouton, un large pantalon de toile et de solides bottines de cuir. Dans sa main, il tenait une houlette presque aussi haute que lui, sur laquelle il s'appuyait pour marcher.

Les éclaireurs le conduisirent jusqu'à Stryke. Le berger promena un regard anxieux à la ronde comme les Renards se massaient autour de lui.

—Nous n'allons pas te faire de mal, lui assura Stryke. Tu comprends?

Le berger acquiesça.

—Comment t'appelles-tu?

—Yelbra, répondit-il sur un ton hésitant.

—Tu es tout seul dans le coin?

De nouveau, il hocha la tête.

—Nous n'avons vu personne d'autre, confirma l'un des éclaireurs.

—Où se trouve la ville la plus proche, Yelbra? interrogea Stryke.

Le berger l'ignora. Il fixait Jup et Spurral.

—Que… qu'est-ce que c'est? s'exclama-t-il en tendant un doigt vers eux.

—Tu n'as jamais vu de nains?

Il secoua vigoureusement la tête.

—Ils sont avec nous. Ne t'en fais pas: tu n'as rien à craindre d'eux. Alors, la ville la plus proche? insista Stryke.

—Vous ne savez pas où elle est? s'étonna le berger.

—Sinon, on ne te poserait pas la question, grommela Haskeer.

—C'est…

Soudain, le berger écarquilla les yeux. Il émit un son à mi-chemin entre un hoquet et un grognement.

Les orcs suivirent la direction de son regard. Il venait d'apercevoir Pepperdyne et Standeven, qui se frayaient un chemin parmi la foule. Tremblant de tous ses membres, il se laissa tomber sur ses genoux arthritiques et balbutia:

—M-maîtres.

— Putain, mais qu'est-ce qui se passe encore ? voulut savoir Haskeer.

Le berger leva vers lui un visage déformé par la terreur.

— À genoux ! siffla-t-il. Montrez-leur un peu de respect !

— Du respect ? À eux ? ricana Haskeer. Ils peuvent embrasser mon cul écailleux, ouais !

Yelbra parut profondément choqué. Sa mâchoire inférieure lui en tomba, et il blêmit.

— Depuis quand les orcs se prosternent-ils devant des humains ? interrogea Coilla.

Le berger la dévisagea comme si sa question n'avait aucun sens pour lui.

— Serapheim nous a dit que les humains régnaient en maîtres ici, se souvint Stryke. Apparemment, il avait raison. Lève-toi, Yelbra.

Le berger resta à genoux, fixant Pepperdyne et Standeven.

Stryke fit un signe de tête aux éclaireurs. Ceux-ci empoignèrent Yelbra et le remirent debout. Le malheureux s'accrocha à sa houlette comme si c'était la seule chose qui l'empêchait de s'écrouler.

— C'est moi qui pose les questions, pas eux, lui rappela Stryke sur un ton plus dur. Comment s'appelle cette contrée ?

Mais Yelbra semblait toujours fasciné et terrorisé par les humains. Tremblant de la tête aux pieds, il continua à les fixer sans répondre.

Stryke fit signe à Pepperdyne d'approcher. L'humain hésita une seconde avant d'obtempérer.

— Demande-lui, ordonna Stryke.

— Moi ?

— Il a plus peur de vous que de nous. Fais-le.

Un peu embarrassé, Pepperdyne se racla la gorge.

— Euh, Yelbra, comment s'appelle cette contrée ?

Le berger parut stupéfait qu'il ne le sache pas.

— Si cela vous convient, maître... Acurial.

— Cela me convient, oui, mais je ne suis pas ton maître. Tu m'entends ?

Yelbra acquiesça d'un air ahuri, dans lequel transparaissait un soupçon de pitié – car de toute évidence, son interlocuteur était fou.

— Oui, maî... Oui, je vous entends.

— Bien. Quel est le nom de la ville la plus proche ?

— Taress.

— Y a-t-il des orcs là-bas ?

— Bien sûr. Des tas.

— Où se trouve-t-elle ? À quelle distance ?

— Plein sud. À pied, vous pouvez l'atteindre au coucher du soleil.

— Merci, Yelbra.

Pepperdyne consulta Stryke du regard. Il allait se retirer quand Yelbra reprit la parole.

— Je vous demande pardon, maî… Je vous demande pardon, mais je ne comprends pas pourquoi vous me demandez toutes ces choses. C'est un test ?

— Non. Nous venons de… d'un pays lointain.

— Il doit être vraiment très loin d'ici.

— Plus que tu peux l'imaginer, intervint Stryke. (Il fit signe à Pepperdyne de reculer.) J'étais sincère tout à l'heure, Yelbra. Nous ne te voulons pas de mal. Mais tu dois nous promettre de ne parler de nous à personne. Ou faut-il que ce soit lui qui te le demande ? dit-il en désignant Pepperdyne du pouce.

— Personne ne me croirait si je racontais ça. Et de toute façon, je ne vois pas beaucoup de monde. Berger, c'est une occupation solitaire.

— Comment un orc peut-il faire ce genre de métier ? lâcha Haskeer sur un ton méprisant.

Une fois de plus, Yelbra parut trouver la question dénuée de sens.

Quelque chose d'autre capta son attention.

— Vous portez des armes, chuchota-t-il comme s'il ne s'en était pas aperçu avant.

Sa voix exprimait un mélange d'émerveillement et de crainte.

— C'est inhabituel dans cette contrée ? s'enquit Coilla.

— Vous devez vraiment venir de l'autre bout du monde. C'est interdit par la loi !

— Nous avons passé assez de temps ici, décida Stryke en se détournant d'Yelbra.

Il s'éloigna de la foule pour s'entretenir avec ses officiers.

—On va à Taress, leur annonça-t-il. Apparemment, on ferait bien de dissimuler nos armes.

—On y va tous? interrogea Coilla. Tu ne préfères pas établir un camp de base?

—Pas cette fois. Si on doit de nouveau utiliser les étoiles au débotté, je préfère qu'on soit tous ensemble.

Jup jeta un coup d'œil aux deux humains.

—Qu'est-ce qu'on fait d'eux?

—Mieux vaut les emmener. D'après ce qu'on vient de voir, ils sont peut-être les seuls d'entre nous qui réussiront à tirer quelque chose de la population locale.

—Je n'aime pas ça, grommela Haskeer.

—Moi non plus. Mais on pourra se débarrasser d'eux dès qu'ils ne nous seront plus utiles. Maintenant, organisez l'unité pour la marche.

Tandis que les officiers se dispersaient pour vaquer à leurs occupations, le berger les apostropha.

—Et moi? Il faut que je m'occupe de mes bêtes.

—Tu peux t'en aller, cria Stryke.

—Ouais, retourne à tes moutons, ajouta Coilla à voix basse.

Chapitre 14

Par contraste avec la dévastation de Maras-Dantia, Acurial semblait une contrée encore plus riante.

Ses prairies couleur de jade et ses pâturages à l'herbe grasse venaient mourir à la lisière de forêts touffues. L'eau des rivières était limpide comme du cristal. Les bois grouillaient d'animaux sauvages ; une multitude de petites créatures se tapissaient dans les fourrés, et des oiseaux multicolores filaient à travers un ciel sans nuages.

Le fleuve coulait vers le sud ; aussi les Renards le longèrent-ils pendant plusieurs heures. Quand son lit s'incurva vers l'ouest, ils trouvèrent une piste qui continuait dans la bonne direction et s'y engagèrent. Ils ne rencontrèrent pas d'autres voyageurs.

Plus la journée avançait, plus l'air fraîchissait.

Stryke et Jup marchaient en tête de la colonne. Par-dessus son épaule, le nain jeta un coup d'œil au reste de l'unité.

— Ils commencent à traîner la patte, constata-t-il. On a le temps de faire une pause ? Ils n'ont rien avalé depuis hier, et c'était à un monde de distance.

Stryke acquiesça.

— Mais pas trop longtemps, et pas de feux. Et on mange les rations qu'on a sur nous ; je veux que personne ne chasse.

Les Renards quittèrent la piste et se dirigèrent vers un bosquet. Après avoir posté des sentinelles, ils procédèrent à une distribution d'eau et de pain de route. Quand ils eurent l'estomac rempli, Stryke leur accorda quelques minutes de repos. Assis sur des troncs d'arbres abattus, certains d'entre eux commentèrent les différences entre Acurial et le monde qu'ils venaient de quitter.

— Comparée à cet endroit, Maras-Dantia était un véritable enfer, déclara Jup. Récoltes misérables, bétail stérile, rivières polluées – vous connaissez la chanson.

— Pourtant, des humains habitent ici, et ils n'ont pas l'air d'avoir fait de dégâts, répliqua Coilla.

Plus d'une paire d'yeux sévères se tourna vers Pepperdyne et Standeven.

— Jusqu'ici, tempéra Jup. Nous ignorons depuis combien de temps ils sont là. Il leur a fallu plus d'une génération pour ravager Maras-Dantia, et davantage encore avant que la magie commence à s'évaporer.

— Je me demande si la magie marche en Acurial, murmura Coilla.

— Je n'y avais pas pensé. Mais… pourquoi ne marcherait-elle pas ? À moins que Maras-Dantia ait quelque chose de spécial, j'imagine que tous les mondes disposent de magie. Ou du moins, de l'énergie nécessaire à son fonctionnement.

— Vérifie, ordonna Stryke. Tes talents pourraient nous être utiles.

— D'accord. (Jup se leva et regarda autour de lui.) Je vais essayer là-bas.

Il se dirigea vers un ravin situé trente ou quarante pas plus loin. Au fond de ce ravin coulait un petit ruisseau ombragé par deux arbres matures. Jup sortit son couteau et s'accroupit au bord de l'eau. Il creusa un trou dans la terre et, quand il l'estima assez profond, il y plongea sa main.

— Que fait-il ? demanda Wheam.

— La magie se manifeste de façon différente pour chaque race, expliqua Stryke. Chez les nains, ça donne la perception à distance.

— « La perception à distance » ? répéta Wheam, perplexe.

— Le don de capter des choses se trouvant hors de portée de vue ou d'ouïe.

— Ce qui est très commode pour le pistage, ajouta Coilla.

— Dans la terre, il y a une énergie qui gouverne la magie, reprit Stryke. C'est près de l'eau qu'elle est la plus puissante. J'ignore pourquoi. Mais les nains doués de perception à distance sentent son niveau et la direction de son flux.

— Comment la magie se manifeste-t-elle chez les orcs ? interrogea Pepperdyne, curieux.

— Elle ne se manifeste pas. Nous n'avons aucun pouvoir, et les humains non plus.

— Donc, si Acurial n'est habité que par des humains et des orcs, personne ne doit y pratiquer la magie.

— C'est exact.

Stryke se garda bien de mentionner Serapheim, qui était une exception parmi les siens. Ou la possibilité que Jennesta se trouve en ce monde. Il ne voyait aucune raison de dire plus que le strict nécessaire à Pepperdyne et à son maître.

Jup revint en époussetant ses mains pleines de terre.

— J'avais raison. Il y a de l'énergie dans le sol, et elle est forte. Pure. À mon avis, il s'en trouve une grosse concentration pas loin d'ici, et elle coule vers le sud.

— Taress ? suggéra Stryke.

— Je suppose que oui.

— Dans ce cas, remettons-nous en route.

Wheam sursauta. Miraculeusement (ou pas), son luth bien-aimé avait survécu à ses diverses mésaventures et à la traversée depuis Maras-Dantia. Il le brandit avec une mine pleine d'espoir.

— Une petite chanson avant de partir ? Histoire de nous donner du ressort ? (Voyant l'expression de ses supérieurs, il révisa ses prétentions à la baisse.) Ou juste une marche militaire pour…

— Une seule note et je te tue, menaça Haskeer.

— Debout, Renards ! aboya Stryke. En route !

Le vieux berger avait vu juste : le soleil se couchait quand ils arrivèrent à destination.

Debout au sommet d'une colline escarpée, les orcs observaient la ville en contrebas. Ils étaient surpris par sa taille. Les quartiers extérieurs se composaient de plusieurs hectares d'habitations séparées par des allées, des venelles et des rues sinueuses. Plus près du centre se dressaient de hautes bâtisses, dont quelques tours et ce qui ressemblait beaucoup à des fortifications. Le crépuscule tombait ; pourtant, peu de lumières étaient visibles.

Armes dissimulées, les orcs attaquèrent la descente.

Ils atteignirent la lisière de la ville sans avoir vu personne. Une large route pavée s'étendait devant eux. Quelques centaines de mètres plus loin, elle était bordée par les premières habitations : des bicoques enveloppées de pénombre et de silence.

—On ne dirait pas que des orcs vivent ici, fit remarquer Coilla.

—On ne dirait pas que quiconque vit ici, répliqua Stryke.

Ils pénétrèrent dans le labyrinthe de ruelles. Toutes les portes étaient fermées, les volets tirés, et aucune lumière ne brillait aux fenêtres.

—Où sont les gens ? se demanda Spurral.

Jup tendit la main.

—Voilà quelqu'un.

De l'autre côté de la chaussée, une silhouette solitaire courait vers eux.

—Planquez-vous tous, ordonna Stryke.

Les orcs battirent rapidement en retraite dans une allée voisine.

Comme la silhouette approchait, Stryke vit que c'était un jeune orc vêtu d'une cape grise. Il mit ses mains en porte-voix pour le héler.

—Que se passe-t-il ?

Le jeune orc ralentit et tourna la tête vers Stryke. Il semblait abasourdi.

—Que voulez-vous dire ?

—Où sont les gens ?

—Vous ne savez pas l'heure qu'il est ?

—Quel rapport avec… ?

—Il fait presque nuit ! Ne restez pas dans la rue ! Ils seront bientôt là !

—Qui ça, « ils » ?

Le jeune orc ne répondit pas. Il se remit à courir et disparut au coin d'une rue.

Coilla émergea de sa cachette.

—C'est quoi, ça?

—On est peut-être tombés sur le seul orc cinglé de toute la ville, hasarda Jup.

—Et maintenant, qu'est-ce qu'on fait? s'enquit Haskeer.

—On continue et on garde l'œil ouvert, décida Stryke.

Ils s'enfoncèrent dans la métropole déserte. Partout, c'était la même histoire: portes verrouillées, fenêtres barrées, maisons plongées dans le noir. Ils ne croisèrent pas même un chat ou un chien errant.

Enfin, ils atteignirent une place publique, bordée d'habitations de tous les côtés. Une rue partait de chacun de ses coins; en son centre, sur un carré d'herbe boueuse, se dressait une haute structure de bois.

—Vous voyez ce que c'est? interrogea Coilla.

Stryke cligna des yeux dans la pénombre grandissante.

—Non, quoi?

—C'est une potence.

—Ainsi, ils pratiquent encore les exécutions publiques ici.

—Oui, mais qui exécutent-ils?

—Stryke, intervint Haskeer, qui ne semblait pas tranquille, quel est notre objectif? Où allons-nous?

—Je ne sais pas, avoua Stryke. Je ne m'attendais pas à trouver une ville fantôme.

—Génial.

—Tu crois que tu aurais fait mieux à ma place?

—Au moins, j'aurais eu un plan.

—Que les dieux nous protègent de tout plan conçu par tes soins.

—Je ne nous promènerais pas comme un troupeau qui a perdu son berger, insista Haskeer.

—Tenez votre langue, sergent, si vous ne voulez pas que je prenne votre casque et que je vous le fourre dans le…

Coilla porta un doigt à ses lèvres.

— Chuuut !

— Ne vous mêlez pas de ça, caporal ! aboya Stryke.

— Non, je veux dire : écoutez.

Les Renards se figèrent et tendirent l'oreille.

Bien que distant, le son était très reconnaissable, et il s'amplifiait rapidement.

— Des soldats en marche, chuchota Jup.

— D'où viennent-ils ? interrogea Stryke.

— Je ne peux pas dire.

Le son enflait et se rapprochait.

— À couvert ! ordonna Stryke.

Les orcs voulurent obéir. Mais aucun d'eux n'avait fait plus de dix pas quand un groupe d'humains déboucha sur la place. Ils étaient une quarantaine, vêtus d'uniformes sombres – noirs ou peut-être bleu marine. Tous étaient armés jusqu'aux dents, et un tiers environ tenait des lanternes couvertes.

Leur commandant marchait en tête. Ce fut lui qui rugit :

— Halte !

Ses troupes se déployèrent autour de lui de manière à former une ligne.

Les orcs s'arrêtèrent net et consultèrent leur chef du regard.

Stryke savait qu'ils auraient pu s'enfuir, mais il ne voulait pas prendre le risque d'éparpiller les Renards. Et puis, détaler comme des lapins, ce n'était pas leur style. Il fit signe à son unité de ne pas bouger.

Captant le regard sceptique que lui lançait Coilla, il articula :

— On pourra peut-être s'en sortir au bluff.

La femelle orc haussa un sourcil mais ne dit rien.

Le commandant humain était petit et trapu. Il avait une moustache noire broussailleuse qui lui chatouillait les narines et n'atteignait pas les coins de sa bouche grimaçante. Ses cheveux noir corbeau, plutôt longs, étaient gominés en arrière.

Quand les humains furent à distance de crachat des orcs, il aboya un ordre, et ses subordonnés s'arrêtèrent. Lui-même continua à avancer, suivi par deux soldats qui demeurèrent un pas en retrait – un sur sa gauche, un sur sa droite. La manœuvre semblait avoir été répétée maintes fois ; sa précision toute militaire frisait le comique.

Le trio s'immobilisa face à Stryke, Haskeer et Coilla, qui se tenaient devant le reste des Renards.

—Que diable fichez-vous ici ? tonna le commandant.

—Nous prenons l'air, répondit Stryke avec une innocence feinte.

—Vous «prenez l'air», répéta le commandant sur un ton moqueur. Et tant pis pour le couvre-feu, pas vrai ?

—Nous ignorions qu'il y en avait un.

Il s'empourpra.

—Essaieriez-vous de…? (Puis, par-dessus l'épaule de Stryke, son regard se posa sur Jup et Spurral.) C'est quoi, ça ?

—Encore ? soupira Jup.

Tandis qu'il s'avançait pour mieux voir les deux nains, le commandant aperçut Pepperdyne et Standeven au dernier rang des Renards. Sa confusion redoubla.

—Êtes-vous prisonniers de ces créatures ?

—Non. Nous sommes avec elles, répondit Pepperdyne.

—Avec elles ? Vous fraternisez avec les indigènes ?

—Comment ça, «les indigènes»? intervint Haskeer.

—Nous sommes tombés sur une troupe de bouffons, déclara le commandant assez fort pour que tous ses hommes l'entendent. Une vraie bande de clowns. Mais rira bien qui rira le dernier.

—Je doute que ce soit vous, l'informa aimablement Coilla.

Le commandant pivota vers elle.

—Qu'est-ce que tu as dit ?

—Que ce n'est pas vous qui rirez le dernier.

—Tu en es sûre ?

—Certaine. Pour rire, il faut un cœur en état de marche.

—Ce que j'ai.

—Plus pour longtemps.

—C'est une menace ?

Cette idée semblait l'amuser.

—Disons plutôt, une prédiction.

— Alors, laisse-moi t'en faire une aussi : vous êtes sur le point de payer très cher votre manque de respect envers vos supérieurs.

Coilla sourit.

— Je vous attends.

Le commandant tenait une paire de gants en cuir clouté. Il s'en servit pour gifler violemment la femelle orc.

Les Renards se raidirent.

Coilla porta une main à sa joue. Du sang gouttait au coin de sa bouche. Elle le cracha, manquant de peu les bottes cirées du commandant. Puis elle plongea son regard dans celui de l'humain et annonça calmement :

— Il est à moi.

Le commandant éclata de rire.

— Ben voyons ! Depuis quand ceux de votre espèce ont-ils le courage – et la stupidité – de tenir tête à un supérieur ?

— Depuis maintenant, répondit Coilla.

Et, rapide comme l'éclair, elle lui lança son pied dans l'entrejambe.

L'humain poussa un glapissement de douleur et se plia en deux. Coilla bondit et le saisit par les deux oreilles. Tirant vers le bas, elle lui cogna la tête sur son genou relevé – deux fois – et eut la satisfaction d'entendre craquer du cartilage.

Comme elle le lâchait, Stryke et Haskeer dégainèrent. Stryke enfonça ses dagues jumelles dans les flancs du premier lieutenant, tandis qu'Haskeer plongeait son épée dans la poitrine du second.

Tout s'était passé si vite que les autres humains n'avaient pas eu le temps de réagir. La plupart arboraient une expression d'incrédulité choquée.

Puis quelqu'un cria : « Terroristes ! », et le chaos se déchaîna.

Armes au clair, les Renards et les humains se foncèrent dessus. Ils se rencontrèrent au milieu de la place, où une vingtaine d'escarmouches éclatèrent simultanément. Bien qu'en infériorité numérique – et ce d'autant plus que ni Standeven ni Wheam n'étaient capables de se battre –, les orcs compensaient en luttant avec leur férocité habituelle. Et au début, ils bénéficièrent d'un avantage de taille : les humains semblaient stupéfaits qu'ils opposent la moindre résistance.

Il y avait une terrible harmonie dans la façon dont les Renards œuvraient ensemble. À grands moulinets d'épée, ils tranchaient, lacéraient et découpaient un chemin à travers les obstacles de chair. Seul Pepperdyne faisait preuve d'un tant soit peu de finesse. De ce point de vue, son style de combat était plus proche de celui des autres humains. Là où les orcs massacraient, il pourfendait.

Mais sauvagerie bestiale ou escrime raffinée, le résultat était le même. Bientôt, les pavés devinrent écarlates et glissants. Deux tiers des humains avaient déjà succombé, tandis que les Renards avaient subi quelques blessures mineures, mais aucune perte.

— On en a fait des serpillières ! fanfaronna Haskeer.

— Ne te réjouis pas trop vite, tempéra Stryke. Regarde.

D'autres humains en uniforme déboulaient sur la place depuis les deux rues du fond. Ils étaient aux moins deux fois plus nombreux que les adversaires initiaux des orcs.

— Depuis quand on se soucie des probabilités ? lâcha Haskeer sur un ton méprisant.

— Il pourrait en arriver des tas d'autres derrière.

— Alors, qu'est-ce qu'on fait ?

— On les tue, siffla Stryke.

— Pourquoi tu n'as pas commencé par là ? lui reprocha Haskeer en pivotant et en ouvrant le ventre d'un humain qui s'était approché un peu trop près.

Coilla, qui se battait près de Jup et de Spurral, avait elle aussi repéré les nouveaux venus.

— Ils ont des renforts ! glapit-elle.

Jup défonça un crâne avec son bâton.

— Je les vois. Ce qu'il y a de bien avec les Renards, c'est qu'on n'a jamais le temps de s'ennuyer.

Il pivota pour briser le bras d'un humain et le pousser vers Spurral, qui l'acheva rapidement de deux coups de couteau.

Coilla ne put s'empêcher d'admirer leur travail d'équipe.

—On n'aurait peut-être pas dû les provoquer, commenta Spurral.

—Nous, rater une occasion de nous battre ? Tu nous connais encore bien mal, répliqua Coilla en grimaçant.

Mais elle voyait que les renforts avaient redonné courage aux premiers humains.

Puis une chose surprenante se produisit.

Comme s'ils obéissaient à un signal muet, les humains qui combattaient les orcs désengagèrent et battirent en retraite, abandonnant leurs morts et leurs blessés au milieu de la place.

Jup lança son poing en l'air.

—Ils s'enfuient !

—À ta place, je ne compterais pas là-dessus, grommela Coilla.

Tout en reculant, les humains s'écartèrent, et les Renards purent détailler le nouveau contingent. À sa tête se tenaient trois silhouettes vêtues différemment des autres. Elles portaient une robe dont la capuche dissimulait leur visage.

Un silence de mort succéda à la cacophonie de la bataille. Les Renards se tendirent.

—C'est quoi, ça ? Des prêtres ? lança Haskeer.

Stryke haussa les épaules.

—Bon, alors, qu'est-ce qu'on attend ?

—Du calme. Il se passe quelque chose.

Les trois humains de tête sortirent quelque chose de leur robe. C'était difficile de voir ce que c'était à cause de la distance, mais on aurait dit de petits tridents longs comme des dagues.

—Qu'est-ce qu'ils foutent ? s'impatienta Haskeer.

—Aucune idée. Mais ça ne me plaît pas.

Les trois humains levèrent leurs tridents et les pointèrent dans la direction des orcs.

—Tout le monde à terre ! rugit Stryke.

Il y eut un éclair aveuglant. Puis les tridents crachèrent des rayons de lumière rouge, vert et jaune.

Les Renards se jetèrent au sol une demi-seconde avant que les faisceaux d'énergie crépitante fusent au-dessus de leur tête. Les deux premiers frappèrent des bâtiments situés derrière eux, démolissant une lourde porte et transperçant un mur. Des briques et du mortier s'effritèrent. Le troisième rayon s'écrasa sur un coin de la potence, qui s'embrasa instantanément.

La seconde salve de tirs força les Renards à rouler sur eux-mêmes pour éviter les décharges meurtrières. Celles-ci griffèrent le sol comme de minuscules éclairs, délogeant des pavés et projetant des étincelles.

Stryke leva la tête et regarda autour de lui. Hystykk et Jad étaient étendus non loin de là. Tous deux avaient des arcs. Il rampa jusqu'à eux.

— Descendez-moi ces salopards ! ordonna-t-il.

Les vétérans se tortillèrent pour attraper leur arc, qu'ils portaient dans le dos. Ils encochèrent rapidement une flèche et visèrent les silhouettes en robe.

Une flèche se planta dans la poitrine d'un des sorciers. Celui-ci tituba et s'écroula.

— Hein ? marmonna Hystykk.

Ni lui ni Jad n'avaient tiré.

Une nuée de projectiles s'abattit sur les deux autres humains en robe. En tombant, celui de droite projeta un rayon d'énergie qui fusa vers le haut et illumina brièvement le ciel avant de s'éteindre.

Il y eut un rugissement.

Une troisième faction déboula sur la place. Ses membres étaient plus nombreux que les humains ; ils se ruèrent vers ceux-ci pour engager le combat.

Stryke se releva. Coilla le rejoignit en courant.

— Ce sont des orcs !

— Mais bordel, qu'est-ce qui se passe ? s'exclama Haskeer.

Stryke secoua la tête.

— Rallie les nôtres. Mets-les en formation défensive.

Obéissant aux ordres hurlés par Haskeer, les Renards se rassemblèrent rapidement.

Face à eux, une mêlée sanglante faisait rage. Un groupe de cinq ou six orcs s'en détacha et fonça vers les Renards.

— Qui est votre commandant ? cria l'orc de tête.

— Moi, répondit Stryke.

—Venez avec nous. (L'orc aperçut les nains et les humains.) Vos prisonniers? demanda-t-il.

—Non, ils sont avec nous, le détrompa Stryke.

L'orc eut l'air stupéfait.

—Vous plaisantez!

—Ils sont avec nous, répéta Stryke.

—Nous ne pouvons pas emmener d'humains, protesta l'un des autres orcs, foudroyant du regard d'abord Pepperdyne et Standeven, puis le couple de nains.

—On tranchera plus tard, décida leur chef. Pour l'instant, on bouge!

—Pour aller où? s'enquit Stryke.

—D'autres humains sont en route. Si vous restez ici, vous mourrez.

—Qui êtes-vous?

—Venez!

Le chef des orcs commença à s'éloigner. Stryke hésita une seconde, puis fit signe à son unité de le suivre.

Tandis qu'ils couraient dans les rues envahies par les ténèbres, Coilla ne put s'empêcher de manifester son étonnement.

—Stryke, ces humains ont utilisé de la magie!

Chapitre 15

S i l'endroit où vivent les dirigeants d'un peuple exprime la considération que ceux-ci portent à leurs sujets, la forteresse de Taress devait être considérée comme particulièrement éloquente.

Ses portes étaient verrouillées, ses accès étroitement surveillés. Des archers arpentaient ses remparts. Des sentinelles montaient la garde en haut de ses tours, et une garnison se trouvait en permanence dans son enceinte impénétrable.

Pour se faire une idée de la réputation de cet endroit – ou plus précisément, de la nature de ses habitants –, il suffisait de voir combien rares étaient ceux qui y pénétraient de leur plein gré.

L'un des étages supérieurs était entièrement réservé à l'usage exclusif d'un individu. Compte tenu de sa position, on aurait pu croire que ses appartements seraient luxueusement meublés. Il n'en était rien. Ici régnaient le minimalisme et l'austérité ; le mobilier était rare et inconfortable, et la décoration brillait par son absence. De ce point de vue, les lieux reflétaient les dispositions militaires de leur occupant.

Les masses opprimées avaient surnommé Kapple Hacher « Main de Fer ». Pourtant, son apparence et ses manières contrastaient avec ce sobriquet. Sans être encore dans la vieillesse, il atteignait la fin de ce que l'on considérait comme l'« âge mûr ». Ses cheveux coupés court avaient viré à l'argent, et ceux qui ne le connaissaient pas supposaient que c'était pour cela qu'il se rasait le menton.

Mais en vérité, il n'exhibait nulle trace de vanité. Il avait le physique d'un homme beaucoup plus jeune, malgré son visage ridé et les taches brunes qui marquaient le dos de ses mains. Il se tenait aussi droit qu'un javelot, et portait son uniforme immaculé comme une seconde peau. Dans l'ensemble, il avait l'air d'un gentil tonton un peu maniaque. Du moins, c'est ainsi que le percevaient les autres humains.

Pour quelqu'un qui disposait d'une autorité aussi considérable que la sienne, il ne semblait pas accablé par les responsabilités. Hacher était à la fois gouverneur de ce que ses conquérants considéraient comme une province, et commandant de l'armée occupante au sein de laquelle il possédait le grade de général.

Pour l'heure, il était en train de dîner – seul, comme à son habitude. Il mangeait peu, et uniquement des mets simples : volaille, pain et fruits. Dans les rares occasions où il buvait du vin, il le coupait toujours avec un peu d'eau, ce qui le rendait doublement impopulaire auprès de ses goûteurs.

Deux femelles orcs âgées le servaient ; en silence, elles déposaient la nourriture sur la table propre comme un sou neuf qui constituait l'essentiel de l'ameublement. Hacher ne leur prêtait pas plus d'attention que si elles avaient été invisibles.

Quelqu'un toqua à la porte.

— Entrez ! répondit Hacher d'une voix claire et nette.

Deux humains pénétrèrent dans la pièce. Le premier portait un uniforme militaire bleu marine, le second, une robe brune à la capuche baissée. Tous deux avaient approximativement le même âge que le général.

— Je vous demande pardon, monsieur, commença l'aide de camp, mais on vient de nous rapporter…

Hacher leva une main pour l'interrompre. D'un signe de tête, il congédia les servantes. Celles-ci sortirent tête baissée, sous le regard dédaigneux des visiteurs.

— Tu disais, Frynt ? demanda Hacher en reposant le couteau avec lequel il mangeait.

— On vient de nous rapporter un nouvel incident, monsieur. Et après l'heure du couvre-feu.

— Des pertes ?

— Nous n'avons pas fini de compter, mais oui. Et significatives.

— Trois membres de l'Ordre sont parmi les victimes, précisa l'homme en robe en jetant un regard dur à Frynt.

— C'est regrettable, Grentor, commenta Hacher. L'état reconnaît leur noble sacrifice et leur rendra dûment hommage.

— Les hommages, c'est bien beau, mais nous préférerions une protection militaire adéquate. Nous y avons droit.

— Au vu de leur expertise magique, je pensais que vos frères étaient parfaitement capables de se défendre eux-mêmes.

— J'espère que vous n'êtes pas en train de mettre en doute la compétence de notre Ordre, général.

— Loin de moi cette idée. Je suis le premier à reconnaître combien votre contribution est précieuse.

Frynt foudroya Grentor du regard.

— Ils avaient une protection. Le nombre de nos morts le confirmera.

— Pourtant, les trois frères qui accompagnaient la patrouille ont été abattus.

— Vous avez perdu trois hommes. Nous en avons perdu beaucoup plus.

— Et les pertes infligées à l'autre camp ? interrogea Hacher.

— Nous en avons tué quelques-uns, et nous avons fait une demi-douzaine de prisonniers.

— Vous voyez, Grentor ? Ils ne s'en sont pas sortis impunément.

— Et c'est censé me consoler ? Que vaut la vie de ces bêtes comparée à celle de nos hommes ?

— Chaque rebelle que nous éliminons, c'est un pas supplémentaire vers notre objectif – un Acurial purgé de ce… problème.

— Problème qui n'aurait jamais dû survenir.

— Gardons les choses en perspective. La grande majorité des orcs est docile, vous le savez. Quelle résistance nous ont-ils opposée quand nous avons conquis ces terres ? Les troubles actuels sont le fait d'une petite minorité. Un groupe d'erreurs de la nature.

—Et si ces erreurs de la nature contaminaient le reste de la population ? Les fièvres ont une fâcheuse tendance à se transformer en épidémies, général.

—Les orcs normaux ne succomberont pas à cette peste-là. Ce n'est pas dans leur nature.

—Ils ont un point de ralliement – cette Sylandya, celle qu'ils appellent la Cardinale. Jamais elle n'aurait dû être autorisée à nous filer entre les doigts.

—Personne ne se rallie à elle. Pour ce que nous en savons, elle est peut-être déjà morte. Vous êtes bouleversé par la mort de vos frères, Grentor. Je le comprends. Mais il est crucial que nos forces militaires et magiques œuvrent en harmonie.

—Que proposez-vous donc ?

—Renforcement des patrouilles de rue, redoublement de nos efforts pour recruter des informateurs, punitions sévères pour ceux qui fraternisent avec les dissidents. Et de manière plus générale, une surveillance accrue. Sur ce point, l'Ordre peut nous être d'un grand secours, Grentor. Si nous devons employer une masse d'armes pour briser cette noix, qu'il en soit ainsi. Quant à Sylandya, nous allons intensifier nos recherches.

—Des paroles très rassurantes, général.

—Je suis content que vous approuviez ces mesures.

—Mon approbation dépendra de vos résultats et non de vos intentions. L'Ordre vous jugera sur pièces.

—Naturellement. (Hacher se leva.) À présent, frère Grentor, si vous voulez bien m'excuser, mon aide et moi avons beaucoup à faire.

Grentor jeta un coup d'œil glacial à Frynt. De toute évidence, ces deux-là ne se portaient aucune affection.

—Bien entendu.

Avec un hochement de tête presque imperceptible, il se détourna et sortit.

Frynt referma la porte derrière lui et poussa un soupir las.

—Je sais, compatit Hacher, un léger sourire aux lèvres. Nos alliés de l'Ordre mettent parfois nos nerfs à rude épreuve.

—À les entendre, on croirait que ce sont eux qui souffrent le plus de ces troubles !

— De fait. Mais j'étais sincère en évoquant une meilleure collaboration entre les services. Nous devons absolument coordonner nos efforts pour éviter que se reproduisent des incidents comme celui de ce soir.

— Oui, monsieur. En parlant de cela, avez-vous des instructions spéciales à me donner concernant les nouveaux prisonniers ?

— Tu connais ma philosophie, Frynt. Nous devons laisser le monde meilleur que nous l'avons trouvé. Qu'on les exécute. Après leur avoir arraché sous la torture toutes les informations qu'ils possèdent, naturellement.

— Oui, monsieur. Et vous donnerez les ordres nécessaires au renforcement de la sécurité ?

Hacher se massa l'arête du nez entre le pouce et l'index.

— Dès demain matin.

— Je crois que vous avez réussi à impressionner Grentor, hasarda son aide de camp. D'habitude, vous ne cédez pas si facilement à ses réclamations, si je puis me permettre.

— Je ne cherchais pas seulement à apaiser Grentor et son Ordre.

— Monsieur ?

Le ton d'Hacher se fit grave.

— Le moment est très mal choisi pour une résurgence des troubles causés par les dissidents. Garde ça pour toi, mais j'ai été informé de la visite imminente d'une autorité supérieure.

— Cela pose-t-il un problème, monsieur ?

— S'agissant de cette autorité-là, le mot « problème » est ce qu'on appelle un doux euphémisme. (Hacher semblait brusquement las.) À présent, laisse-moi, Frynt. J'ai besoin de me reposer.

— Certainement, monsieur.

L'aide de camp se retira discrètement.

De l'autre côté de la pièce, une double porte-fenêtre ouvrait sur un balcon. À cause de la tiédeur de la soirée, elle était ouverte. Hacher sortit prendre l'air.

Il était réputé pour son flegme. Mais en baissant les yeux vers la cité plongée dans l'obscurité, en contrebas, il ne put réprimer un pincement au cœur.

Les rues sombres de Taress sinuaient tant et si bien que les Renards ne tardèrent pas à se sentir complètement perdus.

Au bout de quelques minutes, leur guide les entraîna dans une venelle étroite. Il s'arrêta devant une maison plongée dans le noir, que rien ne différenciait des centaines d'autres demeures longées précédemment. Avec la poignée de son épée, il frappa une série de coups – probablement un signal convenu.

La porte s'ouvrit, et tout le monde s'engouffra à l'intérieur. Le garde écarquilla les yeux à la vue des humains et des nains, mais il ne dit rien.

La maison semblait abandonnée. Il n'y avait pas de meubles, et une couche de poussière recouvrait le plancher de bois nu. Les nouveaux venus avancèrent jusqu'à ce que les premiers d'entre eux atteignent une petite pièce située dans le fond. Un tas de planches pourries gisait sur le sol. Le guide des Renards les poussa sur le côté, révélant une trappe. Stryke hésita un moment avant d'empoigner l'échelle. Le reste de son unité le suivit.

Ils se retrouvèrent dans une vaste cave. Celle-ci était déjà occupée par un grand nombre d'orcs à l'expression uniformément méfiante.

Le guide des Renards fut le dernier à descendre. Dans la lumière dispensée par des flambeaux et des lanternes, Stryke et ses compagnons purent enfin le voir clairement. Âgé d'environ deux douzaines d'étés, il était grand et presque maigre selon les normes de sa race. Il avait des traits bien dessinés et le dos très droit. Une femelle l'aurait sans doute trouvé séduisant. Et à la façon dont les autres orcs le regardaient, il était évident qu'il représentait l'autorité pour eux.

—Nous devrions vous prendre vos armes, lança-t-il.

—Pour ça, il faudrait que vous les arrachiez à nos cadavres, répliqua Stryke.

—J'espérais que tu dirais ça.

—Pourquoi?

—C'est une preuve supplémentaire que vous êtes comme nous. Spéciaux.

—« Spéciaux » ?

—Vous vous battez. C'est pour ça que je vous ai amenés ici.

—Qu'y a-t-il de si inhabituel à… ?

—Mais par d'autres côtés, vous êtes très différents. (Le chef des orcs désigna Pepperdyne, Standeven et les deux nains, qui avaient été poussés dans un coin.) Pourquoi vous mélangez-vous à des humains ? dit-il, crachant le dernier mot comme une injure. Et à… ces créatures, quoi qu'elles puissent être, ajouta-t-il en désignant Jup et Spurral.

Stryke n'eut pas d'autre solution que de répéter le mensonge servi à Yelbra, en espérant que ces orcs citadins ne connaissaient pas davantage le reste de leur monde qu'un simple berger.

—Nous ne sommes pas d'ici.

—Mais encore ?

—Nous sommes des voyageurs.

—Et d'où venez-vous ?

Stryke jeta les dés.

—Le monde est vaste, tu sais. Il s'étend beaucoup plus loin que les confins de Taress.

—Dans quelle partie du monde les orcs fréquentent-ils des humains et… ?

—On les appelle des nains.

—Alors, à quel endroit les orcs, les humains et les nains vivent-ils en harmonie ?

Stryke espérait rester dans le vague. Il fut forcé de porter un nouveau coup à l'aveuglette.

—Dans le Nord. Le Grand Nord.

Un murmure parcourut la foule des orcs.

—Vous venez des contrées sauvages ? interrogea le chef des orcs, impressionné – ou peut-être incrédule ; c'était difficile à dire.

Stryke acquiesça.

—Nous ne connaissons pas grand-chose de cette région. Les choses doivent être très différentes là-bas, supputa le chef.

Stryke avait du mal à en croire sa chance. Il réprima un soupir de soulagement.

—Très.

— Mais vous vous battez avec autant de discipline que nous. Nous l'avons vu. Si vous êtes alliés avec les humains et les… nains, qui sont vos adversaires ? voulut savoir son interlocuteur.

De nouveau, Stryke fut forcé d'improviser.

— Des humains.

— Je ne…

— Certains humains, comme nos camarades ici présents, condamnent ce que les leurs font subir aux nôtres et se rangent de notre côté. Quant aux nains, ils ont toujours été nos amis.

— Jamais je n'avais entendu parler d'une telle chose. Ici, les humains nous traitent comme du bétail.

— Tu l'as avoué tout à l'heure : tu ne sais pas grand-chose de ce qui se passe dans le Nord. Ce n'est pas du tout comme à Taress.

— Si tu dis la vérité, murmura pensivement le chef des orcs, il peut être intéressant d'avoir des alliés humains. À supposer qu'ils soient dignes de confiance.

— Certains d'entre eux le sont.

Stryke savait que c'était peut-être le plus gros de tous ses mensonges.

— Ce que je ne comprends pas, c'est comment vous êtes devenus des guerriers.

— Dans nos contrées, tous les orcs savent se battre.

Nouveau murmure dans les rangs des spectateurs – plus fort, cette fois.

— *Tous ?*

— Pourquoi tant de surprise ? Vous vous battez, vous aussi, fit remarquer Stryke.

— Je vous ai dit que nous étions spéciaux. Différents. En Acurial, la plupart des orcs n'ont pas un tempérament belliqueux.

— Chez nous, c'est l'inverse. (Stryke fit un effort pour ne pas jeter un regard entendu à Wheam.) Mais comment en êtes-vous arrivés là ?

Le chef des orcs haussa les épaules.

— Qui sait ? Peut-être avons-nous eu la vie trop douce pendant trop longtemps avant l'arrivée des envahisseurs. Certains d'entre nous ont le goût du sang. À cause de ça, les autres nous traitent de monstres. Nous préférons nous considérer comme des patriotes. (Il fixa durement Stryke.) Alors, pourquoi êtes-vous venus dans le Sud ?

Pris au dépourvu, Stryke répondit la première chose qui lui passa par la tête.

— Pour recruter des soldats.

— Vous pensiez que ce serait comme chez vous ? Que tous les orcs seraient des guerriers ?

— Nous l'espérions.

— Vous avez dû être déçus.

— Nous venons juste d'arriver. Nous sommes à peine en train de découvrir comment fonctionnent les choses ici.

— Ce que tu dis ne me réjouit guère. Si vous venez de contrées où tous les orcs se battent et ne parviennent pourtant pas à renverser leur oppresseur… Vous n'avez pas vaincu, n'est-ce pas ?

— Non.

— Alors, quelle chance avons-nous, nous qui sommes si peu nombreux à accepter de prendre les armes ?

— Dans le Nord, il y a beaucoup moins d'orcs que par ici.

— Nous avons le même problème. Nous ne sommes pas assez.

— Vous ne vous êtes pas présentés, fit remarquer Stryke.

— Exact. Je suis Brelan. (Le chef des orcs fit signe à quelqu'un qui se tenait dans l'ombre d'un des murs.) Et voici Chillder.

Une femelle orc s'avança dans la lumière. Elle présentait une ressemblance frappante avec Brelan. Attributs sexuels exceptés, ils étaient absolument identiques.

— Tu n'as jamais vu de jumeaux ? demanda-t-elle à Stryke, qui la dévisageait.

— Rarement.

— Et comment sont-ils considérés chez vous ?

— Comme un signe de chance, répondit Stryke sans mentir.

— Ça fait une différence de plus. Ici, on pense que nous portons malheur.

— Du moment que c'est à vos ennemis…

Chillder s'autorisa un bref sourire.

— Nous savons que tu t'appelles Stryke. Et tes camarades ? demanda-t-elle en désignant le reste des Renards.

— Voici Haskeer, Coilla et Dallog, mes sous-officiers. (Estimant que leurs hôtes n'étaient pas prêts à accepter le rang de Jup, Stryke se garda de l'ajouter à la liste. Du pouce, il indiqua le reste de l'unité.) Quant aux autres, vous ferez leur connaissance individuellement, si vous en avez l'occasion.

— Peut-être, dit Chillder avec une expression indéchiffrable.

Stryke scruta les visages méfiants qui les entouraient.

— Voici donc la Résistance…

— Une partie.

— C'est vous qui la dirigez ?

— Mon frère et moi, oui.

— Nous sommes des étrangers, intervint Coilla. Racontez-nous ce qui s'est passé ici.

— Probablement la même chose qui s'est passée chez vous, répliqua Chillder. Pendant longtemps, nous avons mené une existence paisible et agréable. Peut-être trop agréable, comme l'a dit Brelan. Puis Peczan nous a envahis.

— Peczan ? répéta Coilla.

Chillder la fixa d'un air soupçonneux.

— L'Empire humain.

— Oh, d'accord. Nous ne leur donnons pas de nom. Pour nous, ce sont juste des humains brutaux et répugnants.

C'était une explication faiblarde, Coilla s'en rendait compte. Mais Chillder ne releva pas.

— Quand ils sont arrivés ici, ils n'ont rencontré que très peu d'opposition. Il ne leur a pas fallu plus d'une lune pour nous soumettre.

— Personne n'a organisé une défense digne de ce nom ?

— Sylandya a essayé. Notre Cardinale. (Voyant la mine interrogatrice de Coilla, Chillder expliqua :) La dirigeante d'Acurial. C'est la seule qui s'est vraiment battue pour nous rallier.

— Que lui est-il arrivé ?

— Mystère. Mais le résultat des courses, c'est que Taress est occupée par des étrangers. Désormais, c'est une province de Peczan. Du moins, c'est ce qu'ils croient, siffla Chillder sur un ton venimeux.

Et chaque jour, la vie devient un peu plus difficile sous la férule de Main de Fer.

—Qui ça?

—Son vrai nom est Kapple Hacher. Il s'est attribué le titre de gouverneur.

—Et les humains utilisent de la magie?

—Évidemment! Ne me dis pas que, ça aussi, c'est différent dans le Nord!

—Euh, non. Bien sûr que non. Je me posais juste la question.

—J'imagine que ça fonctionne de la même manière que chez vous. La magie est entre les mains d'une élite humaine: l'ordre de l'Hélice, généralement appelé l'Ordre tout court.

Coilla acquiesça d'un air entendu.

—J'ignore comment ça s'est passé dans le Nord, mais la magie est le prétexte dont ils se sont servis pour nous envahir, ici dans le Sud. Peczan a affirmé que nous détenions des armes de destruction magique qui constituaient une menace pour eux. Quelle blague...

—Et c'était le cas?

—J'aimerais bien! Si nous possédions de telles armes *et* la capacité de les utiliser, les choses auraient sans doute tourné différemment.

—Nous voulons vous aider à combattre les humains, déclara Stryke.

—Nous avons toujours besoin de recrues, acquiesça Brelan. Mais... nous devons discuter de votre cas. (Comme il se détournait, il remarqua les tatouages sur les joues de Jup.) C'est quoi, ces marques sur sa figure?

—Je peux parler tout seul, l'informa Jup.

—Très bien. C'est quoi, ces marques sur ta figure?

—Un signe d'esclavage.

Chillder dévisagea attentivement plusieurs des Renards qui l'entouraient.

—Vous en aviez tous, constata-t-elle.

Stryke hocha la tête, espérant que les jumeaux supposeraient que ces marques leur avaient été infligées par des humains.

Chillder et Brelan échangèrent un coup d'œil, puis s'éloignèrent. Ils se retirèrent dans le fond de la cave, où plusieurs autres rebelles les rejoignirent pour conférer à voix basse.

Les Renards attendirent sous le regard vigilant de dizaines de paires d'yeux méfiants.

— Tu les as drôlement embobinés, Stryke, chuchota Coilla.

— Je ne sais pas s'ils m'ont cru. À leur place, je ne suis même pas sûr que je me serais cru.

— La possibilité qu'on vienne du Nord a eu l'air de bien passer.

— Pur coup de bol.

— À ton avis, ils vont faire quoi ? interrogea Haskeer.

Stryke haussa les épaules.

— C'est cinquante-cinquante.

Wheam se rapprocha.

— On va se battre contre eux ?

— C'est toi qui demandes ça ? Haskeer ricana. Je pensais que tu te sentirais chez toi dans un pays où les orcs sont si lâches.

Wheam ouvrit la bouche pour répliquer, mais Dallog lui fit signe de se taire. Les jumeaux revenaient à la tête d'une petite délégation.

— Alors ? demanda Stryke.

— Comme nous vous l'avons dit, nous avons toujours besoin de nouvelles recrues, répondit Brelan. Mais si vous voulez vraiment vous joindre à nous, vous allez devoir faire vos preuves.

— Vous voulez nous confier une mission ? Ça nous va.

— Appelons ça un test. Ce soir, nous avons perdu de braves orcs en vous secourant. On ne peut plus rien pour eux. Mais sept autres membres de notre groupe ont été capturés, et si on ne réagit pas, ils mourront par votre faute.

— Je ne suis pas tout à fait d'accord avec ce raisonnement…

— Inutile de discuter. (Brelan se tourna vers les humains et désigna Pepperdyne.) Le plus jeune a l'air suffisamment costaud.

— Suffisamment costaud pour quoi ?

— Il pourrait vous aider en se faisant passer pour l'un d'eux. Il vous servirait de clé, en quelque sorte.

— En quoi consiste ce fameux test ?

—Vous devez libérer nos camarades prisonniers des humains. Toi, tes trois officiers, cet humain et… disons, dix de tes soldats. Tu peux choisir lesquels.

—J'aurai besoin de toute mon unité pour mener à bien ce genre de mission, protesta Stryke.

Brelan secoua la tête.

—Non. Tes autres soldats, le deuxième humain et les nains restent ici. Si vous échouez, ils mourront.

Chapitre 16

L'aube n'était pas encore levée, et il faisait froid dans les rues de Taress.

À la lisière de la ville se dressait un lugubre groupe de bâtiments entouré par une palissade de rondins. Plusieurs tours de guet permettaient de surveiller les environs ; en outre, des sentinelles patrouillaient à l'intérieur, et un petit contingent défendait l'unique porte du complexe.

Dans un bosquet sur le flanc d'une colline voisine, plusieurs silhouettes allongées par terre observaient les lieux. Stryke, Coilla, Haskeer et Dallog étaient là en compagnie de Pepperdyne, de dix vétérans des Renards et de deux membres de la Résistance. Pepperdyne portait un uniforme militaire bleu marine.

— Ils n'utilisent cet endroit que pour les interrogatoires et les exécutions, expliqua un des résistants. Les prisonniers sont enfermés dans le plus gros bâtiment, là-bas. (Il tendit un doigt.) Les plus petits abritent les salles de torture et les chambres de la mort.

— À ton avis, où ont-ils mis vos camarades ? s'enquit Stryke.

— Ils pourraient être n'importe où.

— Génial, grogna Coilla.

De nouveau, l'orc tendit un doigt.

— Vous voyez les deux loges avec le toit de chaume ? Ce sont le mess des officiers et les baraquements.

— C'est pour toi, Dallog, lança Stryke.

Le caporal acquiesça et tourna son regard vers Nep, Zoda, Gant et Reafdaw, qui portaient chacun un arc sur le dos.

—Vous pensez pouvoir y arriver?

Les quatre vétérans levèrent le pouce.

—Ça *plus* les tours, c'est beaucoup demander, Stryke, fit remarquer Dallog.

—Toute cette mission est beaucoup demander, répliqua Stryke en jetant un coup d'œil mécontent aux résistants.

—Le couvre-feu va bientôt se terminer, dit l'un d'eux. Vous devrez agir vite.

—On s'en doutait un peu, dit sèchement Coilla.

—Au moins, vous bénéficierez de l'élément de surprise. Ils ne s'attendront pas à une intervention aussi audacieuse.

—Tu veux dire que vous n'avez jamais tenté ce genre de chose?

Le résistant secoua la tête.

—Personne ne l'a jamais tenté.

—De mieux en mieux, grommela Coilla.

—Pouvons-nous compter sur vous deux? voulut savoir Stryke.

—Nous ne sommes là que pour observer et faire notre rapport. Mais nous attendrons avec un moyen de transport pour vous emmener rapidement loin d'ici si vous ressortez.

Ravalant une réponse mordante, Stryke se tourna vers Pepperdyne.

—Ça te va?

—Avons-nous vraiment le choix? (L'humain blond glissa deux doigts dans le col boutonné de son uniforme pour tenter de l'étirer.) C'est trop serré, se plaignit-il.

—Te tortiller ne l'agrandira pas, fit remarquer Coilla.

—Possible. Mais ceci m'inquiète un peu, dit Pepperdyne en désignant une petite tache rouge sombre au niveau de son cœur.

—J'imagine que ça vient du précédent propriétaire. On ne peut qu'espérer que personne ne le remarquera.

Pepperdyne détailla la caserne du regard.

—Et s'ils veulent un mot de passe ou un truc dans le genre?

— C'est un risque que nous devons courir, répondit Stryke.

— C'est un uniforme d'officier, expliqua l'un des résistants. De haut rang. Ça devrait suffire pour te faire entrer.

— Moi, ce qui m'inquiète, c'est qu'on sera seulement trois, intervint Haskeer. (Il jeta un coup d'œil peu amène à Pepperdyne.) Dont un humain.

— Davantage, ça aurait l'air suspect, argumenta un des résistants.

Stryke soupira.

— D'accord, allons-y. Coilla, tiens-toi prête à intervenir, et vite.

Plié en deux, il s'éloigna. Haskeer et Pepperdyne le suivirent.

Au pied de la colline, hors de vue de la caserne, un chariot ouvert les attendait. Ils montèrent dedans.

— Le moment est venu de vous attacher, dit Pepperdyne en saisissant un rouleau de corde.

— Ça ne me plaît pas du tout, grommela Haskeer.

— Il est trop tard pour reculer, répliqua Stryke. Vas-y, commence par moi.

Il tourna le dos à l'humain, qui lui lia les poignets. Lorsque vint son tour, Haskeer se laissa faire à contrecœur.

— Je n'ai pas trop serré les nœuds, les rassura Pepperdyne. Il vous suffira de tirer un bon coup pour vous libérer. Maintenant, asseyez-vous.

Il s'installa sur le banc du conducteur et fit claquer les rênes des deux chevaux.

Cahotant sur le sol inégal qui entourait la colline, ils rejoignirent la route. Un instant plus tard, ils arrivèrent en vue de la caserne.

Tandis que Pepperdyne guidait le chariot vers la porte d'entrée, les trois sentinelles affalées près de celle-ci se redressèrent. Identifiant l'uniforme du nouveau venu mais pas son porteur, elles hésitèrent une seconde avant de le saluer. Puis la plus âgée d'entre elles s'avança.

— Puis-je vous aider, monsieur ?

— J'amène deux prisonniers, répondit sèchement Pepperdyne.

Le garde jeta un coup d'œil à Stryke et à Haskeer.

—On ne nous a pas prévenus de l'arrivée d'autres prisonniers.

—Que venez-vous de dire ?

—J'ai dit qu'on ne nous avait pas prévenus de…

—Je faisais allusion à la manière dont vous vous adressez à moi, sergent ! Est-ce ainsi que vous parlez à tous les officiers supérieurs ?

—Non, je… Monsieur, non monsieur !

—Je préfère. Il y a beaucoup trop de laisser-aller dans les rangs. Certains l'acceptent peut-être, mais ce n'est pas mon cas. Donc, vous disiez ?

—Je vous demande pardon, monsieur, mais personne ne nous a prévenus de l'arrivée de nouveaux prisonniers.

—J'ai pourtant reçu l'ordre de les amener ici.

Le sergent se dandina, mal à l'aise.

—Monsieur, nos instructions sont claires. Je vais devoir en référer au commandant de la caserne, monsieur.

—Ainsi, vous mettez mon autorité en question.

—Non, monsieur ! Je ne…

—Vous êtes en train de me dire que vous n'avez pas confiance en la parole d'un officier supérieur. Vous ajoutez l'insolence à l'insubordination. Vous voulez peut-être voir mes ordres, c'est ça ? C'est ça ? Tenez. (Pepperdyne glissa une main dans la poche de sa tunique.) Le général Hacher sera ravi qu'un simple sergent examine la missive qu'il m'a personnellement adressée.

Le sergent blêmit.

—Le général… Hacher, monsieur ?

—Surtout que cela ne vous arrête pas, railla Pepperdyne. Vous pourrez sûrement lui expliquer pourquoi vous avez agi ainsi quand il viendra vous faire fouetter, *seconde classe*.

—Je ne voulais pas…, bredouilla le malheureux sergent. C'est-à-dire que je… Entrez, monsieur. (Il se tourna vers ses deux compagnons.) Ouvrez et laissez passer l'officier ! Bougez-vous !

Les deux hommes obtempérèrent hâtivement. Le chariot s'ébranla et franchit le seuil du complexe.

À l'intérieur, il y avait deux gardes supplémentaires. Plus loin, dans la caserne proprement dite, d'autres soldats vaquaient à leurs occupations.

—Tenez-vous prêts, chuchota Pepperdyne à Stryke et à Haskeer.

Il arrêta le chariot, puis jeta un coup d'œil à la tour de guet la plus proche. La sentinelle postée en haut ne leur prêtait aucune attention. L'un des deux gardes s'approcha, et Pepperdyne descendit de son véhicule pour lui parler.

—Que puis-je faire pour vous, monsieur? s'enquit l'homme.

—Une petite sieste.

—Hein?

Pepperdyne lui lança un direct dans la mâchoire. Le garde s'écroula tel un arbre abattu par la foudre.

Stryke et Haskeer se débarrassèrent rapidement de leurs liens et sautèrent à terre. Ils dégainèrent les lames qu'ils avaient dissimulées sur eux; pour la bonne mesure, Haskeer ramassa l'épée du garde évanoui.

L'autre garde, qui était resté bouche bée l'espace de quelques secondes, se précipita vers une cloche d'alarme. Stryke projeta son couteau. La lame se ficha entre les omoplates de l'homme, qui s'étala de tout son long.

Stryke et Haskeer empoignèrent le premier garde et le réveillèrent à coups de gifles. Puis ils lui collèrent une lame sur la gorge.

—Ceux de dehors. Fais-les rentrer, ordonna Stryke.

—Allez en enfer.

—Toi d'abord. Fais-les rentrer. *Tout de suite.*

Pepperdyne jeta un nouveau coup d'œil vers la tour de guet. La sentinelle n'avait toujours pas remarqué ce qui se passait dans la cour, mais il était certain que ça ne durerait pas.

—Dépêchez-vous!

Stryke leva sa lame et plaça sa pointe à un cheveu de l'œil du garde.

—On va essayer autrement.

—D'accord, d'accord, je vais le faire!

Les deux orcs le poussèrent vers la porte.

—Et si tu essaies de jouer au plus malin, tu es mort, le prévint Stryke.

Haskeer et lui s'écartèrent, laissant Pepperdyne pointer un couteau sur le dos de l'homme.

— Que dois-je dire ? s'enquit celui-ci.

— Contente-toi d'attirer leur attention. Je me charge du reste.

Tremblant, le garde frappa deux fois à la porte. Quelques secondes plus tard, celle-ci s'entrouvrit.

— Qu'y a-t-il ?

Stryke reconnut la voix du sergent.

— On a besoin d'un coup de main à l'intérieur.

— Pour quoi faire ?

Pepperdyne mit un peu plus de pression sur son couteau et prit le relais.

— Sergent, nous avons cassé l'essieu de notre chariot. Nous avons besoin d'aide pour le soulever.

— Monsieur.

Le sergent et un de ses subalternes se faufilèrent dans la cour.

Stryke et Haskeer leur bondirent dessus. D'une volée de coups de poing et de coups de pied, ils les neutralisèrent. Puis ils se servirent de la corde pour attacher les trois gardes encore vivants mais assommés qu'ils traînèrent, avec leur collègue mort, jusqu'à une guérite voisine.

— Ça prend trop de temps, se plaignit Haskeer.

Comme pour confirmer ses propos, une flèche fila vers la tour de guet la plus proche. Elle frappa la sentinelle, qui s'écroula.

— Ça a commencé, constata Stryke.

Haskeer se rembrunit.

— Nous ne sommes pas prêts. Il en reste encore un dehors.

Une autre flèche fila au-dessus de leur tête, vers la seconde tour de guet.

— Je m'en occupe, offrit Pepperdyne.

Il se faufila à l'extérieur. En le voyant, le dernier garde sursauta et se raidit.

— Nous avons également besoin de vous, dit Pepperdyne.

L'homme hésita.

— Monsieur, je…

— Quoi ?

—Les ordres sont formels, monsieur. Ce poste ne doit jamais rester inoccupé.

—Mais… Oh, et puis merde.

Pepperdyne lança son pied botté dans le plexus solaire du garde. Celui-ci se plia en deux, et il le traîna dans la cour.

Pendant que Stryke et Haskeer s'occupaient de lui, des flèches enflammées traversèrent le ciel en direction des bâtiments au toit de chaume.

—Ouvrez-moi ces portes tout grand ! ordonna Stryke.

Lorsque ses compagnons se furent exécutés, ils virent Coilla et les autres Renards dévaler le flanc de la colline.

—Ils arrivent, se réjouit Haskeer.

—Ils ne sont pas les seuls, remarqua Stryke.

Des soldats humains se précipitaient vers eux à travers la cour. D'autres fonçaient vers un gros nuage de fumée noire.

—Au chariot ! glapit Stryke.

Ils sautèrent à bord du véhicule. Cette fois, ce fut Stryke qui s'empara des rênes. Il lança les chevaux à la rencontre des soldats pendant qu'Haskeer et Pepperdyne, debout à l'arrière, se tenaient d'une main et brandissaient leur épée de l'autre.

Le chariot prit de la vitesse. Stryke ne dévia pas de sa trajectoire, et les soldats qui couraient vers eux grossirent rapidement. De silhouettes minuscules, ils se transformèrent en individus distincts. Plusieurs criaient, mais Stryke n'entendait pas ce qu'ils disaient.

Puis le chariot arriva sur eux. Les soldats s'égaillèrent en poussant des cris et des jurons. Plusieurs d'entre eux ne réussirent à esquiver le véhicule que pour succomber sous les coups d'Haskeer et de Pepperdyne. Un archer parvint à tirer une flèche, mais celle-ci se perdit dans la cour sans toucher personne.

Stryke vira si brusquement que les roues gauches du chariot quittèrent le sol l'espace d'une seconde. Quand le véhicule retomba, l'impact faillit éjecter tous ses occupants.

Devant eux, les bâtiments au toit de chaume brûlaient. Des hommes couraient dans toutes les directions, formant une chaîne pour se passer des seaux d'eau.

De nouveau, Stryke vira et se dirigea vers le bloc des prisonniers.

L'équipe de Coilla atteignit les portes de la caserne. La femelle orc n'avait emmené que six vétérans ; Dallog et ses archers, qui formaient l'arrière-garde, ne les avaient pas encore rejoints.

Coilla et ses camarades n'eurent pas le temps d'évaluer la situation. Huit ou neuf des soldats que Stryke venait d'éparpiller avaient continué vers l'entrée du complexe. Ils l'atteignirent presque en même temps que les Renards.

Coilla engagea le premier humain. C'était un officier écumant de rage. Elle aimait se battre contre des adversaires furieux : en général, la colère obscurcissait leur jugement.

L'homme l'attaqua avec frénésie, faisant de grands moulinets d'épée et hurlant des insultes incompréhensibles. Coilla n'eut guère de mal à esquiver ses coups. Pénétrer sa garde se révéla un peu plus difficile, et la femelle orc savait qu'elle ne disposait que de très peu de temps. Elle intensifia sa riposte. S'acharnant sur l'épée de l'officier, elle pilonna ses défenses brouillonnes et lui enfonça trente centimètres d'acier dans la poitrine.

Elle regarda autour d'elle en quête d'un nouvel adversaire. Inutile, réalisa-t-elle très vite : ses camarades finissaient d'abattre le reste des humains sans son aide.

Seafe la rejoignit.

—Ils n'ont pas opposé beaucoup de résistance, pas vrai ? lança-t-il d'un air déçu.

—Je crois qu'ils n'ont pas l'habitude que les orcs se dressent contre eux. Mais ils ne mettront pas longtemps à réagir.

—Caporal ! aboya un des vétérans, signalant l'arrivée de Dallog et de ses quatre archers.

Dallog jeta un coup d'œil aux cadavres qui jonchaient le sol.

—Je vois que vous avez pris une longueur d'avance.

—Ne t'en fais pas, il y en aura d'autres, le rassura Coilla. Maintenant, tâchons de nous organiser. (Elle désigna deux Renards.) Toi et toi, restez ici et gardez la sortie. Les autres, suivez-moi.

Ils foncèrent dans la cour.

Le chariot conduit par Stryke atteignit la prison. C'était un bâtiment imposant, très haut et dépourvu de fenêtres, à l'exception d'une série de fentes pareilles à des meurtrières et situées sous le niveau du toit. Il semblait n'avoir qu'une seule entrée : une solide double porte se découpant au milieu de la façade.

Comme Stryke ralentissait, un des battants s'entrouvrit – juste assez pour laisser voir un visage humain. Celui-ci jeta un coup d'œil à l'extérieur depuis un hall mal éclairé. Puis la porte commença à se refermer lourdement.

Pepperdyne sauta du chariot toujours en mouvement et s'élança.

— Attendez !

Le garde musclé se figea. Pepperdyne vit qu'il tenait l'extrémité d'une chaîne épaisse accrochée à un point en hauteur – sans doute le moyen d'actionner le mécanisme de poulies et de contrepoids qui commandait l'ouverture et la fermeture de la porte.

— Laissez-moi entrer ! réclama Pepperdyne.

Le garde le fixa. Puis son regard dériva vers Stryke et Haskeer qui arrivaient avec leur chariot.

— Je ne peux pas faire ça, monsieur.

— C'est un ordre ! tonna Pepperdyne.

Mais le garde l'ignora et se remit à tirer sur la chaîne. La porte s'ébranla de nouveau. Pepperdyne tenta de l'arrêter. Il cala son épaule contre le battant et poussa. Malgré cela, l'entrebâillement se réduisit encore de quelques centimètres.

Haskeer se précipita pour ajouter ses forces à celles de Pepperdyne. Les muscles bandés, ils parvinrent à immobiliser le battant, mais pas à le rouvrir. Le garde continuait à tirer puissamment sur la chaîne, le visage tordu par l'effort. L'espace de quelques secondes, rien ne bougea.

Puis Stryke rejoignit ses camarades. Dégainant son épée, il s'accroupit et la glissa dans la fente de la porte. La pointe s'enfonça dans la cuisse du garde. Celui-ci poussa un cri mais tint bon.

Stryke le frappa à plusieurs reprises, faisant virer son pantalon à l'écarlate. L'homme tenta de s'écarter tout en maintenant sa prise sur la chaîne, mais il perdit l'équilibre et tomba. La chaîne se détendit brusquement et fusa vers le haut avec un cliquetis métallique. La porte libérée céda soudain sous le poids d'Haskeer et de Pepperdyne, qui s'écroulèrent pratiquement à l'intérieur.

À genoux, le garde tâtonnait en quête de son épée. Stryke ne lui laissa pas le temps de la dégainer.

Enjambant le cadavre de l'homme, les trois intrus regardèrent autour d'eux.

Ils se trouvaient dans un hall juste assez large pour y garer leur chariot. Le plafond était aussi haut que le bâtiment lui-même, et sous le toit se découpait une des fentes qu'ils avaient vues depuis le dehors – probablement une ouverture ménagée pour la ventilation. Hormis deux flambeaux qui fournissaient la seule véritable lumière de la pièce, les murs étaient nus, dépourvus de toute décoration.

Une seconde porte beaucoup plus petite se dressait de l'autre côté du hall. Sur sa droite était suspendu un trousseau de clés enfilées sur un anneau de la taille d'un bracelet de cheville orc. Bien entendu, la porte était verrouillée ; Stryke passa toutes les clés en revue jusqu'à ce qu'il trouve la bonne.

Les trois compagnons entrèrent prudemment et se retrouvèrent au cœur de la bâtisse, dans une longue pièce étroite à l'agencement très simple. Une allée centrale passait entre deux rangées de cages – pas de cellules, comme Stryke s'y attendait, mais bien des cubes de barreaux métalliques, trop petits pour que leurs occupants puissent s'y tenir debout. Leur fond était couvert de paille souillée, et chacun d'eux contenait un orc à l'air misérable. L'endroit empestait la sueur, l'urine et les excréments.

—Traités comme des animaux, gronda Haskeer.

—Pourquoi tu me regardes comme ça ? protesta Pepperdyne.

—À ton avis ?

—Je n'y suis pour rien.

—Ce sont tes semblables qui ont fait ça.

—La ferme, tous les deux, siffla Stryke. Nous ne sommes pas encore tirés d'affaire.

Sentant qu'il se passait quelque chose d'anormal, les prisonniers commençaient à s'agiter. À l'autre bout de l'allée, une porte s'ouvrit, et un homme en uniforme entra. Il ne remarqua pas les intrus. Il n'avait qu'une seule idée en tête : rétablir le calme. Il s'y employa à l'aide d'une sorte de javelot qu'il glissa entre les barreaux des cages pour piquer les occupants de celles-ci.

— J'en ai assez de ces conneries, déclara Haskeer.

Et il s'élança dans l'allée.

— Laisse-le faire, ordonna Stryke en saisissant la manche de Pepperdyne pour le retenir.

Haskeer était déjà à la moitié de l'allée, et il continuait à accélérer lorsque l'humain l'aperçut enfin. L'espace d'une seconde, il le fixa, abasourdi. Puis il voulut retirer son javelot de la cage dans laquelle il l'avait glissé. Ses mains s'affolèrent frénétiquement sur la hampe. Il avait presque dégagé son arme quand Haskeer le percuta de plein fouet.

L'humain lâcha son javelot et partit en arrière. Il serait tombé si Haskeer ne l'avait pas saisi par les épaules d'une poigne d'acier. Il poussa un cri de détresse. Haskeer lui cogna sauvagement la tête contre les barreaux de la cage. L'impact produisit un carillon presque mélodieux. Haskeer recommença jusqu'à ce que le crâne de l'homme soit réduit à l'état de pulpe sanguinolente. Quand il le lâcha enfin, le malheureux s'écroula inerte sur le sol.

Les prisonniers orcs, qui avaient hurlé et secoué les barreaux de leur cage pendant toute la scène, se turent brusquement.

Stryke et Pepperdyne rejoignirent Haskeer. Stryke se dirigea vers la porte par laquelle l'humain était entré. Il l'ouvrit d'un coup de pied. Elle donnait sur une salle de garde vide.

Stryke avait toujours le trousseau de clés. Revenant vers ses compagnons, il le brandit pour le montrer aux prisonniers.

— Nous sommes venus délivrer les résistants capturés la nuit dernière ! clama-t-il. Nous ferons le tri plus tard. Mais souvenez-vous : une fois sortis de votre cage, vous ne serez pas encore sauvés ! Si vous voulez quitter cette caserne vivants, soyez prêts à vous battre ! Vous devrez trouver des armes ou improviser. (Jetant un coup d'œil à Pepperdyne, il ajouta :) Et cet humain est avec nous. (Puis il lança les clés à Haskeer et ordonna :) Libère-les.

Dehors, c'était le chaos. Les baraquements et le quartier des officiers flambaient. Une fumée noire huileuse masquait presque le soleil levant, et une odeur de bois brûlé planait dans l'air. La plupart des soldats combattaient l'incendie ; d'autres hésitaient sur la marche à suivre. Les archers orcs ajoutèrent à la confusion en abattant des cibles choisies au hasard. Pour la bonne mesure, ils décochèrent des flèches enflammées vers tout ce qui était susceptible de prendre feu. Ainsi une guérite s'embrasa-t-elle, tout comme les montants d'une citerne.

Coilla, Dallog et leur groupe atteignirent les deux bâtiments affectés à la torture et aux exécutions. Ils ne savaient pas lequel servait à quoi. Ne voulant pas se séparer, ils se précipitèrent vers le plus proche. Comme la prison, c'était une structure dépourvue de fenêtres et ne possédant qu'une seule entrée. Mais Coilla et les autres n'eurent pas autant de chance que Stryke : cette porte-là était solidement verrouillée.

— Et maintenant ? interrogea Dallog.

— Dans le doute, répondit Coilla, toujours abattre l'obstacle qui se dresse sur ton chemin.

Deux des Renards possédaient des haches. Elle leur ordonna de défoncer la porte. Pendant qu'ils s'acharnaient sur l'épais battant, les archers les couvrirent, prêts à tirer.

La porte se révéla aussi robuste qu'elle en avait l'air ; plusieurs coups furent nécessaires avant que le bois se mette à craquer et à se fendre. Enfin, elle céda.

Les orcs s'attendaient à être accueillis par des défenseurs. Mais ils n'en aperçurent aucun. Écartant les débris de la porte d'un coup de pied, Coilla entra la première. Les autres la suivirent.

Une large volée de marches descendait vers un petit couloir terminé par une porte. Celle-ci était également verrouillée, mais pas aussi massive que la précédente. Deux coups de hache suffirent à la défoncer.

Les orcs avaient atteint le cœur du bâtiment, et un coup d'œil leur suffit pour comprendre sa fonction. Une plate-forme située à hauteur de poitrine d'homme courait le long du mur de droite ; on y accédait par des marches situées à chaque extrémité. Au-dessus de cette plate-forme, six cordes terminées par un nœud coulant étaient suspendues à une poutre solide. Une trappe se découpait sous chacune d'entre elles. De l'autre côté de la pièce, des gradins pouvaient accueillir plusieurs dizaines de spectateurs. L'endroit semblait désert.

—Inutile de se demander ce qu'ils font ici, grimaça Dallog.

Coilla hocha la tête.

—Fichons le camp. Il n'y a rien…

—Caporal, chuchota Reafdaw.

Du menton, il désigna l'espace sombre situé sous la plate-forme.

Tous les Renards comprirent ce qu'il voulait dire. Ils se turent et tendirent l'oreille. Un instant plus tard, ils captèrent un léger bruit.

Coilla fit signe aux deux orcs situés le plus près de la plate-forme. Courbant le dos, ceux-ci foncèrent à l'intérieur de la cavité. Il y eut un bruit de lutte, et un impact répété de poings sur de la chair. Puis les orcs ressortirent, traînant entre eux un humain au visage ensanglanté et à la terreur évidente.

—Il n'y avait personne d'autre, rapporta l'un des Renards.

—Qui es-tu, et que fais-tu ici ? demanda Coilla.

—Je te parie que c'est un bourreau, intervint Dallog.

Reafdaw sortit sa dague.

—On le tue ?

L'humain blêmit. Il les supplia de l'épargner.

—La ferme, aboya Coilla. Attends une minute, Reafdaw. (Elle approcha son visage de celui de l'homme tremblant.) Je te laisse une chance de sauver ta peau. Tu peux nous faire entrer dans le bloc de torture ?

Le regard paniqué de l'humain fit la navette entre Reafdaw et Dallog. Mais il ne dit rien.

—D'accord, lâcha Coilla en se détournant. Tranchez-lui la gorge.

—Non ! s'exclama l'humain. Je vais le faire ! Je vais vous aider à entrer !

—Dans ce cas, allons-y.

Coilla le poussa vers la porte, mais il résista.

—Pas par ici.

—Pourquoi pas ?

—Je ne peux pas vous faire passer par l'entrée principale. Elle sera sécurisée à cause de… ce qui se passe dehors.

—Alors, ça ne nous sert à rien de te garder en vie.

—Non, attendez! Il y a une autre entrée. Là-dessous. (L'humain désigna la cavité sous l'échafaud.) C'est par là que j'allais sortir quand vous m'avez capturé.

Coilla lui jeta un regard glacial.

—Si c'est une ruse…

—Je vous jure que non. Je vais vous montrer.

Les Renards ne le lâchèrent pas d'une semelle comme il se faufilait sous la plate-forme. Après avoir fait dix pas pliés en deux, ils atteignirent une zone où il leur fut possible de se redresser. Les trappes se découpaient au-dessus de leur tête.

L'humain se dirigea vers le mur du fond.

—Là.

Au début, Coilla ne vit pas de quoi il parlait. Elle tâta le mur et sentit une fente sous le bout de ses doigts. Alors, elle réalisa que c'était le contour d'une porte dissimulée par la pénombre. Elle poussa.

De l'autre côté, il y avait un tunnel doucement éclairé par de grosses chandelles posées dans des alcôves.

—Direct de la torture à la mort, hein? commenta Dallog.

—C'est aussi un bon moyen pour se débarrasser proprement des défunts, ajouta leur guide.

—Proprement, hein? gronda Coilla sur un ton menaçant. (Elle donna une bourrade à l'humain.) Avance!

Le tunnel s'achevait par une série de barreaux métalliques qui montaient jusqu'à une trappe.

—Combien de soldats y a-t-il là-haut? chuchota Coilla.

—Je ne sais pas, répondit l'humain. Vraiment, je ne sais pas.

Coilla considéra le reste des Renards massés dans l'étroit tunnel. Le fait qu'ils ne puissent emprunter l'échelle qu'un par un ne lui plaisait pas du tout. Ça semblait un parfait moyen de tomber dans une embuscade.

—On ne traîne pas, recommanda-t-elle. On grimpe le plus vite possible. Et tenez-vous prêts à tout. (À l'humain, elle ordonna :) Tu passes le premier.

L'homme obtempéra. Arrivé en haut, il souleva la trappe. Coilla passa en second, et Dallog la suivit.

Ils débouchèrent dans un bâtiment de dimensions approximativement identiques à celui qu'ils venaient de quitter, mais agencé différemment. Devant eux, contre le mur de gauche, s'étendait une allée pavée. L'espace de droite était divisé par des parois de brique espacées de neuf ou dix pas qui montaient du sol au plafond, formant une série de box. On aurait dit une écurie, songea Coilla.

Les autres Renards commençaient à émerger du tunnel. Dallog soulevait les lambins par la peau du cou. Coilla tourna la tête pour vérifier que tout se passait bien.

Cet instant de distraction suffit au prisonnier. Il s'élança le long de l'allée en hurlant des paroles indistinctes, mais au ton duquel on ne pouvait pas se méprendre : il donnait l'alarme à ses camarades.

— Et merde ! jura Coilla.

Avant qu'elle puisse réagir, Dallog bondit. Il bougeait avec une rapidité surprenante pour un orc de son âge, et il n'eut guère de mal à rattraper le fuyard.

Une lutte aussi brève que vaine s'ensuivit. Puis Dallog saisit la tête de l'humain et lui imprima une rotation brutale. Un craquement sec signala qu'il lui avait brisé le cou. En un clin d'œil, l'homme devint cadavre et s'écroula.

Mais ses avertissements avaient porté leurs fruits. Plus loin dans l'allée, des silhouettes sortirent de quelques-uns des box et se dirigèrent vers les orcs, armes au clair.

— À terre ! glapit Coilla.

Dallog mit un instant à réaliser qu'elle s'adressait à lui. Il se jeta à plat ventre. La seconde d'après, une petite volée de flèches passa au-dessus de sa tête. Les projectiles se fichèrent dans le corps des deux premiers humains, qui basculèrent en arrière. Le troisième et dernier homme fonça à couvert tandis que les archers orcs décochaient leur seconde volée, qui faillit atteindre son but.

— Bien joué, lança Coilla à Dallog comme celui-ci se relevait. Fouillez les lieux, ordonna-t-elle au reste des Renards.

Quelques instants plus tard, un vétéran l'appela depuis l'un des box.

Un orc menotté était suspendu au mur du fond, inconscient et ensanglanté. Près de lui se dressait un brasero rempli de charbons ardents, dans lequel chauffaient des fers à l'aspect cruel. D'autres instruments de torture étaient disposés sur un banc couvert de taches foncées.

— Il y en a un autre un peu plus loin, dit le vétéran à Coilla. Il est dans le même état.

— Détachez-les, et faites-les examiner par Dallog.

Des bruits s'élevèrent dans l'allée. Ressortant du box, Coilla vit approcher plusieurs Renards qui poussaient un captif vers elle.

— Regardez ce qu'on a trouvé, caporal.

L'homme était grand et puissamment bâti. Il portait la tenue traditionnelle des inquisiteurs : une demi-cagoule de cuir noir qui découvrait le bas de son visage et un pantalon assorti. Sa poitrine nue était luisante de sueur.

— C'est ton œuvre ? demanda Coilla en désignant le prisonnier orc.

— Ouais, et j'en suis fier, répondit l'humain sur un ton méprisant, sans rien manifester de la peur de son prédécesseur. De toute façon, les créatures dans votre genre ne ressentent pas la douleur comme nous.

— Si tu le dis.

Saisissant un fer dans le feu, Coilla le lui appliqua vivement sur la poitrine.

L'inquisiteur hurla. Une odeur de chair brûlée emplit l'air. Coilla envisagea de recommencer, puis se ravisa et laissa tomber le fer chauffé au rouge. Dégainant son épée, elle fit taire l'humain en lui plongeant sa lame entre les côtes.

— J'imagine que ça devrait suffire à tuer n'importe quelle créature, dit-elle à son corps sans vie. (Redressant la tête, elle s'adressa à son groupe.) Trouvez-moi de quoi faire deux brancards. On fiche le camp d'ici.

Les Renards cassèrent les pieds de deux bancs, sur l'assise desquels ils allongèrent les orcs qui avaient été torturés. Puis ils trouvèrent l'entrée principale et sortirent par là.

Dans la cour de la caserne, le désordre était toujours roi.

—Regardez! cria quelqu'un.

Stryke, Haskeer et Pepperdyne couraient vers eux, suivis par un grand nombre de prisonniers libérés.

—Tout va bien? interrogea Stryke en les rejoignant.

Coilla hocha la tête.

—Oui. Ces humains ont fait un art de la souffrance et de la mort.

Elle ne put s'empêcher de jeter un coup d'œil à Pepperdyne, qui garda le silence.

—Au moins, on aura sauvé ceux-là, grimaça Stryke.

Il y eut un craquement monstrueux. Les montants enflammés de la citerne venaient de céder. L'énorme réservoir en bois se brisa en touchant le sol et dégorgea son contenu. Des milliers de litres d'eau se répandirent dans la cour, renversant les soldats humains les plus proches.

—Ça devrait les occuper un moment, se réjouit Haskeer.

—Il est temps de filer, ajouta Stryke.

Ils s'élancèrent vers la sortie, où ils récupérèrent les deux vétérans qu'ils avaient laissés pour couvrir leurs arrières. À peine avaient-ils déboulé sur la route que deux gros chariots couverts vinrent à leur rencontre. Ils étaient conduits par les résistants qui avaient guidé les Renards jusqu'à la caserne. Les blessés furent hissés à bord, puis tout le monde s'entassa dans l'espace restant.

Il était encore tôt; il n'y avait guère de circulation dans les rues de Taress. En tout état de cause, le trajet ne fut pas long. Au lieu de s'enfoncer dans la ville proprement dite, les chariots la contournèrent et se dirigèrent vers une zone rurale. Bientôt, ils atteignirent un groupe de bâtiments de ferme apparemment abandonnés. Le portail était gardé par un contingent d'orcs qui leur firent signe de passer. Ils s'arrêtèrent dans une vaste cour.

Stryke descendit. L'endroit grouillait de résistants. Brelan s'avança à leur rencontre tandis que Chillder demeurait en retrait.

—Vous m'en aviez réclamé sept, dit Stryke en désignant, du pouce, les passagers qui mettaient pied à terre; je vous en ramène trente.

—Je suis impressionné, admit Brelan.

— Et j'ai quelque chose d'autre pour toi, ajouta Stryke.

Il lança son poing dans la mâchoire de Brelan, qui s'écroula.

— Ça, c'est pour avoir mis mon unité en danger.

De tous côtés, les résistants firent mine de dégainer. Quelques-uns s'avancèrent, l'air menaçant. Mais Brelan leva une main pour les arrêter.

— D'accord, dit-il en crachant un peu de sang. Je crois qu'on peut bosser ensemble.

Chapitre 17

— Ce que je trouve dur à avaler, dit Brelan en piquant un morceau de viande avec sa dague, c'est l'idée que des humains puissent aider des orcs.

— De mon point de vue, ce n'est pas une question d'humains et d'orcs, mais de bien et de mal, répliqua Pepperdyne.

— Et c'est aussi l'avis de ton compagnon ? demanda Chillder en fixant Standeven. Il ne dit pas grand-chose.

— Euh… Je… (Standeven tendit un doigt vers Pepperdyne.) Comme lui.

— C'est un grand penseur, expliqua Pepperdyne, mais il n'est pas très éloquent.

— Se bat-il aussi bien que toi – à ce que j'ai ouï dire ?

— Ses talents te surprendraient, Chillder.

Des serveurs arrivèrent pour remplir leurs coupes de vin, et la conversation ralentit considérablement.

C'était le soir. Brelan et Chillder avaient offert à Stryke et à ses officiers de se joindre à eux pour le dîner. Les humains avaient été inclus dans l'invitation, tout comme Jup et Spurral – même si Stryke n'était pas le seul à penser que les jumeaux se méfiaient d'eux. Ce qui était bien compréhensible, dans le fond. Les autres Renards mangeaient ailleurs dans la ferme à l'abandon.

Ce fut Stryke qui rompit le silence.

— Alors, quel est votre plan ?

— Notre plan ? répéta Brelan.

— Comment comptez-vous alimenter votre rébellion ? précisa Stryke.

Son interlocuteur eut un sourire plus cynique qu'amusé.

— Pour triompher, les rébellions ont besoin du soutien populaire. Contrairement à ceux de vos lointaines contrées du Nord, les orcs d'ici n'ont pas le goût du soulèvement. Comme je te l'ai déjà expliqué, nous les résistants, nous sommes des exceptions à la règle. Nous combattons les envahisseurs, mais nous ne sommes qu'une vulgaire épine plantée dans leur flanc. Bien que votre coup d'éclat de tout à l'heure…

— On pourrait refaire ça tous les jours, lui assura Coilla. Au cas où tu ne l'aurais pas remarqué, nous ne sommes qu'un petit groupe, nous aussi. Mais la détermination compte plus que le nombre.

— La détermination, l'entraînement et l'expérience, tempéra Stryke.

— Cela dit, des recrues supplémentaires ne vous feraient pas de mal, ajouta Dallog.

— Je donnerais mon bras droit pour un autre millier de guerriers, soupira Brelan. Mais les orcs n'ont pas une nature belliqueuse – du moins, pas dans cette partie du monde.

Haskeer était occupé à se goinfrer de volaille. D'un revers de manche, il essuya son menton couvert de graisse.

— Ouais, j'aimerais bien savoir pourquoi ils manquent à ce point de tripes par chez vous.

Stryke lui jeta un regard d'avertissement.

— Désolé. Mon sergent ne connaît pas les bonnes manières.

Haskeer haussa les épaules et arracha un gros morceau de pain d'une miche.

— Les orcs sont généralement directs, acquiesça Chillder. De ce point de vue, nous ressemblons à nos cousins du Nord, et j'espère que ça durera. Mais il a raison. La faiblesse des nôtres nous fait honte.

— Et elle nous laisse perplexes, avoua Stryke. Nous ne comprenons pas que des orcs puissent se dérober à un combat.

— Je crois que nous sommes devenus trop civilisés. Apparemment, les conditions de vie dans les contrées sauvages du Nord ne vous ont pas laissé le loisir de la mollesse. Nous avons la vie facile depuis longtemps ; ça a étouffé notre feu naturel.

— Mais sous la cendre, il couve encore. Vous en êtes la preuve.

— Non, c'est vous qui en êtes la preuve, contra Brelan. Nous sommes un peu différents des autres citoyens d'Acurial ; vous, vous pourriez aussi bien venir d'un autre monde.

Stryke eut un sourire crispé.

— Je ne dirais pas ça.

— Moi, si. Vous ne ressemblez à aucun orc que j'aie connu, insista Brelan. Vous avez même des rangs, comme les humains. Comment cela se fait-il ?

Stryke sentit qu'il allait se remettre à marcher sur des œufs. Il pouvait difficilement répondre que cette hiérarchie militaire leur avait été imposée du temps où ils appartenaient à la horde d'une sorcière démente.

— On s'est organisés ; on a créé une ligne de commandement formelle pour mieux combattre l'ennemi. D'ailleurs, vous devriez songer à en faire autant.

— C'est que… Ça ressemble plutôt à une pratique humaine, et comme vous aviez tous des tatouages d'esclaves, je pensais qu'on vous avait enrôlés de force.

— Est-ce monnaie courante ici ? interrogea Coilla.

— Pas du tout. Oh, les humains ont essayé, au début. Mais ils se sont très vite aperçus que les orcs faisaient de piètres guerriers. Nous sommes si pacifiques qu'il n'existe pas de fabricant d'armes de métier parmi nous. Nous devons forger nos lames nous-mêmes ou les voler à l'occupant.

— La situation semble assez décourageante, murmura Stryke.

Chillder acquiesça.

— Elle l'est. Mais ce que ton unité est parvenue à accomplir en un seul jour nous redonne espoir. (Ses yeux brillèrent.) Avec votre aide pour nous organiser et nous entraîner, nous pourrions causer des dommages significatifs aux envahisseurs, au lieu de nous contenter de les harceler.

— Ça, c'est parlé en orc ! s'exclama Haskeer.

Il vida sa coupe d'un trait. Un peu de vin coula sur le devant de son pourpoint.

— Nous sommes d'accord pour vous aider, déclara Stryke.

Chillder jeta un coup d'œil aux nains.

— Jup, ton peuple possède-t-il un tempérament aussi guerrier que les orcs du Nord ?

— Nous sommes capables de nous débrouiller.

— Aussi bien que n'importe quel autre Renard, ajouta Stryke.

— Et que penses-tu de nos chances contre les humains, Jup ? interrogea Brelan.

— J'imagine que leur nombre supérieur va poser un problème.

— Ils ne sont pas si nombreux. Plus que nous, certes. Beaucoup plus. Mais pas autant qu'on pourrait le croire nécessaire pour asservir toute une nation.

— Comment cela se fait-il ?

— N'est-ce pas évident ? Ils n'ont pas besoin d'une garnison énorme pour contrôler une population aussi docile. C'est pour ça qu'Acurial était une prise tentante. Ce n'est pas la force des armes qui fait pencher la balance en leur faveur, c'est cette foutue magie.

Jup hocha la tête.

— Et comme les orcs ne possèdent pas de pouvoirs de ce genre, il est peu probable que la bascule s'inverse.

— Pourtant, c'est sous prétexte que nous contrôlions une magie dangereuse qu'ils nous ont envahis, cracha amèrement Brelan.

— Et qu'en est-il des nains ? lança Chillder.

Spurral, qui mangeait du bout des lèvres, leva les yeux vers la femelle orc.

— Que veux-tu dire ?

— Nous savons que certains humains maîtrisent la sorcellerie. En va-t-il de même pour les nains ?

— Nous leur ressemblons un peu, mais nous ne partageons pas leurs dons. Sans cela, nos problèmes seraient résolus depuis longtemps.

— Dommage.

Chillder tourna son attention vers Pepperdyne et Standeven.

— Inutile de nous regarder comme ça, protesta Pepperdyne en levant les mains. La magie est pratiquée par une élite avec laquelle nous n'avons jamais eu de liens.

— Donc, vous ne pouvez pas nous aider à retourner leur sorcellerie contre eux, soupira Chillder, déçue.

— Oublie la magie ; elle n'a et ne fera probablement jamais partie de l'arsenal des orcs, intervint Stryke. Mais l'acier peut y remédier.

— Comment ça ? voulut savoir Brelan.

— Un magicien mort ne lance plus de sorts. Les humains sont faits de chair, et ils saignent. Concentrons-nous là-dessus.

— C'est plus facile à dire qu'à faire, contra Chillder. De quelle façon veux-tu qu'on s'y prenne ?

— Comme vous vous y êtes pris jusqu'ici, mais en mieux. Nous avons combattu des humains, et nous avons combattu de la magie. Les deux peuvent être vaincus. Nous partagerons nos compétences avec vous ; nous vous montrerons comment tirer le meilleur parti de vos capacités.

— À ce propos, j'ai une idée, déclara Coilla.

— Nous t'écoutons, l'encouragea Brelan.

— J'ai remarqué qu'il y avait un certain nombre de femelles parmi vous, mais apparemment, vous ne leur confiez que des corvées domestiques. Sont-elles capables de se battre ?

Ce ne fut pas Brelan qui répondit, mais sa sœur.

— Ah ! Tu touches un point sensible, Coilla. Je suis la seule résistante qui participe aux batailles contre l'ennemi – et c'est uniquement parce que mon frère n'ose pas m'en empêcher.

— Ce n'est pas tout à fait vrai, protesta Brelan.

Chillder le fixa sans rien dire.

— Bon, d'accord, tu as raison, finit-il par concéder. Mais en règle générale, nous ne laissons pas les femelles se battre.

— Pourquoi ? s'enquit Coilla.

— Au risque de me répéter : nous sommes peu nombreux. Nous avons le devoir de protéger celles qui portent nos petits.

— Leur avez-vous seulement demandé leur avis ? Écoute, Brelan. Les orcs d'Acurial ne sont pas… normaux. À la base, les femelles de notre race sont aussi féroces que les mâles. Ou elles pourraient le devenir. Elles sont un atout potentiel que vous gaspillez pour le moment.

—C'est la tradition.

—Alors, changez la tradition ! Vous vous battez pour la liberté de tous. Il serait normal que vous vous battiez tous.

—Oyez, oyez ! renchérit Chillder.

Brelan garda le silence un moment, comme s'il ruminait les paroles de Coilla.

—Elles ne pourraient pas se battre aux côtés des mâles, dit-il enfin. Leur incompétence les mettrait en danger.

Coilla acquiesça.

—C'est bien ce que je pensais. Alors, pourquoi ne pas me laisser entraîner une unité de femelles ? Pas pour effectuer les travaux domestiques des mâles, mais pour se battre comme leurs égales.

Chillder sourit.

—Je vote pour.

—J'espérais que tu m'aiderais, et toi aussi, Spurral.

—Pourquoi pas ? concéda Brelan. Si ça peut aider notre cause…

—Tant mieux. Il doit bien y avoir ici vingt ou trente femelles dans la force de l'âge ; c'est suffisant pour former une unité.

—Tu pourrais demander à Wheam de se joindre à vous, marmonna Haskeer.

—Qu'est-ce qu'il a dit ? interrogea Brelan, les sourcils froncés.

Coilla foudroya Haskeer du regard.

—Ignore-le.

—Puisque c'est entendu, nous commencerons demain matin, promit Chillder.

Après ça, la conversation s'étiola. Un par un, les convives quittèrent la table pour se trouver un endroit où dormir. Stryke et Coilla, qui avaient besoin de prendre l'air, se faufilèrent dehors. Ils se dirigèrent vers une palissade située à l'écart des sentinelles et s'y adossèrent.

—Tu sembles préoccupé, fit remarquer Coilla.

—Je n'aime pas mentir à ces orcs – à propos de qui nous sommes, d'où nous venons et de la raison de notre présence ici.

—Crois-tu que la vérité leur plairait davantage?

—Sûrement pas! Ils nous brûleraient probablement sur un bûcher.

—Donc, tu fais la seule chose possible. Comme Spurral quand elle a prétendu que les nains ne possédaient pas de pouvoirs magiques. Même si Chillder a eu l'air déçu, les résistants ne sont pas prêts à entendre la vérité.

—Peut-être.

—Tout est à l'envers ici. Maintenant, nous savons pourquoi les humains n'ont pas tout saccagé comme sur Maras-Dantia. Ils comprennent que leur magie dépend de la vitalité de la terre.

—Ils trouveront un autre moyen de foutre le bordel.

—Je n'en doute pas. (Coilla pivota vers Stryke.) Je craignais que tu sois en rogne contre moi.

—Pourquoi?

—À cause de ma proposition de former une unité de femelles. J'aurais dû te demander la permission d'abord. Mais, même si nous ne sommes pas ici depuis longtemps, j'en ai déjà assez d'entendre des orcs soi-disant civilisés avoir une attitude aussi rétrograde vis-à-vis de leurs femelles.

—Ne sois pas trop dure avec eux. Ils ont perdu le contact avec leurs racines, avec leur nature profonde d'orcs. Et, non, je ne suis pas en rogne. Tout ce qui peut nous aider à botter le cul des humains me convient parfaitement.

—Tant mieux. J'ai déjà trouvé un nom pour cette unité. Nous sommes les Renards; je pensais qu'on pourrait les appeler les Belettes.

Stryke sourit.

—Pas mal.

—Mais nous esquivons la véritable question.

—Qui est…?

—Jennesta. Nous n'avons vu aucun signe d'elle. Et c'est à cause d'elle que nous sommes ici, pas vrai?

—En partie.

—Tu veux dire que tu nous aurais quand même entraînés dans cette quête si elle ne nous avait pas fourni l'occasion de régler nos comptes avec Jennesta une fois pour toutes.?

—Non. Mais nous venons juste d'arriver à Taress. Nous n'avons encore rien vu. Ça m'étonnerait que Jennesta se balade dans les rues sans protection.

—C'est pour se venger d'elle que la plupart des anciens Renards ont rempilé. Ne l'oublie pas.

—Promis.

—Pepperdyne et Standeven ont aussi une dent contre elle, d'après ce qu'ils racontent.

—Ça reste encore à vérifier.

Coilla se mordit les lèvres.

—Il y a beaucoup d'inconnues dans cette mission, Stryke. Vraiment beaucoup.

Stryke porta un doigt à ses lèvres et désigna le bâtiment le plus proche. Brelan se dirigeait vers eux.

—Vous êtes là.

—Je suis content de pouvoir te parler en privé, lui dit Stryke. À propos de ce coup de poing que je t'ai donné…

Brelan se frotta le menton comme s'il avait encore mal.

—J'ai reçu le message. Mais ce qui est fait est fait. Je n'avais pas l'intention de revenir dessus. Nous venons de recevoir des nouvelles.

—De quoi s'agit-il?

—Il semble qu'un émissaire de Peczan soit sur le point de débarquer.

—Et alors?

—Et alors, il ne s'agit pas d'un simple bureaucrate, mais d'une personne très haut placée. Ce qui suscite pas mal d'agitation parmi l'entourage du gouverneur et à la garnison.

—Comment sais-tu ça?

—Tous les orcs ne se sentent pas capables de se battre, mais certains d'entre eux sont tout à fait disposés à nous fournir des renseignements. Ceci nous vient de servantes employées au quartier général d'Hacher.

—Donc, si on pouvait atteindre ce fameux émissaire…

— Ou organiser quelque chose pour ridiculiser Hacher devant lui. D'une façon ou d'une autre, avec votre aide, nous devrions pouvoir frapper un coup significatif.

— Et vous n'avez aucune idée de l'identité de cet émissaire, ni du pouvoir exact qu'il détient ?

— Aucune. Nous savons juste que du point de vue d'Hacher, son arrivée ne présage rien de bon.

— Sans doute, acquiesça Coilla, mais pour qui ?

Chapitre 18

Les orcs d'Acurial, et tout particulièrement ceux de Taress, avaient l'habitude que les militaires viennent tambouriner à leur porte à l'aube.

En règle générale, c'était le prélude à un emprisonnement, une séance de torture ou une exécution sommaire. Parfois, on les forçait à assister à l'exécution de quelqu'un d'autre. D'autres fois, à titre de punition collective pour une offense réelle ou imaginaire commise envers l'occupant, on brûlait leur maison, on massacrait leur bétail et on salait leurs champs sous leurs yeux.

Il était beaucoup plus rare qu'on les tire du lit pour les masser dans les rues, leur distribuer des drapeaux aux couleurs de la nation conquérante et leur ordonner d'acclamer un dignitaire en visite.

Mais le plus étrange de tout, ce fut que, ce matin-là, l'objet de leurs vivats factices passa devant eux au galop, dans un carrosse noir aux volets tirés pour se protéger des regards curieux.

Accompagné par une escorte de véhicules tout aussi impénétrables et une garde d'honneur composée de soldats d'élite au visage dur, il se dirigea vers la forteresse située au centre de la ville. À peine y était-il entré que les portes se refermèrent hâtivement derrière lui.

Au sommet du château, dans son aire, Kapple Hacher attendait l'émissaire envoyé par son gouvernement. Comme toujours, il semblait très calme. On ne pouvait pas en dire autant du sorcier Grentor qui se tenait près de lui.

— Dites-moi, gouverneur, lança Grentor en jouant nerveusement avec un chapelet, avez-vous déjà rencontré notre visiteuse ?

— Oui, à Peczan.

— Quelle impression vous a-t-elle faite ?

— « Profonde » me semble l'adjectif le plus approprié. Et vous, frère ? Vous êtes-vous déjà trouvé en sa présence ?

— Non. Bien qu'elle soit techniquement le chef de notre Ordre, je n'ai jamais eu ce plaisir.

— « Plaisir » est un terme que vous voudrez peut-être reconsidérer.

— Que voulez-vous dire ?

On frappa à la porte.

— Entrez ! lança Hacher.

Son aide de camp pénétra dans la pièce.

— Ils sont là, monsieur, haleta-t-il.

— Tu es bien essoufflé, commenta Hacher. J'imagine que tu as aperçu notre visiteuse ?

— Oui, monsieur. Elle monte avec son entourage.

— Très bien. Laisse-nous. Non, sors par l'autre porte.

Frynt s'exécuta avec soulagement.

Grentor avait l'air perplexe.

— Un conseil, grand prêtre, lui dit Hacher. Vous ne tarderez pas à vous apercevoir que l'émissaire de Peczan a… disons, un fort caractère, et qu'elle ne tolère pas qu'on la contredise. Elle détient un pouvoir et une influence considérables. Ne l'oubliez pas.

Grentor aurait répondu si la double porte qui conduisait aux appartements d'Hacher ne s'était pas ouverte avec fracas.

Deux personnes entrèrent – deux hommes à la musculature impressionnante. Ils portaient une tenue de combat : pourpoint et pantalon de cuir noir, bottes à bout ferré et cimeterre à la ceinture. Rien que de très normal a priori.

Mais quelque chose clochait chez eux. Leur regard fixe, voilé, semblait dépourvu de toute étincelle d'humanité. Leur visage inexpressif avait une teinte jaunâtre, malsaine. Leur démarche était raide comme s'ils avaient une tige métallique à la place de la colonne vertébrale, et ils traînaient les pieds.

Sans un mot, ils inspectèrent la pièce, regardant derrière les rideaux et ouvrant toutes les portes. Après avoir vérifié qu'aucun assassin n'était tapi en embuscade, ils se dirigèrent vers Hacher et Grentor. L'un d'eux tendit une énorme main couleur de parchemin.

— Vous n'avez tout de même pas l'intention de me fouiller ? s'indigna Hacher.

— Pour cette fois, nous nous en dispenserons.

Comme Hacher et Grentor pivotaient vers la source de la voix, une femme entra dans la pièce. Même Hacher, qui l'avait déjà rencontrée, fut frappé de stupeur. Pour Grentor, ce fut une expérience aussi nouvelle que déroutante.

Il y avait quelque chose de troublant, pour ne pas dire de perturbant, dans son apparence. Sa structure faciale présentait une subtile difformité. Son visage était un peu trop large et un peu trop plat, surtout au niveau des tempes, et elle avait un menton presque pointu. Sa peau présentait une légère patine d'un vert argenté, comme si elle était couverte de minuscules écailles de poisson. Elle avait un nez légèrement convexe, et une bouche trop grande par rapport au reste de ses traits. Ses longs cheveux d'un noir d'encre lui tombaient jusqu'à la taille.

Mais ce qui fascinait Hacher et Grentor, c'était ses yeux. Très sombres, ils avaient quelque chose d'hypnotique et de répugnant. Tels des portails, ils semblaient ouvrir sur un royaume de ténèbres – infini, impitoyable et chaotique.

À l'encontre de toute définition rationnelle, cette femme était belle. Belle à la façon d'une plante carnivore, d'une araignée venimeuse ou d'un requin affamé. Cauchemardesque et pourtant séduisante. Inquiétante.

La visiteuse claqua des doigts. Dans le silence qui s'était abattu sur la pièce, le son résonna ainsi qu'une détonation sèche. Les deux gardes au regard mort réagirent aussi sûrement qu'à un ordre verbal. Se détournant comme un seul homme, ils sortirent de la pièce. Hacher et Grentor les suivirent machinalement des yeux.

Hacher fut le premier à se ressaisir et à saluer leur invitée.

—Dame Jennesta, dit-il en inclinant respectueusement la tête.

—Hacher.

—Puis-je vous présenter frère Grentor, grand prêtre de l'ordre de…

—Oui, oui. (Jennesta écarta la fin de sa phrase d'un geste indolent.) Je sais qui il est.

Grentor avait commencé à esquisser une profonde courbette. Il se redressa, mal à l'aise.

—Je vous en prie madame, asseyez-vous, dit Hacher en désignant le fauteuil le plus confortable de la pièce.

Jennesta toisa celui-ci avec l'air dédaigneux de quelqu'un qui s'attend à ce qu'on lui offre un trône. Mais comme si elle se résolvait à cette indignité, elle s'assit dans le doux bruissement de sa robe de soie émeraude.

—Vos gardes du corps…, commença Hacher sans pouvoir s'empêcher de jeter un coup d'œil vers la porte, comme s'il s'attendait à les voir resurgir.

—Une façon adéquate d'employer les criminels, ne trouvez-vous pas, gouverneur ?

Jennesta sourit. Ses dents étaient petites, blanches et très pointues.

—Les « criminels » ?

—Les ennemis de l'état. Les dissidents. Ceux qui osent défier notre autorité.

Hacher était certain qu'elle voulait parler de son autorité à elle, mais il se garda bien de le mentionner.

—L'un d'eux… J'ai cru reconnaître…

—Vous avez sans doute raison. La contestation se manifeste à tous les niveaux ; c'est une épidémie qui peut même affecter des gens haut placés dans l'administration.

Hacher ne doutait pas qu'il s'agissait d'une menace à peine voilée dirigée contre lui.

—Quel meilleur châtiment pour les traîtres que de les forcer à servir l'autorité qu'ils voulaient saper ? poursuivit Jennesta. Morts et pourtant toujours vivants. Une torture exquise. (Son contentement était palpable.) Mais je ne suis pas venue discuter de mes toutous. Nous nous inquiétons, Hacher.

—Madame ?

—Vous savez très bien de quoi je veux parler. La situation ici est préoccupante.

—Il est vrai que nous avons eu des problèmes récemment. Mais il est normal qu'il y ait de l'agitation dans les provinces de temps à autre et, depuis, nous avons repris le contrôle.

—Vraiment ? Et l'incident d'hier, était-ce un exemple du contrôle que vous exercez ?

—Ah, vous en avez entendu parler.

—J'entends parler de tout, gouverneur. N'en doutez jamais.

—Nous comptons quelques éléments séditieux parmi la population locale. Ils ont eu de la chance, c'est tout.

—Ils avaient un humain avec eux. (Jennesta foudroya Hacher du regard.) Dois-je en conclure qu'ici aussi la trahison fait rage ?

—Simple aberration. Ce genre d'incident ne s'était jamais produit.

—Jusqu'à maintenant. Combien d'autres humains faut-il s'attendre à voir passer dans le camp de ces animaux ?

—Je ne nie pas le sérieux de l'événement, madame. Mais ce serait une erreur de déduire, à partir d'un incident isolé, que…

—Justement : il ne s'agit pas d'un incident isolé. Vous avez un début de rébellion sur les bras.

—Je n'irais pas jusque-là.

—Bien sûr que non. Vous êtes trop complaisant. Quelles mesures avez-vous prises contre les militaires qui n'ont pas su empêcher ce raid ?

—Ils ont été dûment réprimandés et…

—Faites exécuter les responsables.

—Nos propres gens ?

—Quand je pense qu'on vous appelle Main de Fer ! (Jennesta éclata d'un rire moqueur.) Vous êtes mou, Hacher. Voilà pourquoi cette région est gouvernée avec un tel laxisme. Mais ça va changer. À partir d'aujourd'hui, la discipline régnera.

Vous allez commencer par signer les arrêts de mort que je vais vous dicter.

— Je proteste contre cet abus flagrant de…

— Et si vous ne voulez pas voir un arrêt à *votre* nom cloué sur la porte du château, je vous suggère de changer d'attitude.

Par déférence envers la position de la visiteuse, Hacher encaissa la menace en silence.

Jennesta reporta son attention sur Grentor.

— Inutile de vous réjouir du tour pris par les événements.

— Je vous assure, madame, que je…

— En Acurial, l'Ordre se débrouille aussi mal que l'armée, poursuivit Jennesta sans l'écouter. Les factions martiales et magiques étaient censées coopérer et se soutenir mutuellement. De toute évidence, ce n'est pas le cas.

— Pardonnez-moi de vous contredire, mais nous n'avions encore jamais eu à affronter ce genre de situation, se défendit Grentor.

— Selon le gouverneur, il ne s'agit pourtant que d'une poignée de rebelles, répliqua Jennesta sur un ton dégoulinant de sarcasme. Oh, et d'un humain solitaire qui s'est rallié à eux! Mais c'est trop pour vous, malgré la sorcellerie dont vous disposez.

— Avec tout le respect que je vous dois, des membres de l'Ordre ont perdu la vie en combattant ces rebelles, l'informa gravement Grentor.

— C'est qu'ils le méritaient. Bon débarras. Quiconque n'est pas à la hauteur de la tâche n'a pas sa place dans l'Ordre que je dirige.

— Je vous trouve un peu dure, madame. Comme vous le savez, la magie est un art parfois imprécis…

— Imbécile. Sa subtilité dépend de celle de ses pratiquants. (Jennesta défit rapidement le foulard de soie qu'elle portait et le roula en boule.) Attrapez, dit-elle en le lançant au prêtre comme si c'était un ballon.

Par réflexe, Grentor fit mine d'obtempérer. La boule de tissu fila au-dessus de sa main tendue. Elle se déroula et devint un ruban. Puis les contours du foulard se brouillèrent, et sa forme parut s'altérer comme il se plaquait contre la gorge du prêtre.

Grentor hoqueta. Le foulard était enroulé autour de son cou – à ceci près que ça n'était plus un foulard. La soie brodée s'était changée en une vipère à trois têtes couleur de soufre, sur le dos écailleux de laquelle courait un éclair noir. Le serpent resserra ses anneaux, étranglant le prêtre. Une langue fourchue darda de chacune de ses gueules sifflantes. Des crocs cruels tentèrent de se planter dans la chair de Grentor.

Même s'il savait que ce n'était qu'un charme, le prêtre se mit à paniquer. Il voulut crier et ne réussit qu'à émettre un croassement. Son teint devint cendreux. La vipère serra plus fort.

Horrifié, Hacher fit un pas vers Grentor.

Un geste désinvolte de Jennesta, et le serpent disparut. Grentor poussa un gros soupir de soulagement. Il tituba jusqu'à la grande table de chêne et s'y appuya, les paumes pressées sur le bois, la tête baissée et le souffle court.

Le foulard était revenu dans la main de Jennesta. Celle-ci le remit autour de son cou sans prêter la moindre attention à Grentor.

— Vous n'avez aucune excuse, dit-elle. La magie coule à flots dans cette région ; elle est pure et puissante. Pas comme dans d'autres endroits que j'ai connus.

Si Hacher et Grentor se demandaient ce qu'elle voulait dire, ils étaient trop choqués pour réclamer des précisions.

— Mais croyez-moi, les choses vont changer. Sans quoi, les grands prêtres risquent de se voir ravalés au rang de simples frères – ou pire.

Grentor acquiesça machinalement. Il se frottait le cou, et il y avait de la peur dans ses yeux.

Le silence s'installa dans la pièce. Cela ne parut pas perturber Jennesta, mais Hacher avait du mal à le supporter. Faute d'une meilleure idée, et si incongru que cela puisse paraître, il s'entendit lancer :

— Je fais un bien piètre hôte, madame. Puis-je vous proposer des rafraîchissements ?

Jennesta le fixa d'un regard qu'il eut du mal à soutenir.

— Les rafraîchissements que je prends sont d'un genre

tout à fait spécial, et je les savoure en privé. Mais ça me fait penser…

Elle se tourna vers la porte et, comme obéissant à sa volonté, celle-ci s'ouvrit.

Ses gardes du corps entrèrent. L'un d'eux portait un coffret de bois sculpté sous son bras. Il le présenta à Jennesta. Lorsque la sorcière l'ouvrit, l'hébétude apparente des deux hommes se mua en vague excitation. Ils léchèrent leurs lèvres craquelées d'une langue noire et se mirent à baver.

Jennesta prit quelque chose dans le coffret : une petite masse brun-rouge qui ressemblait à un morceau de viande desséchée, ou peut-être à un ver de terre boursouflé. Elle la tendit à bout de bras. Aussitôt, les gardes du corps se laissèrent tomber à genoux comme pour l'implorer. Elle leur jeta le bout de viande.

Il y eut une brève lutte. Puis l'un des deux hommes fourra la friandise dans sa bouche et mordit dedans avec délectation. L'expression abattue de son compagnon s'éclaira lorsque Jennesta lui lança un autre morceau de viande. Tous deux se roulèrent par terre en mâchant, le menton dégoulinant de jus brun.

Jennesta vit qu'Hacher fixait le coffret ouvert.

— Il faut bien qu'ils mangent, expliqua-t-elle. Et je trouve plus pratique de castrer mes subordonnés. Alors, pour éviter le gaspillage…

Hacher en resta bouche bée.

— Vous voulez dire que…

— Les organes génitaux sont très nourrissants. Je peux en attester personnellement.

Grentor blêmit. Il plaqua une main sur sa bouche et se détourna.

Hacher prit une profonde inspiration pour se calmer.

— De quelle manière voulez-vous que nous réglions le problème des rebelles, madame ? s'enquit-il.

— Je connais bien les orcs. Si paisibles que semblent ceux d'Acurial, je sais de quoi ils sont capables. Surtout quand ils sont exposés à une mauvaise influence extérieure, comme je pense que c'est le cas ici. (Jennesta lança un autre morceau de viande à ses gardes du corps, qui se le disputèrent ainsi que des chiens.) Ce dont Taress a besoin, conclut-elle en haussant la voix pour couvrir leurs bruits de mastication, c'est d'un règne de terreur.

Chapitre 19

Le soleil se leva rouge sang. Des nuages gris et une brise froide menaçaient de rompre une succession de journées magnifiques.

Mais la météo n'avait que peu d'intérêt pour le groupe dissimulé parmi les arbres, au sommet d'une colline surplombant Taress – un groupe hétéroclite dont la vue aurait stupéfié et alarmé les humains comme les orcs. D'où la débauche de moyens pratiques et magiques qu'il employait pour ne pas se faire voir.

L'une des membres de ce groupe avait besoin de solitude pour exécuter la tâche qu'on attendait d'elle. Un peu à l'écart des autres, elle était agenouillée au bord d'un bassin. Elle avait éparpillé des herbes à sa surface tout en récitant l'incantation appropriée. L'eau avait bouillonné avant de se calmer et de prendre l'apparence d'un miroir poli.

À présent, Pelli Madayar du peuple elfique contemplait l'image de l'humain Karrell Revers. Grâce à sa sorcellerie, elle pouvait converser avec le commandant de la brigade des Portails à travers les dimensions.

— Je crois que j'ai commis une erreur, avoua-t-elle. J'aurais dû approcher les Renards à Maras-Dantia.

— Pourquoi ne l'avez-vous pas fait ? interrogea Revers.

— Je n'en ai guère eu l'occasion. Ce monde était en proie à un tel chaos ! Je craignais qu'ils considèrent notre apparition comme un acte hostile, et qu'ils réagissent en conséquence sans nous laisser le temps de nous expliquer.

— Si vous estimiez que les choses risquaient de se passer ainsi, vous avez bien fait de vous abstenir.

— D'un autre côté, du fait justement qu'il était en proie au chaos, Maras-Dantia aurait peut-être été un meilleur endroit pour approcher l'unité et la combattre si nécessaire. Ici, la probabilité de blesser des innocents est bien supérieure.

— Vouloir récupérer les instrumentalités de manière pacifique est tout à votre honneur, Pelli. Mais n'oubliez pas que vous devez vous en emparer coûte que coûte.

— Laissez-moi procéder à ma façon.

— Bien entendu. Mais au cas où vous rencontreriez de l'opposition, vous devriez faire le nécessaire pour la surmonter.

— Ce monde est beaucoup plus régulé et oppressé que Maras-Dantia. Seules deux races l'habitent, les humains et les orcs, et les premiers ont réduit les seconds en esclavage. Ici, notre liberté de mouvement est très restreinte. Nous ne tiendrions pas longtemps avant d'être découverts.

— Dans ce cas, utilisez la magie pour vous dissimuler.

— Nous le ferons si nécessaire. Mais vous savez combien c'est fatigant.

— J'ai confiance en votre jugement. Et, Pelli…, je sais que vous éprouvez de la compassion pour ces orcs oppressés. C'est un sentiment louable. Mais vous devez en faire abstraction. Ces créatures ont un potentiel de sauvagerie que très peu d'autres races dans l'univers sont capables d'égaler. Ne gaspillez pas votre sympathie.

— Oui, monsieur.

— J'insiste beaucoup là-dessus à cause d'un fait nouveau que l'on vient de nous signaler.

— Monsieur ?

— Nos voyants ont détecté une anomalie dans votre secteur.

— Un autre jeu d'instrumentalités ?

— Nous n'en sommes pas sûrs. En tout cas, il s'agit d'une source importante de pouvoir magique, et elle ne se trouve pas loin de vous. Ça pourrait être un individu ou un groupe – nous sommes incapables de le déterminer à ce stade.

— Un autre joueur ?

—Possible. Quoi qu'il en soit, vous devrez être d'autant plus prudents.

—Entendu.

—Quel est votre plan ?

—Pour le moment, mes camarades se remettent du transfert. Nous commencerons bientôt notre surveillance. Et, dès qu'une occasion se présentera d'entrer en contact avec les Renards, nous la saisirons.

—Bien. Entre-temps, espérons que les Renards ne feront rien qui puisse conduire les instrumentalités à tomber entre de mauvaises mains.

—Donc, nous sommes d'accord, chuchota Stryke. Si l'un de nous tombe, l'autre prend les étoiles. Si nous tombons tous les deux, c'est Dallog qui s'en occupera.

—Et s'il n'est pas dans les parages ? interrogea Coilla.

—Un des vétérans.

—N'importe qui plutôt qu'Haskeer, hein ?

—Je confierais ma vie à Haskeer. Mais les étoiles, c'est autre chose.

—Si jamais il découvre qu'on complote dans son dos…

—On ne complote pas : on protège quelque chose de précieux.

—Admettons. Mais c'est vraiment dommage qu'on ne puisse pas juste les planquer quelque part.

—Où ça ?

—Aucun endroit ne conviendrait. C'est pour ça que je dis que c'est dommage. Maintenant, peut-on se concentrer sur ce qu'on est censés faire ?

Ils se trouvaient au centre de Taress. Même s'il était encore tôt, les rues grouillaient d'agitation. Des chariots remplis de provisions bousculaient des marchands qui menaient par la bride des processions de mules. Des colporteurs vantaient les mérites de leurs marchandises, et des étals dressés sur le bas-côté proposaient de la viande, de la farine ou du vin.

La grande majorité des passants et des commerçants étaient des orcs. Mais on apercevait aussi des patrouilles humaines çà et là, et des soldats plantés deux par deux au coin des rues surveillaient ostensiblement la foule. De temps en temps, des cavaliers se frayaient un chemin parmi la cohue.

Malgré l'agitation ambiante, les citoyens ne bavardaient pas entre eux et élevaient rarement la voix. Ils semblaient d'humeur morose. Au-dessus d'eux, le ciel prenait une couleur d'ardoise, et l'atmosphère était déjà étouffante.

Stryke et Coilla gardaient la tête baissée et l'air de vaquer à leurs occupations quotidiennes comme n'importe quels autres orcs. Ils avaient enfilé des vêtements de travail sobres fournis par la Résistance, et leurs armes étaient bien dissimulées.

Suivant les instructions qu'on leur avait données, ils évitèrent les rues du centre qui étaient les plus bondées. Le pas régulier et le visage inexpressif, ils traversèrent des places et enfilèrent des ruelles jusqu'à ce qu'ils atteignent enfin leur destination. Le quartier se composait essentiellement d'entrepôts et d'enclos à bétail. Mais on y trouvait aussi une taverne des plus insignifiantes.

Brelan et Chillder les attendaient là, assis à l'une des tables de bois éparpillées dehors.

—Nous pensions que vous ne viendriez pas, leur lança Chillder sur un ton taquin.

—Tout se passe comme prévu ? demanda Stryke en se glissant sur un banc face aux jumeaux.

—Plus ou moins, grimaça Brelan. Mais en cas de pépin, on risque d'être justes.

—Donc, on doit faire en sorte qu'il n'y ait pas de pépin, déclara Coilla qui s'était perchée à une extrémité de la table, un pied posé sur le banc. Et il n'y en aura pas si tout le monde suit les ordres.

—De ce côté-là, tu peux compter sur nous.

—Alors, tu n'as aucune raison de t'inquiéter.

—Et pour Jup, Spurral et les humains ? interrogea Stryke.

—Ils sont au quartier général, où ils aident à entraîner les nôtres comme convenu, répondit Chillder. Tu comprends qu'on ne pouvait pas les laisser participer à cette opération, n'est-ce pas, Stryke ? Si quelqu'un les voyait…

—Je comprends.

Stryke savait qu'au-delà des raisons d'ordre pratique les résistants se méfiaient de leurs compagnons – et surtout des humains. Mais ils avaient de bonnes raisons pour ça.

—Voilà les autres, annonça Coilla.

Haskeer et quatre Renards se dirigeaient vers eux ; Dallog arrivait dans une autre direction avec trois orcs de plus, dont un résistant.

—Chouette endroit pour une rencontre, commenta Haskeer en les rejoignant. On boit un petit coup ?

Stryke fit un signe de dénégation.

—On va avoir besoin de toute notre tête pour la suite.

Brelan se leva.

—Les autres doivent déjà être en position. Il faut y aller.

—Chacun sait ce qu'il a à faire ? demanda Coilla.

—Ouais, ouais, s'impatienta Haskeer. Mettons-nous au boulot.

Ils se répartirent en trois groupes. Le premier se composait de Stryke, de Coilla, de Chillder et de deux soldats ; le second, d'Haskeer, de Brelan et de deux soldats ; le dernier, de Dallog, du résistant arrivé avec lui et de deux soldats. Ainsi chaque équipe comportait-elle une personne familière avec le terrain.

Sans rien ajouter, les trois groupes s'éloignèrent pour vaquer à leurs missions respectives. Ceux d'Haskeer et de Dallog prirent la direction du centre-ville, tandis que celui de Stryke s'enfonçait plus profondément dans le quartier des entrepôts.

Ici, les rues étaient bordées de bâtiments massifs à la façade dépourvue de fenêtres, et la chaussée plus large que dans les quartiers résidentiels pour permettre à plusieurs chariots de rouler de front ou de se croiser. En revanche, il n'y avait guère de signes de vie.

—Ton plan est bon, Coilla, dit Stryke.

—Mais… ?

—Il est risqué.

—Nous le savons.

—Pas tellement pour nous. Beaucoup de non-combattants vont se retrouver sur le chemin de…

—Nous en avons déjà discuté. Regarde ces rues. De grands bâtiments presque collés les uns aux autres. Un goulet parfait.

—Ce ne sont pas ces rues qui m'inquiètent.

—Les autres équipes vont canaliser le flux. Et puis, les résistants feront de leur mieux pour s'assurer qu'il n'arrive rien aux citoyens.

—Erreur : ce sont les humains qui s'en chargeront pour nous à cause de ce qui se passe aujourd'hui, rectifia Chillder. C'est toute la beauté de ce plan. (Elle tendit un doigt.) Nous y sommes.

Devant eux, la route se terminait par une palissade de bois haute d'un mètre vingt environ. En son centre se découpait un portail à barreaux, et au-delà s'étendait un terrain accidenté, parsemé de dépendances. Dans le fond, Stryke aperçut un large enclos de rondins. Malgré la distance, il entendait et sentait ses occupants.

—Tu es sûre de toi pour les gardes, Chillder ? interrogea-t-il.

—Ils ne seront pas nombreux, confirma la femelle orc. Ils ne considèrent pas cet endroit comme une cible potentielle.

—Et ce sont des humains ?

—Toujours. Ils n'ont pas assez confiance en leurs serviteurs orcs pour leur confier des armes. Ils leur réservent les tâches subalternes.

Vérifiant qu'il n'y avait personne dans les environs, Stryke et les autres s'approchèrent du portail. Celui-ci était fermé par un simple verrou et une chaîne passée autour du poteau qui servait de montant. Ils poussèrent le verrou, ôtèrent la chaîne et se glissèrent à l'intérieur, laissant un des Renards en faction derrière eux.

Sous leurs pieds, une croûte de boue durcie recouvrait le sol. Il n'y avait pas le moindre brin d'herbe. Sur leur droite se dressait le plus gros bâtiment du site.

—Un abattoir, articula Chillder.

À cet instant, une porte qu'ils n'avaient pas remarquée s'ouvrit. Une silhouette apparut sur le seuil, découpée par la vive lumière qui brillait derrière elle. Puis il y eut des cris, et un groupe d'humains sortit en trombe. Ils étaient quatre, comme les orcs qui leur faisaient face, et ils brandissaient des armes.

L'un d'eux, un individu au crâne rasé et à la musculature épaisse, s'avança en grondant :

— Qu'est-ce que vous foutez ici ?

Les orcs s'arrêtèrent mais ne répondirent pas.

— Il vaudrait mieux pour vous que vous ayez une bonne raison d'être entrés par effraction, insista le type au crâne rasé.

Les humains se déployèrent face aux orcs, prêts à en découdre.

— Alors ? insista celui qui était visiblement leur chef.

— Ils sont trop stupides pour répondre, ricana un de ses compagnons.

— Si vous cherchez du boulot, c'est pas votre jour de chance. Nous avons déjà assez d'olibrius dans votre genre. Maintenant, fichez le camp !

Stryke croisa lentement les bras sur sa poitrine. Personne ne dit rien.

Le type au crâne rasé fit un pas vers lui.

— Écoutez, dit-il sur un ton faussement raisonnable, nous ne cherchons pas la bagarre.

— Nous, si, répliqua Coilla. Nous sommes des orcs.

D'un geste vif, elle plongea la main dans la large manche de sa tunique. Elle saisit le couteau qu'elle portait dans un fourreau sur son avant-bras et le projeta vers le chef des humains. L'impact de la lame se plantant dans sa chair fit basculer celui-ci en arrière.

Stryke et les autres ne demeurèrent pas en reste. Empoignant leurs armes dissimulées, ils se jetèrent sur les trois humains restants. L'affrontement fut court et brutal. Stryke et le vétéran abattirent leur adversaire en deux coups chacun. Chillder gagna leur admiration en neutralisant le sien d'un seul.

— Maintenant, on bouge, ordonna Stryke.

Abandonnant les cadavres là où ils s'étaient écroulés, ils s'élancèrent vers l'enclos – non sans jeter un coup d'œil à la ronde pour vérifier que d'autres humains n'approchaient pas.

Le corral était beaucoup plus vaste que Stryke s'y attendait. Perché sur un des barreaux de la palissade, il balaya du regard un océan de dos bruns et de cornes saillantes.

— Près d'un millier de têtes, l'informa Chillder. Une ville de cette taille consomme une sacrée quantité de viande chaque jour.

—Ça devrait suffire, acquiesça Stryke. (Il se tourna vers le vétéran.) Reste près de ce portail. À notre signal, fais ce qu'on t'a dit et tire-toi. Coilla, Chillder, allons-y.

Ils contournèrent le corral au pas de course. Des plis de leurs tuniques de paysans, ils sortirent des silex, des bouteilles d'huile et trois torches en forme de massue à la tête couverte de poix. Stryke en tendit une. Chillder l'imbiba d'huile, et Coilla en approcha une étincelle. La torche s'enflamma, répandant une lumière jaune.

Stryke se hissa de nouveau sur la palissade. Les vaches les plus proches s'affolèrent immédiatement. Elles se mirent à meugler et tentèrent de s'écarter. Stryke brandit la torche au-dessus de sa tête et l'agita de gauche à droite.

Les deux soldats qu'il avait laissés derrière lui virent son signal. Conformément à ses instructions, ils ouvrirent les portails et foncèrent se mettre en sécurité.

Stryke approcha sa torche de celles de Coilla et de Chillder pour les allumer à leur tour. Montés sur la barrière, les trois orcs hurlèrent et gesticulèrent avec leurs flambeaux.

Au début, les vaches effrayées piétinèrent ou se bousculèrent dans le plus grand désordre. Mais l'instinct de troupeau prit rapidement le dessus. Les bêtes les plus proches du portail réalisèrent que celui-ci était ouvert. L'échappatoire ainsi fournie à la pression grandissante dans l'enclos déclencha un exode massif. Les vaches se déversèrent hors du corral. Chargeant à travers le champ couvert de boue, aiguillonnées par la panique, elles empruntèrent la seule voie disponible. Le temps qu'elles atteignent la route, leur fuite s'était changée en ruée aveugle.

Dans un grondement de tonnerre, elles s'engouffrèrent entre les bâtiments, occupant toute la largeur de la chaussée et raclant leurs flancs contre les murs que le fracas de leurs sabots faisait trembler sur leur passage.

Un peu plus loin, la route s'incurvait en direction du centre-ville. Le troupeau aborda le virage à toute allure, et des étincelles jaillirent des pavés comme il infléchissait brusquement sa trajectoire. Un arbre adulte poussait sur le bas-côté ; la marée animale le déracina. Emporté par le courant, il resta debout quelques instants, tel l'étendard dressé d'une armée bovine en délire.

Puis la route rétrécit, et la terreur du troupeau s'intensifia. Plus les bêtes approchaient des quartiers résidentiels, plus il y avait de monde dans les rues. À présent, des orcs détalaient devant elles, se précipitant vers le sanctuaire de portes ouvertes ou bondissant pour s'accrocher tant bien que mal au rebord des fenêtres. Certains abandonnèrent leurs charrettes sur le chemin du troupeau, qui en fit du bois d'allumettes.

Par chance, le plus gros de la foule s'était dissipé – en grande partie à cause de l'événement qui se préparait dans le centre, mais aussi grâce aux avertissements discrets de la Résistance.

L'action des rebelles avait produit d'autres résultats plus tangibles. Aidés par Haskeer, Dallog et le reste des Renards, ils avaient réquisitionné des chariots dont ils s'étaient servis pour bloquer les rues. Pour la bonne mesure et pour ajouter au chaos ambiant, ils avaient mis le feu à ces barricades. Leur objectif était de guider le bétail le long d'un chemin bien précis.

La plupart des citoyens et des troupes occupantes se trouvaient rassemblés dans une autre partie de la ville. Durant la nuit, six navires peczaniens avaient pénétré dans les eaux d'Acurial. Longeant la côte, la flottille s'était faufilée dans un détroit afin de remonter jusqu'au fleuve principal du pays. Elle avait atteint le port de Taress aux premières lueurs de l'aube.

Près de mille cinq cents soldats avaient débarqué – les renforts appelés pour mater les dissidents locaux. Ils s'étaient rassemblés sur le quai, puis mis en marche au son d'une fanfare militaire, leurs étendards flottant au vent.

À l'exception des serviteurs et des ouvriers dont la présence était impérativement requise à leur poste, la population orc avait de nouveau été tirée du lit pour souhaiter la bienvenue aux nouveaux arrivants. Elle se massait sur les trottoirs – mais derrière des barrières de bois, pour juguler les débordements d'affection que risquaient de lui inspirer ses glorieux libérateurs.

Les forces conquérantes marchaient fièrement en direction de l'est, vers le centre de la capitale.

Le troupeau paniqué se ruait en direction de l'ouest, vers le centre de la capitale.

De plus en plus frénétiques, les vaches renversaient des arbres sur leur passage, détruisaient les étals des marchands ambulants installés sur le bas-côté et emportaient les auvents des boutiques qui en possédaient un. Elles piétinaient les chariots abandonnés et entraînaient dans leur flot les chevaux sans cavalier. Sous l'impact répété d'innombrables sabots, des fissures apparurent à la surface de la chaussée.

Les flûtes et les tambours scandaient une cadence martiale guillerette. Torse bombé et menton levé, les soldats défilaient sous les acclamations dociles mais peu enthousiastes de la foule. Une division de cavalerie trottait à côté d'eux, lances dressées. Des chariots de ravitaillement et les voitures des femmes d'officiers cahotaient parmi la multitude.

Malgré les cris mornes de la foule et le bruit de leurs propres pas, les soldats prirent bientôt conscience d'un troisième bruit. Ou plutôt, d'une vibration. D'un grondement.

Dans ces quartiers densément peuplés, les bâtiments étaient hauts selon les critères de Taress ; ils formaient une sorte de canyon de bois et de pierre qui, un peu plus loin, décrivait un virage à angle droit et poursuivait sa route vers des horizons invisibles.

Au coin de la route se dressait une maison haute de trois étages, un peu plus avancée sur le trottoir que toutes ses voisines. Sous les yeux des soldats, elle se mit à trembler. Du plâtre et de la poussière tombèrent en pluie. Puis les secousses s'intensifièrent, provoquant la chute de morceaux de façade entiers.

Les troupes ralentirent. Derrière leurs barrières, les spectateurs orcs se turent. À présent, le mystérieux grondement était plus distinct, et il se répercutait à travers les semelles des bottes des soldats. D'autres pans de maçonnerie s'écroulèrent à l'angle de la rue. Les troupes s'arrêtèrent.

Une vache solitaire apparut au détour du virage. Elle courait en zigzags, comme si elle était saoule. Quelques éclats de rire isolés résonnèrent au sein de la foule – et même de la colonne militaire.

Puis un millier de têtes de bétail enragées franchit le coin de la route.

Le torrent de cuir charriait des chevaux, des chariots disloqués et tout un tas d'autres détritus. Les animaux avaient les flancs fumants et la gueule écumante ; ils balançaient violemment leur tête cornue. S'ils aperçurent l'obstacle qui se dressait devant eux, ils décidèrent de ne pas en tenir compte.

L'arrière de la procession n'avait aucune idée de ce qui se passait à l'avant ; il continua à avancer. Mais non contentes de s'être arrêtées, les premières lignes commençaient à battre en retraite vers leurs camarades.

Tandis que le troupeau se rapprochait, la progression militaire ordonnée sombra dans l'anarchie. La panique et le chaos se propagèrent dans les rangs. Nombre d'hommes tentèrent d'escalader les barrières qui avaient justement été conçues pour éviter qu'on les escalade. Une poignée de cavaliers parvinrent à les franchir en se laissant tomber depuis leur selle. Mais la majorité des soldats ne put trouver refuge de l'autre côté.

Les spectateurs, silencieux quelques instants plus tôt, se remirent à crier et à applaudir – avec un enthousiasme bien plus perceptible que précédemment.

Certains soldats eurent l'idée de tirer sur le bétail. Cette initiative se révéla non seulement futile, mais également dangereuse. Deux ou trois des vaches de tête reçurent une flèche dans le poitrail et s'écroulèrent. Les animaux suivants trébuchèrent sur elles, provoquant un carambolage qui, loin de ralentir la ruée, ne fit qu'accroître sa frénésie. Le reste du troupeau se contenta de contourner les blessées ou de leur marcher dessus.

La colonne militaire s'était regroupée au maximum. Incapable de reculer plus vite, elle se mit en position comme pour repousser une offensive ennemie.

La vague bovine déferla. Hommes et bêtes se percutèrent dans un craquement d'os et un bruit de chairs déchirées. Si serrés que soient les rangs humains, le bétail les pénétra profondément, et la pression qui le poussait en avant continua à le propulser. Ce fut comme si on avait frappé une motte de beurre sur le côté avec un maillet.

Des incidents horribles ou grotesques éclatèrent de toutes parts. Une vache fut brièvement soulevée de terre, empalée sur la lance d'un soldat. Une autre percuta un chariot de plein fouet, vola en arrière et alla s'écraser contre les barrières. En attaquant le troupeau à l'épée, les soldats ne réussirent qu'à décupler sa fureur. Beaucoup d'entre eux se firent piétiner.

Les cavaliers s'en tiraient un peu mieux, même si la marée bovine avait happé la plupart de leurs montures et les entraînait sans qu'ils puissent rien y faire. Le contingent comptait quelques sorciers dans ses rangs ; des éclairs magiques fusèrent, et une odeur de viande brûlée flotta jusqu'aux spectateurs.

Puis le ciel de plomb émit un grondement de tonnerre désapprobateur. De grosses gouttes de pluie se mirent à tomber.

Le carnage avait lieu à l'ombre de la forteresse. Perchée sur un des plus hauts balcons de la façade, Jennesta avait assisté à toute la scène. Le vent gonflait sa cape noire, lui donnant l'air d'un monstrueux oiseau de proie sur le point de piquer vers la foule. Son expression était indéchiffrable, mais elle agrippait la rambarde si fort que ses jointures étaient exsangues.

Non loin de là, sur le toit d'un bâtiment plus petit et plus humble, d'autres yeux avaient observé le massacre.

—C'est encore mieux que je l'espérais, commenta Brelan.

—Nous n'aspirons qu'à faire plaisir, grimaça Coilla.

Chillder se tourna vers Stryke.

—Ton unité a prouvé sa valeur aujourd'hui.

—Je croyais que c'était déjà fait.

—Disons qu'elle a confirmé sa valeur. À présent, nous pensons que le moment est venu de vous faire rencontrer quelqu'un.

—Qui ça ?

—L'orc la plus importante du pays.

Chapitre 20

L a riposte des occupants fut prompte et brutale.
Des descentes eurent lieu à travers toute la ville. Des soi-disant sympathisants à la cause des rebelles furent emmenés et interrogés. Certaines tavernes réputées pour abriter des réunions de résistants furent fermées ou incendiées. Il y eut des arrestations arbitraires et des exécutions sur le bord des routes. Dans les rues, la présence militaire s'intensifia.

Ces mesures de rétorsion rendaient les déplacements difficiles et dangereux. Mais après plus d'une heure passée à éviter des patrouilles et à faire de larges détours, le petit groupe guidé par Brelan et Chillder atteignit enfin sa destination.

— Quelle baraque pourrie, commenta Haskeer.

Coilla soupira.

— Je savais qu'on n'aurait pas dû l'emmener.

— La ferme ! ordonna Stryke. (Il se tourna vers Chillder et dit à voix basse :) De fait, l'endroit semble un peu misérable pour abriter un personnage d'une telle importance.

— Il ne faut jamais juger un livre à sa couverture. Venez.

La bicoque était située dans une allée étroite et jonchée de détritus. Toutes les maisons voisines semblaient décrépies et délabrées, mais aucune autant qu'elle. Des planches bouchaient ses fenêtres, et ses poutres étaient à moitié pourries. Difficile de croire que quelqu'un habitait là.

Brelan frappa une série de coups à la porte. Un judas astucieusement dissimulé glissa sur le côté. Au bout de quelques secondes, Stryke entendit qu'on tirait des verrous, et la porte s'ouvrit.

— Dépêchez-vous d'entrer, ordonna Chillder. Il ne faut pas traîner dans la rue.

Deux gardes à l'expression de marbre toisèrent les Renards. Il faisait sombre à l'intérieur, et une odeur de pourriture tenace planait dans l'air.

La maison était étroite mais profonde, et plus grande qu'elle en avait l'air vue du dehors. Un long couloir s'étendait devant les visiteurs et se perdait dans l'obscurité. Un escalier se dressait sur leur gauche. Les jumeaux leur firent signe de monter, et ils gravirent les marches qui craquaient sous leurs pieds. Arrivés au premier étage, ils s'arrêtèrent devant une porte. Brelan toqua et poussa le battant sans attendre de réponse.

Une odeur douceâtre d'encens se répandit sur le palier, recouvrant en partie celle de la pourriture. La pièce était éclairée à la chandelle et extraordinairement encombrée. Des livres de toutes les tailles, à la reliure de cuir, de parchemin ou de bois, s'alignaient contre les murs ou s'entassaient en piles inégales sur le sol. La plupart d'entre eux semblaient fort anciens ; quelques-uns tombaient presque en poussière. Certains étaient ouverts. En revanche, il n'y avait guère de mobilier mis à part une table bancale recouverte de volumes et deux chaises qui avaient connu de meilleurs jours.

Une femelle orc occupait l'une de ces chaises. Elle avait passé l'âge de se reproduire mais n'était pas encore vieille. Elle portait une simple robe grise, des pantoufles et aucun bijou ou ornement visible. Pourtant, quelque chose dans son port de tête la faisait ressembler à une reine assise sur un trône.

— Voici la cardinale Sylandya, dirigeante légitime d'Acurial, annonça Chillder. (À l'occupante de la pièce, elle dit :) Ce sont les fameux guerriers venus du Nord. Voici Stryke, Haskeer et Coilla. Ils nous ont beaucoup aidés.

La femelle orc adressa un léger signe de tête à ses visiteurs.

— J'ignore de quelle façon nous sommes censés vous saluer, dit Stryke. Nous n'aimons guère les dirigeants. La plupart de ceux que nous avons rencontrés ne méritaient pas qu'on se prosterne devant eux.

—Ouais, on n'est pas des lèche-culs, renchérit Haskeer.

Sylandya sourit.

—Des orcs qui disent ce qu'ils pensent. C'est rafraîchissant.

—Nous ne voulions pas vous manquer de respect, lui assura Stryke.

—Ne gâchez pas ma première impression! J'apprécie l'honnêteté. C'est une qualité rare en politique.

—Des mots ne suffiront pas pour résoudre vos problèmes, fit remarquer Coilla.

—Sylandya s'en rend bien compte, intervint Brelan. Elle est le chef de la Résistance.

—Et accessoirement, notre mère, ajouta Chillder.

Stryke acquiesça.

—J'aurais dû m'en douter.

—Parce qu'on se ressemble?

—Parce que vous avez la même langue bien pendue.

—Je vais prendre ça comme un compliment.

—Eh ben dites donc, quelle dégringolade! commenta Haskeer, à qui personne n'avait rien demandé. Ça doit vous faire drôle de vous retrouver dans ce clapier.

—Je savais qu'on n'aurait pas dû l'emmener, grommela Coilla.

Sylandya leva une main apaisante.

—Je vous ai dit que j'appréciais le franc-parler. Oui, je suis actuellement en mauvaise posture. Comme tous les orcs qui subissent le joug de l'envahisseur. Le moins que je puisse faire, c'est souffrir avec eux.

—Vous pouvez faire plus que ça, répliqua Stryke. Vous pouvez renverser les humains.

—Croyez-vous que nous n'essayons pas?

—Vous êtes trop peu nombreux à vous rebeller. Puisque vous aimez le franc-parler, je vais être direct. Pour une raison qui m'échappe, les orcs d'Acurial sont devenus faibles. De vraies mauviettes.

—Dis carrément: des lâches, cracha Haskeer.

—Et puis quoi encore? tonna Brelan en faisant un pas en direction d'Haskeer.

Sylandya l'arrêta d'un geste.

—Nous ne pouvons pas le nier, mon fils. (Elle reporta son attention sur Stryke.) Mais sans être aussi audacieux que vous, les orcs d'Acurial n'ont pas tout à fait perdu leur esprit combatif.

—Vos propres enfants en sont la preuve, acquiesça Stryke, tout comme les autres résistants.

—Hélas, ils sont bien peu nombreux, soupira Sylandya. Il fut un temps où nos semblables ne se seraient jamais laissé réduire en esclavage. À cette époque lointaine, nous étions une race de redoutables guerriers, et nous ne nous inclinions devant personne. Comme vous aujourd'hui dans le Nord. Ou quel que soit l'endroit dont vous venez, ajouta-t-elle d'un air entendu.

—Il se peut que notre éloignement nous ait protégés des changements induits par un climat plus doux, suggéra Stryke, espérant détourner ses soupçons.

—Peut-être. Bien qu'il me semble étrange que nos aptitudes martiales se soient éteintes quasiment partout, excepté dans vos contrées.

—Nous pourrions discuter du comment et du pourquoi jusqu'à la fin des temps, fit remarquer Coilla à juste titre. L'important, c'est de trouver un moyen d'aiguillonner vos compatriotes.

—Je pense que les humains pourraient nous y aider.

—Que voulez-vous dire?

—Ils ont menti à notre sujet, et ils nous ont fait la guerre avec des mots. Les citoyens d'Acurial n'ont commis aucun crime. Les humains ont inventé des prétextes pour nous envahir. Ils ont pris nos terres et nos richesses. Pourtant, nous n'avons pas réagi. Ils nous ont traités comme du bétail; ils nous ont humiliés et massacrés selon leur bon plaisir. À de rares exceptions près, nous nous sommes laissé faire. Depuis, ils ne cessent de durcir leur autorité, et la plupart d'entre nous supportent ce fardeau sans broncher. Mais le temps viendra où la branche se brisera sous le poids de l'oppression. Alors, l'esprit combatif se réveillera.

Haskeer ricana.

— À votre place, je ne retiendrais pas mon souffle.

— Je suis convaincue que le feu couve toujours dans le cœur des nôtres – qu'il suffirait d'attiser ses braises pour qu'elles s'enflamment de nouveau.

— Et que faudrait-il pour les attiser ? interrogea Stryke.

— Deux choses, répondit Sylandya. D'abord, nous devons continuer à harceler les humains, leur porter des coups aussi forts et aussi nombreux que possible. Votre unité pourrait nous apporter une aide précieuse sur ce point.

— Les humains ne se laisseront pas faire. Il y aura des représailles.

— Justement, nous comptons là-dessus. (Elle soutint son regard.) Je sais, ça peut sembler cynique. Mais à long terme, les humains nous feraient autant de mal de toute façon. Si ça peut raviver la flamme, ça en vaut la peine.

— Vous avez parlé de deux choses.

— Au moment critique, j'appellerai la population à se soulever et je ferai de mon mieux pour la guider.

— Et les orcs vous écouteront ?

— J'espère qu'ils écouteront Grilan-Zeat.

— Qui ça ?

— Il ne s'agit pas précisément d'une personne mais plutôt d'un objet, corrigea Chillder.

— Regardez autour de vous, dit Sylandya en indiquant la profusion de livres qui encombraient la pièce.

— Des bouquins, grommela Haskeer sur un ton méprisant. Je n'en ai jamais lu un seul, ajouta-t-il comme s'il s'en félicitait.

Coilla lui jeta un regard incrédule.

— Parce que tu en serais capable, peut-être ?

— J'ai comblé les longues heures de mon exil intérieur grâce à ces ouvrages, poursuivit Sylandya. J'y ai cherché des éléments de notre passé susceptibles de me fournir la clé de notre présent. Et j'ai peut-être trouvé cette clé dans Grilan-Zeat.

— Expliquez-nous ça, réclama Stryke.

— Nous avons une histoire – bien que nos envahisseurs se soient donné beaucoup de mal pour l'effacer. Si des patriotes ne les avaient pas sauvés, ces livres auraient été brûlés. Nous avons passé au crible chacune de leurs pages en quête de faits susceptibles de nous aider. Et je trouve ça ironique que nous ayons fini par les trouver dans une légende aussi célèbre que celle de Grilan et de Zeat. (Sylandya fixa Stryke avec une lueur de malice dans le regard.) Une légende que vous devriez connaître.

— Nous sommes coupés de tout dans le Nord. Résumez-nous l'essentiel.

— Il y a plus d'un siècle, Acurial fut confrontée à une crise. À cette époque, notre peuple était encore dirigé par les chefs de clan. Le pouvoir suprême se transmettait de façon héréditaire, entre deux lignées dont Grilan et Zeat étaient les prétendants respectifs. Nul ne pouvait les départager. Le pays était divisé ; la guerre civile menaçait.

— Entre des orcs qui ne se battent pas ?

— Cette fois-ci, ils faillirent le faire. Les passions étaient exacerbées. Ce fut la dernière fois que nous passâmes si près d'un conflit armé.

— Qu'est-ce qui empêcha que la situation dégénère ?

— Un augure. Une lumière apparut dans le ciel et grandit jusqu'à l'emplir tout entier. Comme les prêtres avaient imploré les dieux de les sortir de cette impasse, beaucoup choisirent d'y voir un signe. Notamment Grilan et Zeat, qui firent la paix et convinrent de gouverner ensemble. Il s'avéra qu'ils bâtirent les fondations de notre société moderne. La comète n'avait pas encore disparu qu'on lui avait déjà donné leur nom.

— Quel rapport avec la situation actuelle ? voulut savoir Coilla.

— En creusant plus profondément dans les chroniques, nous avons mis à jour un fait curieux. Cette comète était déjà passée dans notre ciel un peu plus d'un siècle avant l'époque de Grilan et de Zeat, et un peu plus d'un siècle avant ça. En tout, nous avons retrouvé la trace de quatre passages et des allusions à plusieurs autres passages antérieurs. Nous ignorons si de grands événements ont marqué chacune de ces apparitions. Mais nous sommes certains d'une chose : le temps qui séparait deux d'entre elles était toujours identique. Autrement dit, la comète obéit à un cycle régulier et, à moins que celui-ci ait changé, elle devrait revenir bientôt.

— Si je comprends bien, résuma Stryke, une comète a empêché vos ancêtres de prendre les armes, et vous espérez qu'elle reviendra pour produire l'effet contraire.

— Vous pensez vraiment que les orcs d'aujourd'hui la prendront pour un augure ? interrogea Coilla, dubitative.

— Il existe une prophétie liée à cette comète, intervint Brelan. On raconte qu'elle se manifeste en temps de grand besoin pour éclairer le chemin du salut.

— Oh, pitié ! Les prophéties sont aussi communes que le crottin de cheval et beaucoup moins utiles.

— Peut-être. Mais l'important, c'est ce que croient les citoyens.

— La prophétie dit autre chose, ajouta Chillder. Selon elle, la comète sera escortée par une bande de guerriers – des héros libérateurs.

Stryke fixa la femelle orc.

— Tu ne veux quand même pas… ?

— Du moment que le costume est à votre taille, pourquoi ne pas endosser le rôle ?

— Foutaises ! C'est trop nous demander.

Haskeer siffla tout bas.

— Merde alors. Nous, des héros !

— On n'aurait pas dû l'emmener, répéta Coilla.

— Les vieilles prophéties sont une chose, déclara Stryke, mais ne nous entraînez pas dans vos entourloupes. Oui, nous sommes des guerriers – mais des guerriers ordinaires.

— Vraiment ? sourit Sylandya. Vous êtes venus à nous en temps de grand besoin, n'est-ce pas ? Vous soutenez notre cause. Et vous avez des dispositions martiales qui se sont perdues chez notre peuple. Que vous croyez à la prophétie ou non, cela nous redonne courage. Les dieux savent que nous n'avons pas grand-chose d'autre auquel nous raccrocher par les temps qui courent.

Stryke faillit la rabrouer. Puis il regarda le visage des orcs qui l'entourait et se ressaisit. Au lieu de cela, il demanda :

— Cette comète, elle doit passer quand ?

— Nous ne le savons pas exactement, pas à l'heure près. Mais si elle suit le schéma habituel, on devrait commencer à la voir aux alentours de la lune descendante.

— C'est-à-dire ?

— Dans treize jours, répondit Brelan.

— Et vous voulez fomenter une révolution d'ici là.

— Il le faut, déclara Sylandya avec force. À moins que vous ayez des scrupules à vous dresser contre les humains.

— Pourquoi en aurions-nous ? interrogea Stryke, perplexe.

— J'ai entendu dire que vous les fréquentiez.

— Ah, vous parlez de Pepperdyne et de Standeven. Je me porte garant d'eux.

— Vous vous mouilleriez pour des humains ?

— Pour ceux-là, oui.

— Je me demande si eux se mouilleraient pour vous…

— Ils l'ont déjà fait. Du moins, l'un des deux.

— Frayer avec des humains, c'est courtiser les ennuis.

— Pepperdyne et Standeven sont différents, intervint Coilla. Ils ne ressemblent pas aux humains d'ici. Ils compatissent au sort des orcs.

— Des humains compatissants… J'ai vu bien des choses étranges dans ma vie, mais jamais je n'aurais cru entendre ça.

— Vous allez devoir vous fier à notre parole, dit Stryke en espérant qu'Haskeer la fermerait.

— Une partie de moi aimerait rencontrer ces humains si singuliers. Mais il est sans doute trop tôt. Je me sentirais comme un agneau en compagnie de loups. En revanche, j'aurais voulu faire la connaissance de vos autres compagnons, les…

— Les nains, mère, compléta Brelan.

— Mais il n'aurait pas été sage de les amener ici. Une autre fois, peut-être. (Sylandya fixa Stryke de son regard pénétrant.) Des humains compatissants et une race de créatures inconnues. Nombreux sont les mystères qui vous entourent. (Elle se détendit et sourit.) Mais ça m'est égal du moment que vous nous aidez.

— Les deux humains pourraient nous être utiles, avança Brelan. Et les dieux savent que nous avons besoin de tous les alliés possibles. Particulièrement avec l'arrivée de ce nouvel émissaire.

— Avez-vous découvert d'autres choses à son sujet ? s'enquit Stryke.

— Ce qu'on nous raconte ne présage rien de bon. Apparemment, nous avons affaire à quelqu'un de si impitoyable qu'Hacher paraît doux et affable en comparaison.

— Comment pouvez-vous déjà affirmer cela ? L'émissaire n'est arrivé que depuis deux jours !

— Ce court laps de temps lui a suffi pour commettre bien des actes d'une grande cruauté et ordonner une purge vicieuse au quartier général des humains. En tout cas, d'après nos espions. Et notre intervention d'hier n'a pas dû jouer en la faveur d'Hacher – ce qui fait un point pour nous.

— Pouvons-nous atteindre cet émissaire ? interrogea Coilla. Son assassinat représenterait un coup sérieux porté à l'ennemi.

— J'en doute. Une personne de son rang sera probablement bien gardée. Et elle ferait une adversaire redoutable. Tous ceux qui l'ont rencontrée la décrivent comme « étrange ».

Stryke et Coilla échangèrent un regard.

— Elle ? répéta Stryke.

— Je ne vous l'avais pas dit ? L'émissaire que Peczan nous a envoyé… c'est une sorcière.

Chapitre 21

—**N**on, non, non! (Dallog arracha le bâton des mains de Wheam et lui montra la façon correcte de le tenir.) Comme ça. (Il le rendit au jeune orc.) Essaie encore.

Wheam empoigna maladroitement son arme, et Dallog dut corriger la position de ses mains.

—C'est ça. Maintenant, voici ton adversaire.

Il désigna un mannequin bourré de paille suspendu à une poutre, dont le visage peint était la représentation d'un humain vu par des orcs.

Wheam se recroquevilla sur lui-même.

—Ne reste pas planté là, le rabroua Dallog. Attaque!

Le jeune orc s'approcha prudemment du mannequin et lui porta un coup faiblard.

—Tu tapes comme un nouveau-né, lui reprocha Dallog. Cette créature va te tuer si tu ne la tues pas le premier. Du nerf!

Wheam fit une nouvelle tentative. Il parvint à conjurer un semblant d'énergie, mais pas de coordination. Son arme manqua le mannequin et s'abattit sur une lampe à huile accrochée au mur. Le verre éclata sous l'impact.

—D'accord, soupira Dallog. On fait une pause.

Wheam lâcha son bâton et s'affaissa sur le sol. Il s'adossa au mur, le menton posé sur ses genoux repliés contre sa poitrine.

—Je ne suis bon à rien, se lamenta-t-il.

—C'est faux, contra Dallog.

—Ça, c'est vous qui le dites.

—Tu manques d'entraînement, c'est tout.

—Ce n'est pas juste une question d'entraînement. Je… (Wheam regarda autour de lui pour voir si quelqu'un pouvait l'entendre, puis chuchota :) J'ai peur.

—Tant mieux.

—Hein ?

—Il n'y a pas de mal à avoir peur. Montre-moi un orc qui va au combat sans ça et je te montrerai un abruti.

—Je ne comprends pas.

—La peur est l'alliée d'un guerrier. C'est un aiguillon, une dague qui lui pique les reins. Le courage, ce n'est pas ignorer la peur : c'est savoir la surmonter. Si tu es assez sage, tu en feras ton amie et tu la retourneras contre ton ennemi. C'est parce qu'ils ont assimilé cette vérité depuis longtemps que les orcs font des combattants si redoutables.

—Dans ce cas, pourquoi les orcs d'ici courbent-ils l'échine devant les humains ?

—Pour une raison que j'ignore, ils se sont laissé pervertir.

—Vous trouvez ? Ils vivent en paix. Contrairement à nous, ils n'ont pas que la mort et la destruction en tête. Peut-être aurais-je dû naître en Acurial.

—Je vais faire comme si je n'avais rien entendu. Regarde où leur passivité les a menés. Tu devrais être fier de ton héritage.

—Vous parlez comme mon père. Il passait son temps à me traiter de lâche et à m'expliquer ce que j'aurais dû être.

—C'est difficile de marcher dans les pas d'un grand orc comme ton père. Tout de même, il a eu tort de te traiter de lâche.

—Vous devez bien être le seul à penser ça. Tous les Renards me détestent.

—Mais non.

—Ils me détestent à cause de ma faiblesse. Ils pensent qu'aucun orc ne devrait être comme moi, et surtout pas un fils de chef. Mais le pire, c'est que plusieurs de leurs camarades sont morts par ma faute.

—Tu te trompes. Ce n'était pas ta faute, mets-toi ça dans la caboche. Moi aussi, je sais ce que c'est de se sentir étranger, d'avoir du mal à prendre la place de quelqu'un d'autre. Mais si tu veux gagner le respect des Renards, ne rejette pas ton héritage. Honore-le.

—C'est plus facile à dire qu'à faire.

—Tu peux commencer par t'entraîner. Par t'entraîner pour de bon.

Wheam fixa le bâton abandonné sur le sol.

—Je ne suis pas très doué pour ça.

Dallog se baissa, ramassa l'arme et la lui tendit. Wheam l'empoigna et laissa le caporal le relever.

—Regarde ton adversaire, dit Dallog en désignant le mannequin qui se balançait doucement. C'est toute la source de ton amertume. Tout ce que tu détestes. Toute la bile que tu aimerais déverser sur cette unité, sur toi, sur… ton père.

Wheam poussa un cri perçant et se rua vers le mannequin. Il se mit à le rosser méthodiquement, avec des gestes amples et brutaux. Au bout de trois ou quatre coups, un peu de paille se déversa du torse déchiré du mannequin, mais Wheam continua à s'acharner sur lui.

—Bien! s'exclama Dallog. Très bien!

La porte de la ferme s'ouvrit. Stryke et Coilla entrèrent. Comme ils passaient devant lui, Coilla lança:

—Beau boulot, Wheam!

Le jeune orc lui adressa un sourire rayonnant et redoubla de férocité.

—En fin de compte, il pourrait peut-être nous être utile, commenta Coilla en s'éloignant.

—Ouais: si on doit combattre des mannequins un jour, railla Stryke.

Ils se dirigèrent vers le fond de la bâtisse, qui avait été aménagé en réfectoire. Très peu de bancs étaient occupés; ils en choisirent un à l'écart des autres orcs.

Un tonnelet d'eau était posé au bout de leur table. Coilla saisit une chope, la remplit à l'aide d'une louche et but quelques gorgées.

—Je ne m'en remets pas.

—De quoi, que Jennesta soit ici? Ça ne devrait pas te surprendre. Serapheim nous avait prévenus. C'est pour ça que nous avons fait ce voyage.

—La savoir tout près d'ici rend les choses plus… réelles. À Maras-Dantia, nous avons passé beaucoup de temps à mettre un maximum de distance entre elle et nous. C'est bizarre de faire le contraire aujourd'hui.

—J'aimerais me trouver assez près d'elle pour lui trancher la gorge.

—Qui n'en rêve pas? Ça faciliterait beaucoup la révolution que Sylandya appelle de tous ses vœux.

—Mais une attaque contre Jennesta serait une mission suicide.

—Crois-tu? La Résistance a des espions au sein de la forteresse. Peut-être pourraient-ils nous faire entrer.

—C'est une idée. J'en parlerai à Brelan et à Chillder. Même si je suppose qu'ils auront d'autres préoccupations. Comme fomenter un soulèvement en treize… non, douze jours.

—Ils comprendront sûrement que la mort de Jennesta leur faciliterait la tâche.

Stryke eut une moue dubitative.

—Ils en verront peut-être l'intérêt; de là à nous allouer une partie de leurs ressources si limitées…

—Ils n'en auraient pas besoin. Avec l'aide de personnes se trouvant déjà sur les lieux, deux d'entre nous suffiraient pour faire le boulot. Je n'envisage pas d'assiéger le château, mais plutôt de nous y infiltrer discrètement.

—Tu prends Jennesta pour une cible un peu trop facile. Deux lames contre sa sorcellerie, ça me paraît très juste.

—Je suis prête à essayer. Vois si les jumeaux peuvent nous procurer un plan de la forteresse. Ce serait déjà un début.

—Très bien, je leur demanderai.

Coilla leva sa chope et la vida.

—En parlant de plans, tu crois que le coup de la comète a des chances de réussir?

—Ça me paraît assez improbable. Leur idée repose sur beaucoup de « peut-être ». Mais c'est tout ce qu'ils ont.

—J'ai failli gaffer quand ils ont parlé de lune descendante. Je ne savais même pas que ce monde possédait une lune.

—Moi non plus.

—Il y a tant de choses que nous ignorons… Je crains constamment de nous trahir. Et je me demande si ce serait vraiment une mauvaise chose.

—Qu'ils apprennent d'où nous venons ? C'est un trop gros risque. Les orcs d'ici sont différents. Nous ne pouvons pas prévoir comment ils réagiraient.

—D'accord, ils sont différents, et pas juste parce qu'ils manquent d'esprit combatif. Franchement… un État ? Des villes ? Ce n'est pas ainsi que fonctionnent les orcs. Si je pensais que nous n'avions aucun moyen de rentrer chez nous…

—Tu as toujours l'étoile ? s'enquit Stryke, anxieux.

—Bien sûr que oui. (Coilla tapota sa sacoche de ceinture.) Cesse de t'inquiéter pour ça.

La porte de la ferme claqua bruyamment. Stryke et Coilla tournèrent la tête. Haskeer venait d'entrer en roulant des épaules comme à son habitude. Ne s'arrêtant que pour lancer une remarque moqueuse à Dallog et à Wheam, il rejoignit ses camarades à la table.

—Comment vont mes confrères héros ce matin ? ricana-t-il.

—Oh, arrête avec ça, sourit Coilla.

—Tu devrais faire preuve d'un peu plus de respect envers cette prophétie.

—Seuls les idiots croient en les prophéties.

Ignorant cette insulte, Haskeer regarda autour de lui.

—Il y a quelque chose à boire ?

—Pas le genre que tu aimes, répondit Stryke en désignant le tonnelet d'eau.

Haskeer grimaça.

—Pas d'alcool, pas de cristal, pas d'action. Quand est-ce qu'on se marre ? Je croyais qu'on devait déclencher une révolution.

—Il y aura de la bagarre, et très bientôt.

—Tant mieux. J'ai hâte que ça bouge un peu.

— Tu n'es pas le seul. Comment s'en sortent les bleus ? s'enquit Stryke.

— Très bien. (Haskeer jeta un regard méprisant à Wheam.) Enfin, pour la plupart.

— J'ai besoin de pouvoir compter sur eux. Ils doivent être capables de fonctionner en tant que partie intégrante de cette unité, et...

— Ne te bile pas, Stryke. Ils sont prêts.

— Dans le cas contraire, je t'en tiendrai personnellement responsable.

Haskeer allait répliquer lorsque Jup et Spurral les rejoignirent.

— Ah, les Podchambre ! les salua-t-il d'une voix forte.

— Tu veux que je te fourre ce tonnelet dans le cul ? gronda Spurral.

Haskeer leva les mains avec une terreur feinte.

— Ooooh ! Rappelle ton fauve, Jup !

— Je préférerais l'aider, répliqua le nain. Mais à la place du tonnelet, j'utiliserais ta tête. Ça ne pourrait qu'améliorer ton apparence.

— Je voudrais bien te voir essayer, microbe.

— Quand tu veux.

Ils se levèrent tous deux en se foudroyant du regard.

— La ferme ! aboya Stryke. Rasseyez-vous ! Et gardez votre animosité pour l'ennemi.

— J'aurai du bol si je peux seulement le voir, se plaignit Jup en se laissant retomber sur son banc. Si on reste enfermés ici, Spurral et moi, on ne va pas tarder à devenir dingues.

— Je sais que c'est dur, compatit Stryke, mais on ne peut pas se permettre que les humains vous voient.

— Alors, qu'est-ce qu'on fiche ici ? Quel intérêt si on ne peut pas se montrer ?

— Vous aurez votre rôle à jouer. La situation risque de devenir brûlante pendant les prochains jours. Et deux nains dans les rues de Taress seront alors le dernier souci de la population.

— Je ne suis pas certaine que ce soit un compliment, grinça Spurral. Coilla, on devrait y aller.

—Tu as raison, acquiesça la femelle orc. Viens.

—Vous allez à votre cercle de couture ? les taquina Haskeer.

—Ouais. Pourquoi, tu veux nous accompagner ?

Coilla et Spurral se dirigèrent vers la porte latérale située au bout du mess. Celle-ci donnait sur un carré de terrain délimité par un muret de pierre sèche. Un groupe de vingt femelles orcs attendait là, toutes armées et en tenue de combat. Childer se tenait à leur tête.

—Les volontaires sont nombreuses, commenta Coilla, plaisamment surprise.

—Et pressées d'en découdre, l'informa Childder.

Coilla leur fit face et haussa la voix afin que toutes puissent l'entendre.

—Vous connaissez notre plan. Les choses vont pas mal bouger dans les jours à venir ; vous n'avez pas beaucoup de temps pour vous préparer à vous battre. Avant tout, vous devez apprendre à travailler ensemble, à fonctionner comme une unité homogène. Le plus facile pour ça, c'est d'adopter une structure militaire semblable à celle qu'utilisent les humains – et les Renards. Je suis la plus expérimentée ; c'est donc moi qui dirigerai ce groupe. Si l'une d'entre vous y voit une objection, qu'elle le dise tout de suite.

Silence.

—Très bien. Childder ici présente sera mon bras droit. Nous nommerons d'autres officiers en cas de besoin. (Du pouce, elle désigna la naine qui l'accompagnait.) Pour celles d'entre vous qui ne l'auraient pas encore rencontrée, voici Spurral. Elle appartient à une race inconnue dans vos contrées, et vous la trouvez peut-être… différente. Mais c'est une bonne combattante, loyale envers la cause des orcs. Vous pouvez lui faire confiance.

Incapable de dire si les nouvelles recrues la croyaient ou non, Coilla poursuivit :

—Notre première mission devrait tomber bientôt. Très bientôt. Par conséquent, nous allons vous mener la vie dure. Il est crucial que vous soyez opérationnelles le moment venu. La Résistance a besoin de tous les combattants qui voudront bien se joindre à elle, mais les mâles de vos contrées ne semblent pas réaliser la valeur potentielle de notre contribution. Montrons-leur de quoi nous sommes capables, Belettes!

Les femelles orcs sifflèrent et poussèrent des vivats en brandissant leurs lames.

—Pas mal du tout, chuchota Spurral à Coilla.

—Je ne crois pas avoir fait un aussi long discours depuis… Je ne sais même pas quand. Mais il faut…

Quelque chose attira l'attention de Coilla. Au-delà du muret de pierre se dressait une rangée d'écuries. La porte de l'une d'elles était ouverte. Une silhouette se découpa sur le seuil un instant, puis disparut.

—Qu'y a-t-il? s'enquit Chillder en suivant le regard de Coilla. Celle-ci secoua la tête.

—Rien.

Standeven battit en retraite à l'intérieur de l'écurie, bien à l'abri dans la pénombre.

—Regarde-les, gronda-t-il. (C'était tout juste s'il parvenait à contenir sa fureur.) Ils ont même enrôlé les femelles!

—Où est le problème? répliqua Pepperdyne. Elles ne font que s'entraîner.

—J'aurais dû me douter que tu prendrais leur parti.

—De quoi parlez-vous? Elles apprennent à manier une arme, je ne vois pas où est le mal.

—Elles se préparent à causer encore plus de problèmes.

—Normal. Elles appartiennent à une race de guerriers.

—Ces créatures combattent les nôtres. Ça ne t'inquiète pas?

—Les nôtres?

—Notre race. Nos semblables. Les humains.

—Elles combattent leurs oppresseurs. Elles veulent recouvrer leur liberté.

—Elles encourent la fureur des dirigeants de ces contrées – et nous risquons d'être pris entre deux feux!

—Les gens que vous qualifiez de dirigeants sont des usurpateurs. Ces contrées ne leur appartiennent pas; ils s'en sont emparés par la force.

— Je me doutais que tu le verrais de cet œil.

— Le contraire serait étonnant, étant donné l'histoire de mon peuple.

— Ce n'est pas une excuse pour te ranger dans le camp des autochtones.

— Vous avez la mémoire courte. Ce n'est pas moi qui ai provoqué Hammrik. C'est votre faute si nous sommes dans ce guêpier.

Standeven s'empourpra.

— Il fut une époque où jamais tu n'aurais osé me parler sur ce ton !

— Cette époque est finie. À présent, ce n'est plus une question de maître et d'esclave, mais de survie.

— Et tu crois pouvoir assurer la tienne en t'acoquinant avec ces créatures ?

— Elles ont des raisons de se rebeller. Leur cause est juste.

— Te considéreraient-elles encore comme un allié si elles savaient tout ce que je sais sur toi ? Je me le demande…

— Je n'en ai aucune idée. Peut-être voient-elles les choses différemment. Pourquoi n'essayez-vous pas de leur en parler ?

Standeven ne répondit pas.

— Ici, vos menaces n'ont pas de prise sur moi, grimaça Pepperdyne. Vous avez besoin de moi pour vous en tirer, et vous le savez. C'est bien ce qui vous irrite le plus, n'est-ce pas, *maître* ?

Dehors, les Belettes s'étaient mises par deux pour s'exercer au maniement de l'épée. Le tintement des lames emplissait l'air.

— Je veux quitter cet endroit, admit Standeven à voix basse. De préférence en un seul morceau.

— Moi aussi. Mais ça ne dépend pas de nous.

— Ça devrait. Il suffirait que nous nous emparions des instrumentalités, et nous pourrions rentrer chez nous.

— Savoir nous en servir pourrait être utile, vous ne croyez pas ? railla Pepperdyne. Et pour les prendre à Stryke, il nous faudrait bien plus qu'un simple coup de chance.

— Il ne les a pas toutes.

— Que voulez-vous dire ?

—La femelle, Coilla. Elle en porte une sur elle.

—Comment le savez-vous ?

—Je ne parle pas beaucoup, mais je garde les oreilles et les yeux ouverts.

—Ça s'appelle de l'espionnage.

—Je ne les ai pas précisément espionnés, se défendit Standeven, vexé. Je les ai juste entendus discuter par hasard. Stryke voulait répartir les instrumentalités pour une raison que je n'ai pas saisie – mais qui est sûrement intéressante.

Pepperdyne haussa les épaules.

—Probablement pour empêcher quelqu'un dans votre genre de mettre la main dessus.

—J'ai eu l'impression qu'il y avait autre chose.

—Peu importe. Nous ne réussirons pas à prendre les instrumentalités aux orcs. Même si nous y parvenions, nous aurions besoin de l'amulette de Stryke – et de savoir comment la déchiffrer.

—Mais il nous les faut ! À supposer que nous puissions rentrer chez nous, nous aurons besoin d'un outil pour marchander avec Hammrik. Sinon, il ne nous laissera jamais tranquilles.

—Dites plutôt que vous comptez les vendre au plus offrant. Je vous connais.

—Que nous les utilisions pour apaiser Hammrik ou pour obtenir l'argent nécessaire afin de nous protéger contre lui, dans les deux cas, elles seront notre garantie.

—« Notre » ?

—Je ne me montrerai pas ingrat envers le fidèle serviteur qui sera resté à mes côtés durant toutes ces épreuves.

—Comme je viens de vous le dire, il faudrait un miracle pour mettre la main sur les instrumentalités. Nous ne pourrons essayer qu'une fois rentrés dans notre monde – si nous rentrons jamais.

—Donc, d'après toi, nous devrions rester en bons termes avec les Renards dans l'espoir qu'ils nous ramènent chez nous. Je ne suis pas certain que ce soit une bonne idée.

—Vous avez une autre solution à proposer ?

Standeven fixa son compagnon d'un regard glacial.

— Qui a dit que les miracles n'existaient pas ?

Chapitre 22

— Nous y voilà, dit Coilla en ajoutant une hachette à son arsenal d'armes dissimulé.

Elle drapa un châle autour de ses épaules.

— Tu crois que ça va marcher ? interrogea Pepperdyne.

— Un humain et un groupe de femelles orcs ? On nous laissera forcément entrer, affirma Coilla.

— Je n'ai jamais réussi à faire partir cette tache.

Pepperdyne se lécha un doigt et frotta le devant de sa tunique d'uniforme volée.

— Cesse de t'agiter, ce n'est pas grave.

— Nous leur avons déjà fait ce coup-là. Tu penses vraiment qu'ils s'y laisseront prendre une deuxième fois ?

— Je compte sur le fait qu'ils nous croiront incapables de recommencer.

— Et si tu te trompes ?

Coilla eut une grimace féroce.

— Alors, ils découvriront que nous ne sommes pas les créatures faibles et serviles pour lesquelles ils nous prennent.

L'expression de Pepperdyne s'assombrit.

— Tu places beaucoup de confiance en moi, tu sais.

— Tu as déjà prouvé ta droiture. Tu ne vas pas faire volte-face maintenant, si ?

— Après tout, je suis l'un des leurs. Un humain. Un ennemi.

—Ne t'en fais pas pour ça. Si tu tentes la moindre entourloupe, je te tuerai, promit Coilla avec un sourire aimable.

—Allons-y, dit Pepperdyne.

Les Belettes s'étaient entassées dans deux chariots ouverts. Coilla et Pepperdyne montèrent à bord du premier, et l'humain blond s'installa sur le siège du conducteur. Spurral était assise à l'arrière, au milieu des femelles orcs, un large foulard dissimulant ses traits. Comme toutes ses compagnes, elle portait les vêtements grossiers et ternes d'une ouvrière. Brelan conduisait le second chariot.

Pour une communauté fondée par des orcs, Taress avait été construite d'une manière étonnamment rationnelle, du moins en son centre. Chacune des choses nécessaires au bon fonctionnement d'une ville – greniers à grain, citernes d'eau potable, enclos à bétail – possédait son propre quartier. Depuis l'invasion, les humains en avaient bâti un autre depuis lequel ils dirigeaient leur colonie. Ce fut vers ce secteur que se dirigèrent les deux chariots.

Des ouvriers orcs réparaient encore les dégâts provoqués par la ruée d'un millier de bovins. Sous l'œil froid et vigilant de leurs superviseurs humains, ils déblayaient les arbres déracinés, réparaient les murs fissurés et chargeaient les gravats à bord de dizaines de fardiers.

Le trajet que devaient faire les Belettes était court mais non dénué de risques. Il y avait des barrages à négocier. Le premier, qui se dressait à l'entrée de l'avenue conduisant vers le secteur administratif, s'annonçait le plus difficile à franchir. Une guérite se dressait sur un côté de la route, elle-même barrée par une palissade de bois et par plusieurs sentinelles.

Les deux chariots se joignirent à la file de véhicules qui attendaient l'autorisation de passer. Aux charrettes de marchands orcs se mêlaient plusieurs voitures transportant des humains à l'air zélé, ainsi qu'un cabriolet occupé par une femme qui était probablement l'épouse d'un officier. Une poignée de cavaliers en uniforme complétaient le tableau.

—On dirait qu'ils sont moins regardants vis-à-vis des humains, chuchota Pepperdyne.

—Bien entendu, répliqua Coilla. À quoi t'attendais-tu ? Mais n'en déduis pas que ce sera la même chose pour nous.

Lorsque vint leur tour, un sergent s'avança vers eux, vit l'insigne sur l'uniforme de Pepperdyne et salua. S'il remarqua la tache funeste qui ornait la poitrine de l'usurpateur, il n'en laissa rien paraître.

Il tendit une main calleuse.

—Vos papiers, monsieur ?

Pepperdyne lui remit une feuille de parchemin pliée.

Le sergent l'étudia, accordant une attention toute particulière au sceau. Du menton, il désigna les occupantes du chariot.

—Qui sont ces orcs ?

—Une équipe de nettoyage, répondit Pepperdyne.

—Affectée où, monsieur ?

—Au bureau des recensements.

Le sergent longea le flanc du chariot et regarda à l'intérieur. Toutes les femelles gardèrent la tête docilement baissée. Plusieurs d'entre elles tenaient un seau de bois sur leurs genoux. Des balais, des brosses et des serpillières gisaient à leurs pieds. Le sergent s'approcha du second chariot et y jeta un rapide coup d'œil ; puis il revint vers Pepperdyne.

Coilla fixa sa jugulaire en tripotant un couteau caché dans sa manche, juste au cas où. Le sergent surprit son regard, le prit pour de la simple impertinence et fronça les sourcils. Elle baissa les yeux et prit une mine penaude.

—Vous avez besoin d'aide pour les mater, monsieur ? demanda le sergent à Pepperdyne. Je pourrais demander à deux soldats de vous accompagner.

—Pour surveiller ces chiennes ? Ce serait une perte de main-d'œuvre. Elles sont aussi douces que des agnelles.

Le sergent jeta un coup d'œil aux femelles orcs à l'arrière et grimaça.

—Je vois ce que vous voulez dire.

Il lui rendit le parchemin et lui fit signe de passer.

Lorsqu'ils furent hors de portée d'ouïe, Coilla se tourna vers Pepperdyne et siffla :

—« Chiennes » ? « Agnelles » ?

—C'est ce qu'il voulait entendre.

—Tu aurais pu dire ça d'une façon un peu moins méprisante.

—Je ne faisais que jouer mon rôle.

Pepperdyne rangea le parchemin dans sa poche.

—Vous les humains, vous accordez décidément beaucoup d'importance à vos bouts de papier, fit remarquer Coilla.

—Un peu trop même, à en juger la facilité avec laquelle nous avons berné ce sergent. Ce n'était pas une très bonne contrefaçon.

—Du moment qu'elle nous a permis de passer…

—Ne te réjouis pas trop vite. Nous devrons bientôt la ressortir.

Le second barrage était moins imposant. Il se composait d'une carriole de ferme barrant la route et d'un petit groupe de soldats. L'examen fut sommaire – peut-être parce que les chariots avaient déjà franchi le premier point de contrôle. Un rapide coup d'œil au parchemin, une inspection superficielle des passagères, et les Belettes reçurent la permission de passer.

Pour le troisième et dernier barrage, elles purent se contenter de ralentir. Ce fut tout juste si un soldat apathique leva le nez de son jeu de dés pour leur faire signe de continuer à avancer.

—Jusqu'ici, tout va bien, commenta Coilla, satisfaite.

—Espérons qu'il nous sera aussi facile de ressortir. À supposer qu'on vive assez longtemps pour ça, tempéra Pepperdyne.

Coilla regarda par-dessus son épaule pour voir si Brelan les suivait. Le chef des rebelles lui adressa un signe de tête prudent, en prenant bien garde à conserver une expression neutre.

Parce que l'accès au secteur administratif était restreint, les rues y étaient moins encombrées que dans le reste de Taress, et la proportion d'hommes en uniforme bien plus élevée. Des groupes de soldats se tenaient aux carrefours, et des patrouilles arpentaient les allées. Des guérites se dressaient sur le bord des routes.

Les occupantes des chariots attiraient les regards. La plupart des humains ne les dévisageaient qu'avec un vague intérêt, mais c'était une attention dont elles se seraient bien passées.

—Je ne me sens pas tranquille, se plaignit Pepperdyne.

—Fais comme si tu avais le droit d'être ici, lui conseilla Coilla. Nous ne sommes plus très loin.

Les envahisseurs avaient réquisitionné et démoli certains des bâtiments du quartier pour les remplacer par des structures plus neuves. C'était vers l'une de ces dernières que les chariots se dirigeaient.

Coilla aperçut leur destination comme ils tournaient à l'angle d'une rue et pénétraient dans le cœur du secteur administratif. À l'instar de beaucoup de bâtisses érigées à la hâte au tout début de l'Occupation, celle-ci était plus fonctionnelle qu'agréable à regarder. Elle se dressait en retrait de la route, derrière une haute grille métallique. Elle avait une façade de pierre dépourvue d'ornements, dont les rares fenêtres se découpaient très haut. Et elle semblait assez robuste pour résister à un siège.

Les chariots s'immobilisèrent devant le portail. Tout en attendant que les deux gardes se traînent jusqu'à eux, Pepperdyne fit signe à Brelan, qui descendit de son véhicule.

— Tu es certain d'avoir arrêté la véritable équipe de nettoyage ? demanda Pepperdyne.

Brelan acquiesça.

— Elle a dû être retardée par un faux accident à une dizaine de blocs d'ici.

— Ces humains ne vont pas s'étonner de voir débarquer autant de nouveaux visages ? s'enquit Coilla.

— Nous sommes incapables de les distinguer les uns des autres ; c'est la même chose pour eux vis-à-vis de nous, répondit Brelan.

— Et lui ? (Du pouce, Coilla désigna Pepperdyne.) Ils verront bien qu'ils ne le connaissent pas.

— Les ouvriers n'arrivent pas toujours avec la même escorte. (Brelan poussa un soupir exaspéré.) Je te l'ai déjà expliqué un millier de…

— Chut ! ordonna Pepperdyne. Ils arrivent.

Les gardes entrouvrirent le portail et se faufilèrent à l'extérieur. Ils étaient brusques et modérément méfiants. Pepperdyne ressortit ses faux papiers. Ils inspectèrent le contenu des chariots avec une certaine indolence et récitèrent les questions habituelles. Puis ils hochèrent la tête, ouvrirent le portail et firent signe aux nouveaux venus de passer.

Seaux à la main, les Belettes mirent pied à terre devant la porte massive du bâtiment proprement dit. Coilla craignait que la petite taille de Spurral attire l'attention, mais aucun sourcil ne se haussa à la vue de la naine. Les résistants lui avaient bien dit qu'il n'était pas rare de trouver des enfants au nombre des ouvriers. Elle craignait également une fouille au corps mais, une fois de plus, ses craintes se révélèrent infondées. Les humains ne semblaient même pas envisager que des femelles puissent constituer une menace.

Un des gardes frappa à la porte avec la poignée de son épée. Un panneau glissa sur le côté, et il s'entretint brièvement avec quelqu'un. Puis la porte s'ouvrit, et les Belettes purent entrer.

L'intérieur était un peu moins austère que l'extérieur. Du marbre gris recouvrait les murs ; il y avait des mosaïques sur le plancher et des moulures au plafond. Mais aucun de ces embellissements ne semblait terminé.

— Ils vivent drôlement mieux que nous, chuchota Chillder.

— Surprise, railla Coilla.

Un des gardes qui les précédait tourna la tête vers elles et leur jeta un regard désapprobateur. Elles se turent.

Le bâtiment était vaste. Portant leur balai sur l'épaule et balançant leur seau à bout de bras, les Belettes enfilèrent un couloir apparemment interminable. Elles passèrent devant plusieurs portes ; certaines étaient ouvertes, ce qui leur permit d'apercevoir des humains penchés sur des registres ou des piles de papier, ainsi que des orcs déplaçant des caisses.

Une pièce plus grande que les autres contenait des dizaines d'artefacts. Sous la surveillance de soldats humains, des serviteurs orcs rangeaient des statuettes en or, des icônes de bois sculpté et des armes cérémonielles dans des caisses remplies de paille.

— Merde alors ! jura Brelan entre ses dents.

— Quoi ? articula Coilla.

— Notre héritage, siffla-t-il. Pillé pour décorer les salons des gratte-papier de l'empire.

— Hé ! rugit le garde. Ce n'est pas une promenade de santé ! Cessez de jacasser !

— Ouais, cousez-vous les lèvres ! renchérit Pepperdyne. Et ne traînez pas !

Il donna une bourrade dans le dos de Brelan et de Coilla. Quand la femelle orc se tourna vers lui pour le foudroyer du regard, il lui fit un clin d'œil. Elle ne le lui rendit pas.

Enfin, ils atteignirent une double porte. De l'autre côté de celle-ci s'étendait une pièce spacieuse, occupée par plusieurs rangées d'écritoires. Des étagères bourrées de volumes reliés et d'étuis à parchemins recouvraient les murs jusqu'au plafond ; des échelles permettaient d'atteindre les plus hautes d'entre elles. Une maigre lumière entrait par les fenêtres étroites. Bien qu'il fasse jour dehors, la pièce était éclairée par une série de lustres en bois garnis d'épaisses chandelles, ainsi que par une poignée de lampes éparses.

Une dizaine d'humains, essentiellement des fonctionnaires, étaient assis à des pupitres. À leur demande, deux ou trois laquais orcs allaient chercher des documents sur les étagères et les leur rapportaient.

Un homme de haute taille s'approcha des Belettes. Sa maigreur frôlait l'émaciation. À en juger sa tenue et son attitude, ce devait être un superviseur. Il frappa dans ses mains telle une institutrice revêche, et ses paumes osseuses produisirent un son étrangement cassant.

— Écoutez-moi ! lança-t-il d'une voix presque aiguë. Vous les orcs, vous ne pouvez pas comprendre ce que nous faisons ici, au bureau des recensements. Tout ce que vous avez besoin de savoir, c'est que notre travail est beaucoup plus important que la somme de vos misérables vies. Nous ne tolérerons aucune négligence. Abîmez une seule feuille de parchemin, et vous serez fouettées. C'est bien compris ?

Il n'attendit pas de réponse – ce qui était préférable, car les Belettes ne se sentaient pas d'humeur à acquiescer docilement.

Coilla capta le regard de Spurral et hocha imperceptiblement la tête.

Le superviseur se mit à distribuer des ordres en désignant les femelles orcs d'un doigt osseux.

— … Toi, toi et toi, décida-t-il en montrant Coilla, vous vous occuperez des latrines.

— Ça m'étonnerait, répliqua Coilla.

L'humain s'arrêta net. Il jeta un coup d'œil à Pepperdyne.

— Cette créature vient bien de me parler?

— Demandez-le-lui vous-même.

— *Quoi?*

— Dis-lui, Coilla.

— Vous pouvez nettoyer votre propre merde.

Le superviseur s'empourpra.

— Comment oses-tu parler ainsi à tes supérieurs?

— J'ouvre ma bouche et j'articule des syllabes, comme ça, expliqua aimablement Coilla.

Une veine se mit à palpiter sur le front du superviseur.

— C'est de l'insubordination flagrante! (Il se tourna de nouveau vers Pepperdyne.) N'avez-vous aucun contrôle sur cette créature?

Pepperdyne haussa les épaules.

— On dirait qu'elle n'a pas envie de nettoyer vos latrines.

— Je n'arrive pas à croire que vous preniez le parti de cet animal. Êtes-vous ivre?

— J'aimerais bien.

— Si c'est une plaisanterie…

— … ce n'est pas vous qui rirez le dernier, coupa Coilla. Nous ne comprenons pas tout ce qui se passe ici, mais ça ne nous empêchera pas d'y mettre un terme.

Alarmé, le superviseur recula en glapissant:

— Gardes! Gardes!

Les deux sentinelles qui avaient accompagné les Belettes avaient assisté à toute la scène d'un air médusé. Elles s'arrachèrent enfin à leur stupéfaction. L'homme le plus proche fit mine d'empoigner Coilla, qui lui balança adroitement son seau à la figure et le frappa au milieu du front. Il tituba. Elle lui assena un deuxième coup, puis un troisième. Il s'effondra. Quant à son compagnon, les pieds et les poings des Belettes enragées eurent bientôt raison de lui.

Le visage écarlate du superviseur blêmit. Coilla se tourna vers lui.

— Maintenant, fermez-la et faites ce qu'on vous dit.

Elle rugit un ordre. Les Belettes produisirent leurs armes dissimulées, et Pepperdyne tira son épée.

—Traître! cracha le superviseur.

Pepperdyne lui montra la pointe de son épée.

—Elle t'a dit de la fermer!

Les Belettes arrachèrent le faux fond de leurs seaux et récupérèrent les flasques d'huile logées à l'intérieur.

—Arrosez le plus largement possible, leur recommanda Coilla.

Le superviseur écarquilla les yeux.

—Brutes! s'exclama-t-il. Barbares! Comment osez-vous…?

Pepperdyne lui lança son poing dans la mâchoire. Il s'écroula net.

Coilla remercia l'humain blond d'un signe de tête. Puis elle s'adressa aux Belettes.

—L'équipe de la trésorerie. (Dix femelles s'avancèrent.) Vous connaissez votre boulot. Récupérez l'argent des taxes dont ces suceurs de sang ont dépouillé vos concitoyens. Souvenez-vous: chaque pièce trouvée fournira une nouvelle épée à la Résistance. Allez, bougez-vous.

Les femelles s'éloignèrent.

Promenant un regard à la ronde, Coilla vit que les employés humains et leurs serviteurs orcs s'étaient figés, la bouche ouverte. Elle fit signe à un trio de Belettes.

—Évacuez les civils, et ne les quittez pas des yeux jusqu'à ce que nous en ayons terminé ici.

Les spectateurs furent rassemblés et escortés à l'extérieur, deux d'entre eux traînant leur superviseur par les jambes. Comme les orcs passaient devant elle, tête baissée, Coilla leur lança:

—Vous n'en seriez pas là si vous aviez des tripes!

—Ne sois pas trop dure avec eux, la réprimanda Chillder. Ils n'ont jamais rien connu d'autre.

Coilla haussa les épaules.

—Et les trésors? demanda Brelan.

—Quoi?

—Notre héritage. Les œuvres d'art qu'ils…

—Oui, et alors?

—On ne peut pas les laisser ici.

—Le plan, c'était de s'emparer du butin et de foutre le feu à cet endroit. Personne n'a jamais dit que…

Chillder fit écho à son frère.

—On ne *peut pas* les laisser ici. Ce serait un sacrilège.

—On a déjà juste assez de mains! protesta Coilla.

—Tu sais, on n'a pas besoin de ta permission, fit froidement remarquer Brelan.

Coilla soupira.

—Très bien. Occupez-vous-en tous les deux. (Elle jeta un coup d'œil à ses forces qui s'amenuisaient.) Mais je ne peux pas vous donner plus de quatre Belettes pour vous accompagner. On se retrouve sur le chemin de la sortie. Et si quelqu'un essaie de vous arrêter…

—Nous savons quoi faire.

Les jumeaux choisirent rapidement quatre femelles orcs et s'éloignèrent avec elles.

—Franchement, je me serais bien passée de ça, grommela Coilla.

Spurral acquiesça.

—Ça fait un fardeau supplémentaire.

—Raison de plus pour ne pas traîner, fit remarquer Pepperdyne.

Les Belettes se mirent à tout casser dans la pièce. Elles jetèrent par terre les dossiers qui garnissaient les étagères et éparpillèrent les documents. Elles renversèrent et brisèrent les pupitres, puis répandirent de l'huile sur leurs débris.

—Parfait, approuva Coilla. Dès que les autres reviendront…

Il y eut un mouvement le long d'un mur. Une porte que la femelle orc n'avait pas remarquée s'ouvrit à la volée. Trois hommes en robe firent irruption dans la pièce. Coilla reconnut aussitôt les tridents qu'ils brandissaient.

—Et merde! s'exclama-t-elle.

Un des sorciers braqua son trident vers les intrus.

—À terre! hurla Pepperdyne.

Les Belettes plongèrent.

Un rayon violet fusa vers elles ; elles sentirent sa chaleur au-dessus de leur tête. Son éclat était si intense qu'il leur fit mal aux yeux. Il frappa les étagères derrière elles, libérant une nuée d'échardes et de parchemins.

Le rayon suivant ricocha sur un pilier. Des éclats de marbre se détachèrent, et une odeur de soufre tenace se répandit dans la pièce.

Les Belettes se précipitèrent à couvert. Coilla et Spurral s'accroupirent derrière un pupitre renversé, tandis que Pepperdyne se tapissait à l'abri d'un monticule de chaises brisées.

Les humains en robe s'avancèrent ensemble, tridents brandis. Un nouveau rayon d'énergie pourpre jaillit et alla s'écraser dans un mur, provoquant une pluie de plâtre et de fragments de pierre.

— Il faut sortir d'ici, Coilla, la pressa Spurral. Vite.

— Je sais.

— Tu peux m'expliquer pourquoi on n'a pas emmené d'arcs ?

— J'ai ça. (Coilla releva la large manche de sa tunique, révélant un fourreau d'avant-bras plein de couteaux de lancer. Elle en prit un qu'elle tendit à Spurral.) Attends mon signal pour l'utiliser.

Pivotant, elle attira l'attention de Pepperdyne et lui lança un couteau, qu'il rattrapa adroitement. Puis elle mima un ordre en levant un, deux, trois doigts et en indiquant les sorciers qui approchaient.

— Ensemble, articula-t-elle.

Pepperdyne comprit et acquiesça.

Les silhouettes en robe continuaient à avancer, projetant des rayons d'énergie éblouissants qui détruisaient le bois, la pierre et le verre sur leur passage. Comme elles passaient près d'un tas de débris, une des Belettes jaillit de sa cachette en brandissant une épée.

— Non ! hurla Coilla.

La Belette fit mine de frapper le sorcier le plus proche. Celui-ci pivota, braquant son trident sur elle. Il y eut un éclair aveuglant. La lame de la Belette encaissa l'impact et vira instantanément au rouge, tel un tisonnier plongé dans les flammes. La femelle orc glapit et lâcha son arme brûlante. Le sorcier s'avança pour l'achever.

—Maintenant! rugit Coilla.

Spurral, Pepperdyne et elle se relevèrent d'un bond et projetèrent leurs couteaux. Coilla avait bien visé; le sorcier qui s'apprêtait à attaquer la Belette reçut son arme en pleine poitrine. Spurral s'en tira honorablement, même si elle ne parvint pas à tuer le deuxième sorcier – juste à le neutraliser. Atteint à la figure, l'humain en robe se désintéressa de la bagarre. Quant à Pepperdyne, il rata sa cible de peu. Son couteau siffla près de l'oreille gauche du troisième sorcier et alla se ficher dans la reliure d'un livre.

Le sorcier encore debout riposta par une salve désordonnée de rayons. Les camarades de la Belette imprudente l'entraînèrent hors de danger tandis que les éclairs meurtriers démolissaient les pupitres et ouvraient des sillons dans les murs. Les femelles orcs restantes se plaquèrent au sol.

—Au diable tout ça, marmonna Coilla.

Elle souleva son ample jupe de paysanne, révélant la hachette logée dans un fourreau attaché sur sa cuisse. Dégainant l'arme, elle se releva et ramena son bras en arrière, prête à lancer.

Le sorcier restant se trouvait à une dizaine de pas. Il la vit et pointa son trident sur elle. Ce fut comme si le temps se figeait l'espace d'une fraction de seconde. Le sorcier visa en plissant les yeux. Le bras de Coilla se détendit, et la hachette fusa depuis sa main.

Elle tournoya dans les airs, sa lame projetant des éclats de lumière. Le sorcier suivit sa trajectoire d'un regard perplexe et fut forcé de renverser la tête en arrière comme elle filait, non pas vers lui, mais vers le plafond.

L'un des lustres massifs était suspendu deux pas devant le sorcier. Le tranchant de la hachette sectionna la corde qui le soutenait. Le lustre s'abattit sur le plancher avec fracas, et l'impact le fit éclater en mille morceaux. Des chandelles allumées rebondirent dans toutes les directions.

L'huile répandue par les Belettes s'enflamma instantanément. Un rideau de feu jaillit vers le plafond, enveloppant le sorcier encore valide et son compagnon blessé qui se traînait à quatre pattes, un couteau de lancer planté dans sa joue sanglante. Changés en torches humaines, ils se mirent à hurler et à courir dans tous les sens, propageant les flammes.

Le feu se répandit en suivant les traînées d'huile. Très vite, il occupa toute la largeur et la profondeur de la pièce. Il atteignit les étagères et commença à escalader les murs. Au fur et à mesure que les chandelles éparses s'immobilisaient, de nouvelles langues de flammes dardaient à ras du sol; des tentacules rougeoyants s'emparaient des débris du mobilier et les embrasaient. Un nuage de fumée emplit la pièce.

—Sortez! hurla Coilla. Tout le monde dehors, vite!

Toussant et larmoyant, une manche pressée contre leur bouche, les Belettes se dirigèrent à tâtons vers la porte.

—Plus vite! les pressa Coilla.

Avec l'aide de Pepperdyne, elle parvint à guider son unité dehors.

Dans le couloir enfumé, elle dénombra rapidement les Belettes. Aucune ne manquait à l'appel.

—On ne devrait pas fermer ces portes? demanda Spurral en indiquant le brasier infernal qui faisait rage dans la pièce derrière elles.

Coilla secoua la tête.

—Non. Laissons l'incendie se propager.

Il y eut un mouvement à l'autre bout du couloir. Les Belettes firent mine de dégainer.

—Du calme, lança Pepperdyne. Ce sont les nôtres.

L'équipe de la trésorerie revint avec le trio qui avait escorté les prisonniers dehors... et quatre ou cinq coffres de bois apparemment très lourds. La femelle de tête – une très belle orc à la fois musclée et féminine – désigna l'incendie du menton.

—Je croyais que vous ne deviez pas l'allumer tout de suite.

—Il y a eu un changement de plan, grimaça Coilla. Vous n'avez pas eu trop de problèmes?

—Aucun qu'on ne puisse régler par nous-mêmes.

—Qu'est-ce que vous nous ramenez?

Les Belettes soulevèrent le couvercle d'un des coffres. Des pièces d'or et d'argent scintillèrent dans la lumière des flammes.

—Bien. (Coilla se tourna vers une autre femelle orc.) Et les prisonniers ?

—On a trouvé une cour intérieure par là-bas. On les a poussés dedans et on a barré la porte.

—Parfait. Maintenant, récupérons Brelan et Chillder et tirons-nous d'ici.

Coilla prit la tête de la procession, Pepperdyne sur ses talons.

Comme les Belettes rebroussaient chemin vers la salle où étaient entreposées les œuvres volées, la fumée se fit plus dense dans les couloirs. Ceux-ci semblaient déserts – du moins, jusqu'à ce que Coilla passe en courant devant une porte entrebâillée.

Celle-ci s'ouvrit à la volée, et un humain bondit en brandissant une épée. Alertée par les cris des Belettes, Coilla fit volte-face en s'efforçant de dégainer. L'homme se jeta sur elle, prêt à lui fendre le crâne en deux.

Il s'immobilisa net. La pointe d'une lame jaillit du centre de sa poitrine dans un geyser écarlate. Choqué, il baissa la tête vers sa blessure. Puis ses yeux roulèrent dans leurs orbites, et il s'écroula aux pieds de Coilla.

Pepperdyne s'accroupit, dégagea son épée et essuya sa lame ensanglantée sur la tunique du mort.

—C'est la deuxième fois que tu me sauves la vie, fit remarquer Coilla.

—Oublie ça.

Ils continuèrent plus prudemment, mais ne rencontrèrent personne d'autre jusqu'à ce qu'ils aient atteint leur destination.

Les corps inertes de plusieurs humains gisaient sur le sol de la salle du trésor. Chillder, Brelan et leurs quatre assistantes plaçaient des artefacts dans des caisses.

—Dépêchez-vous, les pressa Coilla. Nous ne pouvons pas rester ici.

—Ça y est presque, répliqua Chillder en saisissant une figurine sculptée.

—On ne peut pas tout emmener !

—Je sais, grommela Brelan, et c'est bien dommage. On a sélectionné les plus belles pièces.

Trois nouveaux coffres vinrent s'ajouter au butin des Belettes. Elles se dirigèrent vers la sortie aussi vite que leur fardeau le leur permettait. Le temps qu'elles l'atteignent, l'air était devenu presque irrespirable à l'intérieur du bâtiment administratif.

Après avoir vérifié que la voie était libre, elles chargèrent rapidement les coffres à bord des chariots et les recouvrirent avec des sacs en toile de jute. Puis elles refermèrent la porte d'entrée et, dès le portail ouvert, s'éloignèrent rapidement.

Pepperdyne, qui avait repris les rênes du véhicule de tête, semblait préoccupé.

— Si l'incendie est découvert avant qu'on ait quitté le secteur…

— Espérons que ça ne sera pas le cas. En attendant, gardons l'air calme et innocent, recommanda Coilla.

— Et s'il est découvert quand même ?

— Tu connais les probabilités. On se fraiera un chemin à la force de nos armes.

Ils avaient beaucoup de mal à ne pas regarder constamment par-dessus leur épaule. Dans leur esprit, ils voyaient une immense colonne de fumée noire former un doigt accusateur pointé vers eux.

Ils approchèrent du premier point de contrôle le cœur battant la chamade, mais sans précipitation. Les gardes ne leur prêtèrent pas davantage attention qu'à l'aller ; ce fut à peine s'ils leur adressèrent un vague signe de tête. Même scénario au second point de contrôle : des sentinelles blasées les laissèrent passer après leur avoir jeté un simple coup d'œil.

Le dernier barrage s'annonçait le plus difficile à franchir. Il n'y avait pas la queue pour ressortir du secteur administratif, mais les chariots durent quand même s'arrêter. Le sergent auquel Pepperdyne avait eu affaire à l'aller n'avait pas fini son service. À la vue des Belettes, son expression se fit perplexe.

— Je ne m'attendais pas à vous revoir si vite, monsieur.

— Ah non ? répondit Pepperdyne, pris de court.

— En général, les équipes de nettoyage restent deux fois plus longtemps.

—Vraiment ?

—Oui, monsieur.

—Eh bien, il faut croire que celle-ci travaille particulièrement dur.

—Ça change un peu. Ces créatures sont si fainéantes
d'ordinaire… Quel est votre secret, monsieur ?

—Mon secret ?

—Comment les obligez-vous à bouger leur cul flasque ?

—Oh. Je n'ai pas de méthode particulière, sinon un usage
libéral du fouet.

Le sergent eut une grimace approbatrice.

—Je vois, monsieur.

Il jeta un coup d'œil à Coilla, qui détourna la tête. Puis il
scruta l'arrière du chariot, assez longtemps pour que la femelle orc
le soupçonne d'avoir repéré le butin. Elle glissa une main dans les
plis de sa tunique en quête d'une lame.

Le sergent reporta son attention sur Pepperdyne.

—Merci, monsieur. Vous pouvez sortir.

Pepperdyne le remercia d'un signe de tête et fit claquer
les rênes.

Brelan et lui résistèrent à la tentation d'accélérer. Ils
conservèrent une allure identique, même quand un brouhaha s'éleva
derrière eux dans le lointain.

Coilla et Pepperdyne échangèrent un bref sourire.

Les chariots longèrent un terrain vague, sur lequel une maison
s'était dressée avant que les envahisseurs la démolissent. À présent,
l'endroit était envahi par les mauvaises herbes.

Un passant à l'œil particulièrement vif, ou une personne
très sensible aux émanations magiques, aurait pu percevoir là une
anomalie – une poche de néant légèrement désynchronisée avec l'air
qui l'entourait, comme une bulle transparente à travers laquelle la
lumière ne passait pas tout à fait. Mais l'effet produit était si ténu,
si impalpable que la plupart des gens l'auraient attribué à un effet
d'optique ou à une poussière dans leur œil.

Enveloppée de son manteau de sorcellerie, Pelli Madayar avait
observé les exploits des Belettes, et elle était troublée. Il ne faisait

plus aucun doute que ces orcs renégats violaient sérieusement les préceptes de la brigade des Portails. Ils jouaient avec le feu.

Et Pelli savait qu'il fallait les arrêter.

Chapitre 23

Une foule se massait dans le grand hall de la forteresse de
Taress.

La pièce était bondée. De très haut gradés de l'armée
se détachaient parmi les représentants des rangs inférieurs. Les
membres de l'ordre de l'Hélice étaient reconnaissables à leur robe.
Bureaucrates, administrateurs et législateurs se tenaient épaule contre
épaule. Ils attendaient depuis assez longtemps pour commencer à
trépigner et à étouffer des soupirs.

Le général Hacher se tenait au premier rang, flanqué par son
aide de camp Frynt et par frère Grentor.

—Combien de temps vont-ils encore abuser de notre
patience? chuchota Grentor. C'est intolérable d'être traités comme
des suppliants!

—Peut-être devriez-vous faire part de votre mécontentement
à l'émissaire quand elle arrivera, suggéra Hacher. Après tout, elle est
le chef en titre de votre ordre.

Grentor lui jeta un regard venimeux et s'abîma de nouveau
dans un silence morose.

Puis un bruit de pas se fit entendre, et tous les occupants du
grand hall redressèrent instinctivement le dos.

Les portes s'ouvrirent à la volée. Deux gardes d'élite entrèrent
et se positionnèrent de chaque côté du seuil.

Jennesta fit son apparition. L'ourlet de sa cape, taillée dans
la fourrure noire et luisante d'une créature impossible à identifier,

frôlait les lattes du plancher. Le claquement de ses bottes à talons aiguilles se répercuta à travers la pièce caverneuse.

Tel un oiseau de proie fondant sur sa cible, elle traversa le hall et monta les marches de l'estrade située au fond. Puis elle laissa négligemment tomber sa cape, d'un geste qui ne fut pas sans évoquer un serpent se débarrassant de sa mue. Faisant face à son public, elle s'adressa à lui sans préambule.

—Je ne suis ici que depuis peu de temps, commença-t-elle, mais cela m'a suffi pour voir de quelle façon cette province est gouvernée. Ou, plus important, *par qui* elle est gouvernée. Est-ce par la puissance des forces armées de Peczan? Par les envoyés de l'empire, ou ses législateurs? Par la fraternité de l'Hélice?

Elle balaya froidement la foule du regard.

—Non. Les véritables dirigeants d'Acurial sont les créatures mêmes que vous êtes censés contenir. Des rebelles. Des terroristes. De la vermine orc. Comment pourrait-il en être autrement quand leur prétendue Résistance frappe à volonté? Quand le bétail court en liberté dans les rues de la capitale? Quand des patrouilles tombent dans des embuscades et que des incendies ravagent des bâtiments administratifs?

Elle marqua une pause pour laisser à son auditoire le temps de digérer ces paroles.

—La discipline laisse terriblement à désirer dans cette colonie. Il est nécessaire de faire des exemples, et pas seulement parmi les indigènes.

Du menton, elle fit signe aux soldats postés à l'entrée. Ceux-ci ouvrirent la porte, et deux gardes du corps morts-vivants pénétrèrent dans le grand hall en traînant les pieds. Entre eux, ils tenaient un militaire à l'air terrifié, qui portait des menottes et des fers aux chevilles.

L'apparition des gardes du corps et l'odeur peu ragoûtante qui les accompagnait incitèrent la foule à s'écarter spontanément devant eux. En silence, les spectateurs regardèrent les zombies pousser leur prisonnier jusqu'à l'estrade, où le malheureux s'immobilisa tremblant devant la sorcière.

—La responsabilité de l'outrage subi hier incombe à de nombreuses personnes, reprit Jennesta, mais pour les besoins de ma démonstration, cet homme représentera tous ceux qui, par incompétence ou par négligence, ont failli à leur devoir. (Elle tourna son regard méprisant vers l'accusé, qui fit de son mieux pour se tenir droit.) Vous êtes bien le sergent chargé d'un des barrages qui protège l'accès au secteur administratif dans lequel se trouve le bureau des recensements?

—Oui, madame.

—Et vous avez laissé passer une bande de terroristes orcs qui s'apprêtaient à attaquer un de nos bâtiments?

—Ils étaient accompagnés par un officier humain, madame. Je…

—Répondez à la question! Les avez-vous laissé passer?

—Oui, madame.

—Par conséquent, vous admettez votre faute. Une négligence aussi grave exige un châtiment d'égale importance. Préparez-vous à payer le prix de votre faute.

Le sergent se raidit. Sans doute s'attendait-il qu'on l'emmène et qu'on le jette dans un donjon, ou dans le pire des cas, que les gardes du corps l'abattent sur place. Il n'en fut rien.

Au lieu de cela, Jennesta ferma les yeux. Les spectateurs à la vue la plus perçante remarquèrent que ses lèvres remuaient en silence, et que ses mains esquissaient quelques gestes discrets.

Le condamné la fixa d'un air mystifié. Les spectateurs échangèrent des regards perplexes.

—Là, dit Jennesta sur un ton presque aimable, en rouvrant ses yeux étranges.

Pendant un moment, il ne se passa rien. Puis le sergent poussa un grognement. Il leva les mains et pressa ses paumes sur son front. Un des zombies tira sur la chaîne de ses menottes, le forçant à baisser les bras. Le prisonnier gémit, et ses yeux roulèrent dans leurs orbites. Il vacilla comme s'il allait tomber. Ses gémissements d'abord espacés et gutturaux se firent continus et montèrent dans les aigus.

Sur ses tempes et le long de la racine de ses cheveux, sa peau prit une teinte violacée d'ecchymose. Sa tête enfla de manière visible, et dans le silence de mort qui s'était abattu sur le grand hall, la foule entendit un craquement comme sa boîte crânienne cédait sous la pression.

Le sergent se tordit de douleur et hurla. Une seule fois. Puis, tel un melon trop mûr que l'on aurait laissé tomber du haut d'un rempart, sa tête explosa. Des morceaux de cuir chevelu, des fragments d'os et des bouts de cervelle retombèrent en pluie. Un torrent écarlate se déversa du moignon de son cou. Son corps fit un pas titubant avant de s'écraser sur le sol, où il continua à tressauter dans la mare visqueuse qui s'élargissait autour de lui.

Beaucoup de spectateurs du premier rang avaient été éclaboussés par l'explosion. Une puanteur insupportable planait dans l'air. Un des zombies, remarquant du sang et de la cervelle sur son avant-bras nu, commença à se lécher avec une bruyante délectation.

— Que cela vous serve de leçon ! entonna Jennesta sur un ton sévère. Cet homme a avoué sa faute, c'est pourquoi il a bénéficié d'une sentence miséricordieuse. Les auteurs de transgressions futures n'auront pas droit à une telle mansuétude. (Elle porta une main à son front.) Cet effort m'a fatiguée. Retirez-vous – tous autant que vous êtes. Sauf vous, Hacher.

Les spectateurs ne se le firent pas dire deux fois. Ils sortirent précipitamment, plusieurs d'entre eux se tamponnant le visage avec un mouchoir ou fonçant vers les latrines les plus proches.

Hacher lui-même était en train de s'essuyer quand Jennesta s'approcha de lui, flanquée par ses gardes du corps morts-vivants.

— J'imagine que vous avez bien compris le message, général, lança-t-elle.

Hacher jeta un coup d'œil au cadavre sans tête du sergent. Du sang gouttait du bord de l'estrade.

— Parfaitement, madame.

— Tant mieux. J'entends donc observer des changements en profondeur dans la manière dont cette colonie est gouvernée. Sans quoi, vous et votre administration ferez connaissance avec ma moitié la moins clémente. Est-ce bien clair ?

— Limpide, madame.

— Je connais les orcs. Et je sais que la seule chose qu'ils respectent, c'est la force. S'ils osent lever une main séditieuse contre vous, tranchez-la. S'ils tuent un seul soldat, envoyez dix d'entre eux à l'abattoir. S'ils ont l'audace de se soulever, pulvérisez-les. Ne leur laissez pas le moindre doute sur le fait que le maître ici, c'est vous. Sans quoi, vous mettrez en péril nos projets pour cette colonie.

—Projets qui consistent en quoi?

—Nous voulons exploiter les ressources de ces contrées et, en particulier, la plus précieuse de ses richesses, révéla Jennesta.

—Je crains que vous soyez déçus sur ce point. Les rares veines d'or et d'argent que nous avons découvertes ne…

—Ce à quoi je pense vaut bien davantage que du métal.

—Je ne vous suis pas.

—Le principal atout d'Acurial ne gît pas sous sa surface – il marche dessus.

—Vous voulez parler… des natifs eux-mêmes?

—Précisément. Les orcs ont le potentiel de devenir la plus grande force martiale que ce monde ait jamais connue.

—Mais ce sont des êtres passifs – du moins, pour la plupart, protesta Hacher. Ceux qui ont pris les armes contre nous sont l'exception qui confirme la règle.

—Comme je viens de vous le dire, je connais leur véritable nature. Je sais de quoi ils sont capables. Tous jusqu'au dernier.

—Même s'ils possèdent une agressivité cachée, et que vous parvenez à la faire ressortir, pourquoi se battraient-ils pour nous?

Jennesta indiqua ses gardes du corps.

—Parce qu'ils n'auront pas le choix. Une fois soumis à ma volonté, ils me témoigneront une obéissance absolue. Imaginez ça: une armée d'esclaves aussi féroces que dociles.

—Et vous avez le soutien de Peczan?

—En ce qui vous concerne, Hacher, je *suis* Peczan. Alors, laissez-moi me charger de la stratégie et contentez-vous d'instiller une saine terreur dans le cœur de la population.

Au même moment, une autre réunion avait lieu à Taress, non loin de la forteresse, dans l'un des nombreux refuges de la Résistance.

La cardinale Sylandya, qui ne s'aventurait que très rarement hors de sa cachette, était venue sous bonne escorte et par des chemins détournés. Elle avait pris place au centre de l'assemblée, un gobelet de brandy coupé à l'eau dans la main.

—Hier, vous avez accompli un grand exploit, dit-elle en portant un toast à ses enfants et à Coilla. Les Belettes se sont bien débrouillées pour leur première mission sur le terrain.

—Il était temps qu'on laisse leur chance aux femelles, répliqua Coilla.

—Votre opération a été un triomphe, acquiesça Sylandya. Les impôts que vous avez ramenés ont rempli nos coffres, et je me réjouis particulièrement que vous ayez récupéré toutes ces œuvres volées.

—On ne remportera pas cette bataille à coups de statuettes, fit remarquer Haskeer.

—Ne sous-estimez pas la valeur symbolique de leur sauvetage. Elle montre à la population que l'héritage culturel des orcs a de l'importance.

—Et que certains d'entre nous sont prêts à se dresser contre l'oppresseur, ajouta Brelan.

Sylandya hocha la tête.

—Nous devons porter d'autres coups comme celui-là. Qui sait ? Si les occupants semblent débordés, les ennemis que Peczan possède dans l'Est et dans le Sud s'en trouveront peut-être enhardis.

—Les contrées orientales et septentrionales sont loin d'ici, mère, lui rappela Brelan. Et également peuplées par des humains – des tribus barbares pour la plupart. Il semble peu probable que nous recevions de l'aide de ce côté-là.

—Je pense qu'il a raison, intervint Stryke. Vous ne pouvez compter sur aucune aide extérieure.

—Ne devriez-vous pas dire : « *nous* ne pouvons compter » ? releva Sylandya. À moins que vous, les orcs du Nord, vous considériez comme étrangers à cette lutte.

—Cette lutte concerne toute notre race. C'est pour ça que nous sommes ici, lui rappela sévèrement Stryke.

— Pourrait-on revenir au sujet qui nous préoccupe ? réclama Chillder. Grilan-Zeat doit arriver dans à peine plus d'une semaine et…

— Si elle vient, tempéra Haskeer.

— Nous devons croire qu'elle viendra. Cet espoir est peut-être mince, mais c'est le seul que nous ayons. Toute la question est de savoir ce que nous pouvons faire d'autre pour hâter un soulèvement.

— Éliminer Jennesta, répondit Coilla sans hésiter. Ça leur porterait un sacré coup.

— Et ça provoquerait des représailles impitoyables.

— N'est-ce pas ce que nous souhaitons – un choc assez violent pour tirer la population de son apathie ?

— Nous avons discuté de votre projet d'assassinat, et nous avons convenu que ça valait la peine d'essayer, révéla Brelan.

Coilla sourit.

— Tant mieux.

— Mais pas tout de suite.

— Pourquoi attendre ? grommela Haskeer. Plus tôt on la tuera, mieux ça vaudra.

— Nos contacts à l'intérieur de la forteresse ont besoin de temps pour se préparer et nous confectionner un plan des lieux. Entre-temps, nous continuerons à harceler les humains. Nous avons en tête une mission très spéciale qui devrait les ébranler.

— De quoi s'agit-il ? s'enquit Stryke.

— Ne t'inquiète pas, nous vous tiendrons au courant. Mais pour l'instant, nous devons escorter notre mère loin d'ici. Les autorités aimeraient trop lui mettre la main dessus ; nous devons à tout prix la soustraire à leurs recherches.

— Vous la conduisez dans une nouvelle cachette ? interrogea Coilla.

— Oui. Mais je ne vous dirai pas où. Personne ne pourra vous faire avouer sous la torture ce que vous ignorez.

Brelan et Chillder s'en furent avec Sylandya. Les deux autres résistants qui avaient assisté à la réunion les accompagnèrent.

À peine étaient-ils partis que Spurral et Dallog arrivèrent. Peu de temps après, Pepperdyne les rejoignit, encore dégoulinant de sueur après une séance d'entraînement. Il traînait Standeven derrière lui.

—Il y a du nouveau, annonça Stryke. Ils ont accepté que nous tentions d'éliminer Jennesta.

À l'aide d'une louche, Pepperdyne puisa de quoi se rafraîchir dans un tonneau.

—Vraiment ?

—Tu n'as pas l'air plus excité que ça.

—Je suis prudent, voilà tout. Ce sera certainement une mission dangereuse, pas vrai ?

—Jusqu'ici, ça n'a pas eu l'air de t'inquiéter.

—Nous voulons toujours nous venger de Jennesta, intervint précipitamment Standeven. Mais c'est une sorcière redoutable.

—Tu ne nous apprends rien, répliqua Coilla.

Stryke fixa les deux humains.

—Je voulais vous demander quelque chose. Quand on s'est rencontrés, vous nous avez dit que vous recherchiez Jennesta parce qu'elle vous avait volé une cargaison de… gemmes, c'est ça ?

—Absolument, acquiesça Standeven.

—Mais nous savons qu'elle ne se trouvait plus sur Maras-Dantia depuis des années. Pourquoi avez-vous mis autant de temps à vous lancer à sa poursuite ?

—Le monde est vaste, répondit Pepperdyne. Du moins, le nôtre l'était. (Il secoua la tête comme pour s'éclaircir les idées.) Tu vois ce que je veux dire. Il faut du temps pour monter une expédition – et de l'argent, aussi. Mon maître ici présent a dû recruter une petite armée de mercenaires ; puis nous avons voyagé à travers plusieurs continents et…

—Je trouve que tu parles beaucoup pour un simple serviteur. Ton maître ne peut-il pas s'expliquer lui-même ?

—Pepperdyne a toujours eu une langue d'argent, se justifia maladroitement Standeven. Je dis souvent qu'il est meilleur négociateur que moi. Les mots lui viennent naturellement.

Haskeer détailla Pepperdyne d'un regard soupçonneux.

—Tu n'es pas un putain de conteur, j'espère ? Je déteste ces salopards. Toujours en train d'inventer des histoires débiles sur nous et de nous faire passer pour les méchants. À les écouter, on serait bâtis comme des latrines en brique et on détesterait la lumière. Ils prétendent même qu'on dévore des bébés, alors qu'on ne mange jamais de chair humaine – à moins qu'il n'y ait rien d'autre à se mettre sous la dent.

—Non, je ne suis pas un conteur, le rassura Pepperdyne.

—Ne va pas parler de ces trucs à l'extérieur de l'unité, Haskeer, exigea Stryke. Les orcs de ce monde ne comprendraient pas, et ils nous considèrent déjà comme assez différents d'eux. (Il reporta son attention sur les humains.) Je ne sais toujours pas quoi penser de vous. Mais ne commettez pas l'erreur de nous prendre pour des imbéciles.

—Même pas en rêve, répliqua froidement Pepperdyne.

—Tu es trop dur, Stryke, protesta Coilla. Je dois la vie à Pepperdyne. Il a prouvé qu'il était de notre côté.

Il n'échappa à personne qu'elle s'était bien gardée de mentionner Standeven.

—Peut-être. Nous verrons.

—Maintenant, ça ne vous dérange pas qu'on aille manger ? lança Pepperdyne.

Et sans attendre de réponse, il sortit avec Standeven.

Lorsque la porte se fut refermée derrière eux, Coilla demanda à Stryke :

—Pourquoi te montres-tu si hostile envers eux tout à coup ?

—Plus je réfléchis à leur histoire, plus je réalise que ça ne colle pas. Pepperdyne est peut-être réglo, mais l'autre…

—Je ne te dis pas le contraire. Mais sans Jode, je ne serais plus là.

—*Jode ?*

—Quand quelqu'un te sauve la mise – deux fois –, ça tend à te mettre dans de bonnes dispositions vis-à-vis de lui.

—Jamais je n'aurais cru qu'un jour viendrait où tu considérerais un humain comme ton ami.

—Je voudrais juste que tu le lâches un peu. Il nous a été très utile jusqu'ici.

Stryke promena un regard à la ronde.

—Tu n'as pas dit grand-chose, Jup, fit-il remarquer.

—À propos des humains ? Je n'ai pas d'opinion, mis à part que leur race dans son ensemble ne m'inspire pas confiance.

—Il y a autre chose, intervint Spurral en lui passant un bras autour de la taille. Tu boudes depuis plusieurs jours. Crache le morceau.

—Eh bien…, il est peu probable que je participe à la mission contre Jennesta, pas vrai ? Ou à quoi que ce soit d'autre, d'ailleurs. Ce n'est pas comme si je pouvais me faire passer pour une femelle.

—Pourquoi pas ? ricana Haskeer. Je suis sûr que tu serais croquignolet en robe.

—La ferme, Haskeer ! aboya Jup. Je ne suis pas d'humeur.

—Je sais que c'est difficile pour toi, compatit Stryke, mais ton tour viendra.

—Quand ?

—Tu pourrais faire quelque chose ce soir.

Le visage de Jup s'éclaira.

—Vraiment ?

—Que dirais-tu d'une petite mission de harcèlement nocturne ?

—Tu penses à quoi exactement ?

—À déclencher une bonne bagarre. Ça te dit ?

Chapitre 24

Après le coucher du soleil, les rues de Taress auraient dû être désertes à l'exception des patrouilles chargées de faire respecter le couvre-feu. Pourtant, ce soir-là, un groupe de non-humains se déplaçait furtivement à travers la capitale, se faufilant d'une tache d'ombre à une autre.

Leurs silhouettes étaient au nombre de dix. Stryke avait tenu à ce que l'affaire se déroule entre Renards. Ses officiers Coilla, Jup et Haskeer le suivaient de près ; les vétérans Orbon, Zoda, Prooq, Reafdaw, Finje et Noskaa fermaient la marche. Enfilant ruelles pavées et venelles sinueuses, ils se dirigeaient vers un quartier qui devait grouiller de citoyens pendant la journée.

Une seule fois, ils croisèrent une patrouille – un escadron de deux douzaines d'hommes en uniforme ou en robe, qui éclairaient leur chemin avec des lanternes dont l'intense lumière violette ne pouvait être que d'origine magique. Ils se cachèrent jusqu'à ce qu'elle soit passée, rencognés sous des portes cochères ou tapis à l'entrée d'impasses sombres.

Enfin, ils atteignirent une large avenue à laquelle l'absence de toute vie et de tout mouvement conférait un aspect lugubre. Seule une brise légère agitait l'air moite.

Dissimulés derrière le coin d'un gros bâtiment, les Renards observèrent leur cible. Située du côté opposé de la route, celle-ci était une simple bâtisse en brique de plain-pied, comme il y en avait un peu partout dans cette ville. Parce qu'elle servait à la fois de poste de garde et de baraquement, elle ne possédait qu'une porte robuste et des meurtrières en guise de fenêtres. Sur la droite, quatre ou cinq chevaux étaient attachés à une rambarde. Deux hommes montaient la garde devant l'entrée.

— Alors, vous en pensez quoi ? chuchota Stryke.

— On a déjà pris des endroits mieux surveillés alors qu'on était saouls comme des cochons, répondit Jup. Tu sais combien ils sont à l'intérieur ?

Stryke secoua la tête.

— Aucune idée. (Il jeta un coup d'œil à Coilla.) Tu es toujours d'accord ?

— Bien sûr.

Il vérifia que tous les autres étaient prêts.

— Dans ce cas, vas-y.

Coilla sortit de leur cachette et s'élança vers le poste de garde.

Au début, les sentinelles ne la virent pas. Puis elles sursautèrent et sortirent leur épée du fourreau.

— À l'aide ! hurla Coilla. Aidez-moi, je vous en supplie !

Surpris, les gardes échangèrent un regard perplexe. Ils conservèrent une posture défensive, mais sans conviction.

Coilla continua à courir vers eux en hurlant et en agitant les bras pour exprimer toute son impuissance et sa terreur de faible femelle. Les gardes la fixèrent sans réagir.

Stryke aboya un ordre. Deux vétérans se précipitèrent à découvert, l'arc bandé. Coilla se jeta à terre.

Deux flèches se plantèrent dans la poitrine des gardes, qui s'écroulèrent.

Tandis que Coilla se relevait, la porte du bâtiment s'ouvrit. Alertés par le bruit, des humains se déversèrent dans la rue. Beaucoup étaient torse nu ou mal fagotés, mais tous brandissaient une épée. Coilla dégaina la sienne et leur fonça dessus en rugissant.

Les autres Renards reprirent son cri de guerre en chœur et chargèrent.

Coilla atteignit le premier des soldats. Celui-ci commit l'erreur d'essayer de la plaquer à terre. Comme il plongeait vers elle, la femelle orc lui lacéra le torse de sa lame. Quand il se plia en deux, elle lui plongea son épée dans le dos.

Un deuxième homme se présenta immédiatement. Alarmé par le sort de son camarade défunt, il avançait avec méfiance. Coilla se rua sur lui, et leurs épées s'entrechoquèrent. Ils échangèrent des coups dont la clameur métallique se répercuta à travers le calme nocturne. L'humain maniait son arme avec une certaine finesse, mais Coilla avait l'avantage de la brutalité. Écartant l'épée de son adversaire, elle piqua dans la brèche ainsi ouverte et lui transperça un poumon.

Avec un rugissement, le reste des orcs arriva au contact. Les deux camps se rencontrèrent, et une mêlée sanglante s'engagea – puis se fragmenta rapidement en une série de duels discrets.

Haskeer faisait le vide autour de lui à coups de hache à deux mains. Le premier humain qu'il se choisit comme adversaire goûta bientôt du tranchant de sa lame. Il poussa un hurlement et tituba en arrière, son bras gauche ne tenant plus à son épaule que par un fil. Un soldat qui chargeait fut la seconde victime d'Haskeer : d'un geste aussi rapide que violent, l'orc le frappa au cou, le décapitant net.

La tête de l'homme rebondit sur un mètre ou deux et s'immobilisa devant Jup. Celui-ci l'écarta d'un coup de pied et reporta son attention sur deux gardes armés de lances qui le fixaient d'un air hébété. Au choc de se trouver face à une créature inconnue s'ajoutait la surprise de voir un humanoïde se battre du côté des orcs. Jup profita de leur hésitation pour se jeter sur eux.

Il ne lui fallut pas longtemps pour réaliser qu'il avait l'avantage. Les soldats maniaient leur lance avec énergie mais peu de précision. Jup, en revanche, était un maître du bâton. Un déplacement adroit lui permit de franchir les défenses du premier humain et de lui porter un coup brutal qui lui brisa le crâne.

Le second humain recula en agitant sa lance devant lui pour maintenir Jup à distance. Le nain feignit de s'avancer, esquiva l'arme de son adversaire et tenta de le frapper à la tempe. Le soldat bondit sur le côté et évita le coup de justesse. Jup se ressaisit aussitôt. Baissant son bâton, il balaya les jambes de l'humain. Celui-ci partit en arrière et s'écrasa lourdement sur le sol. Reafdaw, qui se battait non loin de là, pivota et lui plongea son épée dans le ventre. Nain et orc levèrent le pouce pour se féliciter mutuellement avant de reprendre le combat.

Quelqu'un fit sonner la cloche d'alarme montée près de la porte du poste de garde. Le tintement strident fendit la nuit telle une hachette. Zoda banda son arc et décocha une flèche. Le projectile manqua sa cible et ricocha sur le mur en faisant sauter un éclat de maçonnerie. Zoda saisit hâtivement une autre flèche.

Haskeer s'était frayé un chemin jusqu'au bâtiment. Il arma sa hache par-dessus son épaule, assez loin pour que la lame touche presque la base de sa colonne vertébrale. Puis il la projeta avec un grognement. Culbutant dans les airs, son arme vola au-dessus des belligérants et vint frapper la poitrine du sonneur avec assez de force pour le clouer à la porte.

Le battant orné de cette macabre décoration pivota vers l'extérieur, livrant passage à deux lambins. Quand ils claquèrent la porte derrière eux, l'impact imprima un léger mouvement de balancier au corps suspendu.

Stryke affrontait un sergent solidement bâti. Par choix ou par nécessité, celui-ci se battait avec un maillet de fer à long manche, qu'il maniait avec autant de dextérité que Stryke son épée. Et apparemment, il était infatigable : pas une seule fois son marteau ne s'était immobilisé depuis le début du duel. À plusieurs reprises déjà, sa tête métallique était passée dangereusement près du crâne de Stryke, et son allonge supérieure empêchait l'orc de riposter.

Stryke finit par se lasser de ce petit jeu du chat et de la souris. Au lieu de viser l'homme, il décida de se concentrer sur son arme. Tout en esquivant une nouvelle attaque, il pivota et abattit sa lame sur le manche du maillet. L'acier mordit dans le bois non loin de la tête métallique, mais ne parvint pas tout à fait à le sectionner. Une brève lutte permit aux deux adversaires de dégager leurs armes.

Reculant d'un pas, le sergent grimaça et leva son marteau pour porter un coup décisif. Il le fit avec tant de force que le manche affaibli céda. La tête métallique vola par-dessus son épaule et retomba sur un de ses camarades, lui défonçant le crâne. Mais le sergent ne s'était rendu compte de rien, et il abattit son moignon d'arme sur

Stryke. Il était déjà au milieu de son geste quand il réalisa que la tête avait disparu. Pendant qu'il fixait, bouche bée, le manche inutile qui lui restait entre les mains, Stryke l'embrocha.

Les Renards avaient eu raison des gardes. La plupart de ces derniers gisaient morts ou blessés, et les orcs ne faisaient pas de cadeaux à ceux qui restaient encore debout. Stryke aboya un ordre. Son unité se précipita vers le poste de garde.

Coilla fut la première à l'atteindre. Ouvrant à la volée la porte toujours ornée d'un soldat mort, elle s'engouffra à l'intérieur du bâtiment.

Celui-ci n'était guère plus qu'un long dortoir. Des paillasses s'alignaient contre un mur ; des casiers et des coffres s'empilaient contre l'autre. Tout au fond, une porte entrebâillée conduisait aux latrines. Coilla estima que l'endroit était désert.

Elle se trompait.

Comme elle longeait la rangée de paillasses, un humain bondit en brandissant une épée. Il s'était caché entre deux des lits, plaqué à terre pour tendre une embuscade aux intrus ou pour échapper à leur attention. Il se jeta sur Coilla en braillant quelque chose. La femelle orc pivota, dévia sa lame et lui lança son pied dans l'estomac. L'humain atterrit sur une paillasse, lutta pour se redresser et y parvint à demi. Puis il retomba en arrière avec un grognement, l'épée de Coilla plantée dans le ventre. La femelle orc l'acheva d'un coup en plein cœur.

Pour ce qu'elle pouvait en dire, ce soldat-là était plus jeune que les autres. Elle se demanda pourquoi il n'avait pas essayé de se rendre – même si elle ignorait comment elle aurait réagi le cas échéant.

La porte s'ouvrit. Jup, Haskeer et Stryke entrèrent, suivis par plusieurs autres Renards.

—La voie est libre ? interrogea Stryke.

—Maintenant, oui, répondit Coilla.

Ses camarades procédèrent tout de même à une fouille rapide des lieux.

—Regardez ça, dit Jup en s'agenouillant près d'un coffre ouvert.

Les autres se rassemblèrent autour de lui. Un vétéran s'empara d'une lanterne et la brandit au-dessus du coffre. Celui-ci était plein de sables militaires huilés et enveloppés dans de la mousseline.

—Flambant neufs, commenta Stryke, et de belle facture apparemment. On prend tout ce qu'on peut.

Ils soulevèrent quatre caisses et les portèrent dehors. La porte se referma derrière eux.

—On fout le feu? s'enquit Coilla.

Stryke leva les yeux vers le ciel qui s'éclaircissait.

—Non. Le soleil ne tardera pas à se lever. Il faut bouger d'ici. (Il se tourna vers Jup.) Tu te sens mieux?

Le nain sourit.

—Faire couler le sang, il n'y a rien de tel pour dissoudre les toiles d'araignée qui t'encombrent l'esprit. C'est bon de…

À cet instant, les chevaux attachés à la rambarde hennirent et se mirent à racler le sol de leurs sabots. Un humain se hissa sur le dos de l'un d'eux, qu'il avait dû détacher au préalable, et s'éloigna au galop. Coilla projeta un couteau de lancer dans sa direction, mais l'arme retomba sur les pavés sans avoir touché sa cible. Deux des Renards firent mine de se lancer à la poursuite du fuyard.

—Laissez-le! ordonna Stryke en leur faisant signe de revenir.

—Il avait l'air blessé, dit Jup.

Haskeer acquiesça.

—À mon avis, il a fait le mort jusqu'à ce qu'il ait l'occasion de s'enfuir.

—Ça n'a plus d'importance, coupa Stryke. Nous avons fait ce que nous étions venus faire. Filons.

Le cavalier ne portait pas de tunique, et sa chemise blanche était tachée de sang. Penché en avant sur sa selle, le visage déformé par un rictus de douleur, il galopait pour s'éloigner le plus vite possible.

Les rues étaient toujours désertes. Mais l'aube se lèverait bientôt, et avec elle, le couvre-feu s'achèverait.

Sans le savoir, le cavalier blessé passa en trombe près de quelque chose d'incongru. Sur le côté de la route se trouvait une petite poche d'espace en conflit avec la réalité, une bulle qui repoussait la lumière.

Pelli Madayar était dissimulée au sein de cette anomalie. Dans sa main, elle tenait un cristal. La pierre avait la taille d'un œuf, et des marques qui la faisaient ressembler à une représentation abstraite d'un œil ouvert, marbré de couleurs semblables à celles d'une flaque d'huile sur de l'eau. L'elfe la tendit à bout de bras et, lentement, balaya la scène distante de plusieurs blocs – l'endroit où les Renards s'échappaient dans l'obscurité mourante avec leurs caisses de butin.

—Vous voyez ? lança-t-elle, apparemment dans le vide.

—Je vois, répondit une voix qui émanait du cristal, étrangement distordue par son passage à travers d'innombrables mondes. Cela confirme que les orcs interfèrent dangereusement avec les affaires de ce monde. Mais nous le savions déjà. Pelli, vous devez agir.

—Je suis consciente de mon devoir. Je crains seulement qu'en essayant de prévenir les dégâts que pourraient causer les Renards nous ne réussissions qu'à empirer la situation. Les choses sont complexes ici. Il faut choisir notre moment avec soin.

—Vous êtes confrontée au paradoxe inhérent de notre Brigade : pour empêcher les interférences, nous devons interférer.

—Alors, comment dois-je procéder ?

—Faites appel à votre bon sens. Si je ne vous pensais pas capable de gérer la présente irrégularité, vous ne seriez pas responsable de cette mission. Mais prenez garde, Pelli. Plus vous repoussez le moment d'intervenir, plus les événements vont pourrir et la situation se gangrener. Quand vous frapperez, vous devrez porter un coup décisif.

—Je comprends.

—N'oubliez surtout pas : les Renards doivent être arrêtés à tout prix.

—Je ne peux pas m'empêcher de penser que le sort est sur le point de leur infliger un châtiment bien trop sévère. Plus je les observe, plus ils me semblent n'être que des pions au sein de ce drame.

—C'est tout à fait possible. Mais ils appartiennent à une race martiale. Côtoyer la mort fait partie de leur routine. Je le répète : vous devez oublier la compassion, voire la considération que ces créatures peuvent vous inspirer. Ne mollissez pas, Pelli. De grandes forces destructrices ont été mises en mouvement, et elles sont sur une trajectoire de collision.

Au lever du soleil, une activité inhabituelle se manifesta autour du château de Taress.

Des ouvriers orcs descendirent dans la douve vide pour déblayer les débris accumulés au fil des ans avant que l'on rouvre les vannes pour laisser entrer l'eau. Des équipes entreprirent de renforcer les autres défenses, en fixant d'épais barreaux de métal aux fenêtres inférieures ou en blindant la porte principale à l'aide de feuilles de métal.

Debout sur la route d'accès, Kapple Hacher observait la progression des travaux. Près de lui, son aide de camp, Frynt, cochait des tâches sur une liste au fur et à mesure.

—C'est tout à fait honteux que le régime précédent ait laissé cet endroit se dégrader à ce point, commenta Hacher. Ses défenses sont pitoyables.

—Les orcs ne sont pas une race belliqueuse, monsieur. J'imagine qu'ils n'en voyaient pas le besoin, argumenta Frynt.

—Pourtant, ils se sont quand même donné la peine de bâtir une forteresse. (Hacher prit un air songeur.) Ce qui me fait penser…

—Monsieur ?

—Rien. Penses-tu que les travaux seront finis à temps ?

—Ils devraient l'être si nous faisons travailler les ouvriers jour et nuit.

—Augmente la main-d'œuvre si nécessaire. Je veux que ce soit terminé le plus tôt possible.

—Vous croyez vraiment que nous pourrions être attaqués, monsieur ?

—Avec ce qui se passe ces derniers temps, tout est possible. Et je ne veux surtout pas nous exposer au déplaisir de l'émissaire.

—Oui, monsieur. Mais cela suffira-t-il pour satisfaire dame Jennesta ?

—En soi, non. Ce n'est qu'une mesure parmi beaucoup d'autres. Les représailles que je planifie devraient l'amadouer quelque peu. Au moins pendant un certain temps.

—Oui, monsieur. Espérons-le.

—Et à ce propos… (Hacher regarda autour de lui comme pour vérifier que nul ne les espionnait. Il baissa la voix.) Je viens de recevoir une nouvelle qui pourrait se révéler cruciale.

—Monsieur ?

—Souffle un mot de ceci à quiconque et je te coupe la langue, c'est compris ?

Frynt eut l'air offensé par la perspective d'être séparé de l'organe en question.

—Bien entendu, monsieur.

—Nous avons un informateur. Et pas un de ces traîtres de bas étage habituels. Non, il s'agit d'un membre de la Résistance même – quelqu'un qui est très proche de ses dirigeants.

—Vraiment, monsieur ? Puis-je vous demander de qui il s'agit ?

Hacher aurait peut-être répondu à la question, et peut-être pas. Frynt ne devait jamais le savoir, car à cet instant, les gardes chargés de superviser les ouvriers orcs poussèrent un chœur d'exclamations.

Un soldat venait d'arriver à cheval. Sa chemise était tachée de sang, et il criait des paroles incohérentes. Les gardes se précipitèrent vers lui. Il leur tomba dans les bras.

Chapitre 25

— Vas-tu cesser ce raffut ? rugit Haskeer.

Wheam frémit et retira la main des cordes de son luth.

— Je ne faisais que…

— Tu ne faisais que me rendre dingue, répliqua Haskeer. Maintenant, range ce maudit machin et suis-moi.

— Où ?

— Stryke veut te voir. Du diable si je sais pourquoi. Bouge ton cul.

Haskeer entraîna le jeune orc vers le fond du refuge, où se dressait une porte fermée. Fidèle à lui-même, il entra sans se donner la peine de frapper.

Cette pièce était la plus grande du bâtiment, et elle était bondée. On aurait dit que tous les Renards se trouvaient là, en compagnie de plusieurs résistants et de quelques Belettes.

Stryke se tenait près de la porte.

— Le voilà, annonça Haskeer. Mais je me demande vraiment pourquoi tu as réclamé…

— Ça ira, sergent, coupa Stryke. Postez-vous quelque part et fermez-la.

Grommelant entre ses dents, Haskeer alla s'adosser à un mur, les bras croisés sur la poitrine et l'air maussade.

Wheam leva les yeux vers Stryke et déglutit.

— Vous avez besoin de moi, capitaine ?

—Nous sommes en train de préparer une mission, et nous aurons besoin de tout le monde pour la mener à bien. Toi y compris.

—Moi? Mais…

—Il n'y a pas de place pour les poids morts dans cette unité. Il est temps que tu fasses tes preuves.

—Je… Je ne voudrais pas vous décevoir.

—Alors, veille à ne pas le faire. Maintenant, tais-toi et trouve-toi une place, ordonna Stryke avec un geste impérieux du pouce.

Wheam aperçut Dallog. Il fendit timidement la foule et alla s'asseoir sur un carré de plancher libre près du caporal.

La plupart des orcs parlaient entre eux à voix basse. Quel que soit le sujet de cette réunion, visiblement, elle n'avait pas encore commencé.

Brelan vint se placer face aux Renards et aux résistants assemblés. Ceux-ci firent le silence.

—Tout le monde est là? Bien. Comme vous le savez tous, Grilan-Zeat ne devrait pas tarder à se montrer. D'ici quelques jours, elle sera à son plus visible. Ma mère s'adressera alors à la population, et le soulèvement commencera – du moins, c'est ce que nous espérons. Mais avant ça, nous devons ramollir l'ennemi, et l'ébranler suffisamment pour qu'il se venge sur les civils. Nous voulons que la colère gronde quand la Cardinale fera son apparition. Voici l'un des moyens que nous allons employer.

Une carte grossièrement dessinée était accrochée au mur derrière lui. Il désigna une zone cerclée de rouge.

—Qu'est-ce que c'est? s'enquit Coilla.

—Un camp militaire. Un petit fort.

—Où se trouve-t-il?

—Un peu à l'extérieur de la ville, vers l'ouest. Depuis le début de notre campagne de harcèlement, la surveillance a été renforcée autour de la plupart des cibles potentielles ici, à Taress, ce qui nous force à pousser nos explorations plus loin.

—C'est quoi, cette ligne ondulée juste à côté du fort?

—Une rivière. Au courant assez fort. Et ici… (du doigt, Brelan indiqua un point situé au bout du cours d'eau)… c'est une chute.

—Il ne sera peut-être pas aussi bien gardé que les sites militaires de la ville, mais c'est tout de même un fort, fit remarquer Jup. Tu n'as pas peur qu'on se casse les dents dessus ?

—Si. C'est pour ça qu'on a besoin de tous les volontaires pour l'attaquer.

—Voilà pourquoi les Belettes participeront à l'opération, expliqua Chillder. Et vous aussi, Jup et Spurral, si vous le voulez.

Les deux nains acquiescèrent.

—Et si on nous voit ? objecta néanmoins Jup.

—Étant donné la manière dont nous comptons nous y prendre, ça n'aura pas d'importance. Et puis, vous resterez cachés jusqu'à ce qu'on soit sorti de la ville.

Au fond de la pièce, Pepperdyne leva une main.

—Comment pouvons-nous… ? (Il jeta un coup d'œil à Standeven affalé près de lui et rectifia :) Comment puis-je me rendre utile ?

—En nous prêtant le concours de ton épée, répondit Stryke. Mais on ne peut pas refaire le coup de l'uniforme une troisième fois.

—Non, confirma Brelan. Ils doivent se méfier maintenant. De toute façon, ça ne sera pas nécessaire pour ce que nous avons en tête. Mais vous devez savoir quelque chose d'autre à propos de ce raid : il aura lieu demain.

—Ça fait court, remarqua Coilla. Pourquoi tant de précipitation ?

—Pour deux raisons. D'abord, la sécurité. Plus il s'écoule de temps entre la conception et la mise en œuvre d'un plan, plus grands sont les risques de fuite.

—Vous avez des traîtres dans vos rangs ?

—Bien sûr que non ! répliqua Brelan sur un ton hautain. Mais rares sont les orcs capables de ne pas craquer dans les chambres de torture de Peczan.

—Quelle est la seconde raison ? s'enquit Stryke.

—Nous avons appris qu'il va y avoir un changement de personnel au fort. Le nouveau contingent est issu des renforts que nous avons accueillis avec une ruée de bétail ; il est censé relever les gardes en place cet après-midi. Donc, demain sera son premier jour complet dans un nouveau casernement. Nous aurons l'avantage de mieux connaître les lieux. Il faut en profiter.

—Ça semble logique. Mais tu ne nous as toujours pas dit comment nous allions entrer là-dedans.

Chillder sourit.

—Nous avons trouvé un moyen.

—Tu crois que ça marchera ? interrogea Coilla.

Stryke haussa les épaules.

—Je te retourne la question. C'est toi, notre maîtresse stratège.

—Leur plan est rusé, mais complexe. Ce qui multiplie les occasions de foirage.

—Qu'y changerais-tu ?

—J'aimerais qu'on ait une solution de repli. Un moyen de fuite au cas où les choses merderaient. Voire plusieurs.

—Des idées ?

Coilla hocha la tête.

—Mais ça priverait la première ligne de quelques combattants, et ça nous obligerait à bosser dur cette nuit.

—Occupe-t'en dès que possible. Je vais en parler à Brelan.

Ils étaient assis sur un muret de pierre, dans la petite cour intérieure de la ferme réquisitionnée par la Résistance. C'était l'un des rares endroits où ils pouvaient parler en privé.

—Tu es sûr de toi, pour Wheam ? Tu veux vraiment l'emmener ? s'enquit Coilla.

—En fait, je préférerais éviter, avoua Stryke. Mais nous devons être aussi nombreux que possible. D'après Brelan, il y aura quelque chose comme deux cents humains dans ce fort. Nous aurons de la chance si nous parvenons à rassembler autant d'orcs. Et puis, Wheam ne s'améliorera jamais si on ne l'emmène pas avec nous sur le terrain.

—Sans supervision ?

—Je demanderai à quelqu'un de garder un œil sur lui.

—Ce qui reviendra à mettre un guerrier hors jeu.

—Dans ce cas, je lui confierai un poste logistique.

— Est-ce que ça en vaut vraiment la peine ?

— Écoute, si Wheam se fait tuer… Tant pis pour lui.

— Tu es sérieux ? Malgré ce que son père nous a dit ?

— Je ne me laisserai pas impressionner par des menaces – qu'elles viennent de Quoll ou de n'importe qui d'autre. Je pensais qu'on avait laissé toute cette merde derrière nous en quittant Maras-Dantia. Si Quoll a un problème avec moi, on pourra le résoudre à l'épée. Personne ne m'empêchera de retourner auprès de Thirzarr et de mes petits.

— Je suis d'accord avec toi. Mais tu es trop dur avec Wheam. Ce n'est pas sa faute s'il est comme ça.

— Peut-être. (Stryke soupira.) Je suppose que je suis un peu nerveux.

— Pourquoi ?

— Je n'imaginais pas que les choses seraient si compliquées. Je voudrais juste sauter toutes ces conneries politiques et passer directement à la partie où on bute Jennesta.

— Tu n'es pas le seul. Nous voulons tous la même chose. Mais en attendant, nous avons l'occasion d'aider d'autres orcs. Ce n'est pas si terrible, non ?

— Sans doute pas.

— Je voudrais que tu m'expliques un truc, Stryke. Tu as des doutes au sujet de Pepperdyne ; pourtant, tu le fais participer au raid. Pourquoi ?

— Je pourrais te répondre que je préfère le garder à l'œil. En vérité, je n'ai toujours pas confiance en lui. Mais nous avons besoin de ses talents de combattant, donc…

— Moi, je pense qu'il est fiable.

— C'est ce que tu ne cesses de répéter, oui. À mon avis, tu manques d'objectivité.

— Parce qu'il m'a déjà sauvé la vie deux fois ? Tu m'étonnes…

— N'oublie pas que c'est un humain, Coilla. Le sang finit toujours par prendre le dessus.

— Nous avons souvent souffert d'être jugés. Et si nous nous abstenions de juger en retour ?

— Certaines personnes méritent de l'être. À moins que tu veuilles tenter de négocier avec l'armée de Peczan ?

Coilla sourit.

—Entre les bleus incompétents et les traîtres humains potentiels, tu ne vas pas savoir où donner de la tête demain.

Quelques heures plus tard, alors que les ombres s'allongeaient et que la plupart des résistants se préparaient pour le raid du lendemain, un humain s'approcha furtivement du refuge. Malgré la température clémente, il était enveloppé d'une cape et portait un chapeau coûteux, suffisamment enfoncé pour dissimuler la moitié de son visage. Jetant un coup d'œil autour de lui, il se faufila à l'intérieur.

Une porte entrouverte se dressait près de l'entrée. Comme l'intrus passait devant, Pepperdyne jaillit de la pièce et lui bondit dessus. Tous deux s'écrasèrent contre le mur d'en face et luttèrent brièvement. Puis Pepperdyne arracha le chapeau de son adversaire.

—Vous! s'exclama-t-il.

—Ôte tes sales pattes de moi! exigea Standeven.

—Là-dedans! gronda Pepperdyne en poussant son maître dans la pièce vide où il s'était dissimulé.

Ignorant ses protestations, il le força à s'asseoir sur une chaise.

—Vous avez de la chance que j'aie été de garde ce soir! Où diable étiez-vous passé?

—Parce que je dois te rendre compte de mes allées et venues, maintenant?

—Quand vous disparaissez des heures entières sans crier gare – oui. Que se passe-t-il?

Standeven s'épousseta avec un soin exagéré.

—J'ai dû sortir.

—Pourquoi faire, vous promener?

—Depuis notre arrivée ici, tu as eu l'occasion de visiter cet endroit. Moi, j'ai passé mon temps enfermé dans des trous à rats puants.

—Au cas où ça vous aurait échappé, mes sorties ne relevaient pas franchement du tourisme.

—C'est ton choix. Moi, j'avais besoin de prendre l'air et de voir d'autres têtes. Je voulais m'éloigner de ces créatures qui t'inspirent tant d'affection.

—C'est pourquoi vous avez été vous balader dans les rues de leur capitale.

—Oui. Et je ne vois pas en quoi cela peut nuire à cette sordide petite entreprise.

—Imbécile! Et si les autorités vous avaient arrêté?

—Elles ne s'intéressent qu'aux rebelles orcs. Ici, les humains ont des privilèges, je l'ai bien vu.

—Les militaires savent qu'un humain est de mèche avec les résistants.

—Donc, tu peux aller et venir à ta guise, mais moi pas. Je te signale que tu n'es pas mon geôlier.

—Il semble pourtant qu'il vous en faille un.

—Si jamais nous rentrons à la maison, je…

—Vous n'arrivez toujours pas à vous fourrer ça dans le crâne, pas vrai? Les choses sont différentes ici. Et elles le sont aussi entre vous et moi.

—Ça ne durera pas éternellement.

—Ça, c'est vous qui le dites.

—Et si jamais les choses redeviennent comme avant, ton sort dépendra de ta conduite actuelle. Tu ferais bien de ne pas l'oublier.

—Je fais de mon mieux pour nous garder en vie. Cela ne suffit-il pas?

Standeven prit un ton conciliant.

—J'apprécie le mal que tu te donnes, Jode. Vraiment.

—Vous avez une drôle de façon de le montrer, grommela Pepperdyne. Comment puis-je savoir ce que vous avez fabriqué à l'extérieur?

—Serais-je assez stupide pour faire quoi que ce soit qui puisse compromettre ma propre sécurité? Mon bien-être est, tout autant que le tien, lié à cette bande hétéroclite de rebelles. (Standeven écarta les mains et fit remarquer:) Je n'ai nulle part ailleurs où aller.

—Le problème avec vous, Standeven, c'est que je ne sais jamais si vous êtes fourbe ou idiot.

—En l'occurrence, c'est probablement la deuxième solution. Je n'aurais pas dû sortir. Je suis désolé.

Pepperdyne rumina les paroles de son maître.

—Si jamais vous me refaites ça…

—Je ne recommencerai pas. Je t'en donne ma parole. Maintenant, oublie ma stupidité et économise ta colère pour demain, lui conseilla Standeven.

Pepperdyne expira profondément et se détendit.

—Oui, demain. La journée devrait être intéressante.

—Je n'en doute pas, acquiesça Standeven.

Chapitre 26

Le fort était vieux. Il avait été bâti à une époque oubliée depuis longtemps, dans le cadre de la défense frontalière d'Acurial. Les orcs pacifistes du présent avaient négligé son entretien, si bien qu'il tombait presque en ruine et que les envahisseurs humains avaient dû entreprendre eux-mêmes sa réfection.

Il se tenait au bord d'une falaise de dix ou douze mètres de haut, face à une plaine qui descendait jusqu'à la côte maritime dans le lointain. En contrebas, au pied de l'à-pic, se dressait une rangée de bâtiments de bois. De facture beaucoup plus récente, ils avaient été construits par les orcs contemporains pour stocker le grain des fermes voisines et abriter leur bétail pendant l'hiver. Mais depuis l'arrivée des humains, plus personne ne les utilisait, et la pourriture commençait à les ronger.

L'autre côté du fort, celui de l'entrée principale, faisait face à un bassin herbeux qui s'étendait jusqu'à la cité de Taress. Non que celle-ci soit visible : même si elle ne s'était pas trouvée beaucoup trop loin, un demi-cercle de collines l'aurait dissimulée. Parce que le fort était sis dans une légère dépression, la route qui conduisait à ses portes descendait en pente douce. Au sud-ouest coulait un des fleuves principaux du pays, également dissimulé par le relief.

Grâce à la disposition du terrain, un groupe d'environ quatre-vingt-dix orcs avait pu s'approcher à couvert et se tapir derrière la crête des collines. Il avait amené avec lui trois chariots, tirés par des chevaux aux sabots enveloppés de tissu. Toutes les précautions avaient été prises pour masquer sa présence. Des embuscades avaient permis d'éliminer les patrouilles et les sentinelles.

Brelan commandait ce groupe qui se composait d'Haskeer, de Dallog, de Pepperdyne, de Wheam, de la moitié des Renards et de soixante-dix résistants. Jetant un coup d'œil par-dessus la crête, il détailla le fort. Celui-ci était bâti en gros blocs de pierre. Il comportait deux tours, et des gardes humains arpentaient son chemin de ronde. En revanche, il n'y avait ni douve ni herse. La route filait en droite ligne vers la double porte de bois qui ressemblait à celle d'une grange – en plus haut et plus solide.

Brelan recula et ordonna qu'on amène les chariots juste en dessous du sommet de la colline. Les chevaux furent détachés et discrètement emmenés à l'écart, puis les orcs démontèrent le panneau avant des véhicules. Chaque chariot transportait un robuste tronc d'arbre à l'extrémité taillée et recouverte d'une calotte métallique, qui fut déplacé vers l'avant et fixé de manière à ce que sa pointe dépasse au-dessus du vide. Un levier central, installé au niveau du banc du conducteur, était relié aux chaînes attachées à l'essieu avant.

Pepperdyne étudia le dispositif.

—Ingénieux. Vous pouvez vraiment tout contrôler avec ce levier?

—Non, admit Brelan. On peut juste rectifier un peu la trajectoire, l'infléchir vers la gauche ou la droite – et il faut déjà pas mal de force pour y arriver. C'est pourquoi nous avons prévu deux paires de bras à bord de chaque chariot.

—Et pour freiner?

—Il n'y a que le frein de base. Et vu le poids transporté, ça m'étonnerait qu'il fonctionne. Nous comptons sur le fait que les chariots s'arrêteront d'eux-mêmes, une fois ralentis par les portes et le plat du terrain.

—C'est un peu hasardeux, non?

—C'est le mieux que nous avons pu faire.

En se détournant, Pepperdyne aperçut Wheam qui se tenait non loin de là. Ses lèvres remuaient, et il semblait très concentré.

—Ça va, Wheam?

Le jeune orc acquiesça et poursuivit à voix haute :

— Cent quatre, cent cinq, cent six…

— Tu t'en sors bien, le félicita Pepperdyne. Continue comme ça.

— Cent sept, cent huit, cent neuf…

— Parfait, approuva Stryke. Tâche de garder le rythme.

Spurral leva le pouce et continua à compter entre ses dents.

Tous deux faisaient partie du groupe d'une cinquantaine d'orcs qui longeait prudemment le pied de la falaise, en dessous du fort.

Bien entendu, Stryke commandait. Jup, Spurral, Coilla et Chillder lui servaient de lieutenants. Le reste de l'équipe se composait de l'autre moitié des Renards, de toutes les Belettes et d'un contingent de résistants mâles.

Ils progressaient en rasant la falaise, à l'abri d'une étroite corniche pour ne pas se faire repérer. Leur trajectoire les conduisait vers le premier des bâtiments en bois décrépits.

— C'est le troisième qui nous intéresse, rappela Chillder à voix basse.

Stryke acquiesça. Il ne voulait pas prendre le risque de s'avancer à découvert et de foncer tout droit vers leur cible. Aussi fit-il signe à deux vétérans qui, avec mille précautions, entreprirent de détacher quelques planches pourries du flanc de la première bâtisse. Lorsqu'ils eurent ménagé une brèche assez large, Stryke fit signe à ses camarades d'entrer à la queue leu leu.

L'intérieur empestait la moisissure, et le plancher était jonché de gravats. Le peu de lumière qui s'infiltrait par les fissures de la maçonnerie leur suffisait tout juste pour y voir. Ils trébuchèrent jusqu'au mur d'en face et recommencèrent la manœuvre en utilisant la lame de leur dague comme levier.

Par chance, les bâtiments étaient collés les uns aux autres ; il n'y avait entre eux aucun espace que les intrus auraient dû franchir à découvert. En revanche, il y avait deux couches de planches à passer – mais elles étaient en trop mauvais état pour poser un problème réel.

La seconde bâtisse ressemblait beaucoup à la première, excepté qu'un amas de poutres effondrées bloquait l'accès au mur d'en face. Les orcs perdirent quelques minutes à les déplacer.

—On en est où, Spurral ? interrogea Stryke.

—Quatre cent soixante-dix-neuf, quatre cent quatre-vingts…

—On se bouge, les gars. Le temps presse.

Après avoir dégagé le passage, les orcs attaquèrent le dernier mur. Celui-ci était dans le même état que les autres, et ils l'eurent tôt franchi.

La troisième bâtisse était plus vaste que les précédentes ; elle présentait à peu près les dimensions et la hauteur de plafond d'une grange.

—Par ici, dit Chillder en se dirigeant vers le fond.

Stryke ordonna que l'on allume des lanternes sourdes. Celles-ci révélèrent des tas de débris et de morceaux de bois entassés contre le mur du fond.

—C'est là, annonça Chillder.

Quarante-huit orcs et deux nains s'affairèrent pour déblayer l'obstacle. Bientôt, ils mirent à jour la pierre nue de la falaise. Quand ils en approchèrent leurs lanternes, la lumière jaunâtre mit en évidence une large zone semi-circulaire qui n'était pas de la même couleur que le reste.

—C'est juste du mortier, expliqua Chillder. Nous avons déjà fait le boulot. Vous n'avez plus qu'à abattre ce mur.

Trois ou quatre orcs s'avancèrent avec des masses à la tête enveloppée de chiffons pour étouffer le bruit. Ils attaquèrent le mortier, qui se fissura et tomba en gros blocs irréguliers. De la poussière tourbillonna dans l'air renfermé, provoquant des quintes de toux et des salves de crachats. Quelques minutes plus tard, une entrée pareille à celle d'une caverne béait devant les orcs.

Stryke fit allumer d'autres lanternes, plus quelques torches pour la bonne mesure.

—C'est un vrai labyrinthe là-dedans, prévint Chillder en saisissant l'une des torches. Il vaut mieux que je passe la première.

Ils pénétrèrent dans un tunnel si bas de plafond que seuls les nains ne furent pas obligés de se plier en deux. Le passage montait selon une pente assez abrupte, et sa pierre était si lisse que les bottes des intrus avaient du mal à trouver prise dessus.

Enfin, ils atteignirent un endroit où le sol redevenait plat. Face à eux se découpait l'entrée de deux autres tunnels. Chillder s'engagea dans celui de droite. Il était plus haut que le précédent, mais aussi plus étroit, ce qui rendait sa traversée oppressante. Cinquante mètres plus loin, les orcs débouchèrent sur une caverne circulaire, au fond de laquelle se dressait un escalier taillé à même la pierre. Ils commencèrent à grimper.

Les marches étaient au nombre d'une centaine ; elles les conduisirent jusqu'à un nouveau tunnel. Le long de celui-ci s'ouvrait une bonne dizaine d'autres passages. Sans hésiter, Chillder se dirigea vers l'un d'eux et s'y enfonça.

Le passage était court. Les orcs ressortirent dans une galerie haute et étroite, bordée des deux côtés par des étagères qui montaient jusqu'au plafond. Des crânes et autres ossements se pressaient là – humérus, fémurs, tibias et côtes, si bien empilés qu'ils formaient des murs d'un blanc jaunâtre quasi impénétrables. Tous les quelques mètres, un squelette entier et debout semblait monter la garde.

Si un archer avait décoché une flèche depuis l'entrée de la galerie, son projectile serait sans doute tombé avant d'atteindre l'autre extrémité. Les ossements – qui, à n'en pas douter, avaient appartenu à des orcs – se comptaient par dizaines, voire par centaines de milliers.

— Bienvenue dans les catacombes d'Acurial, lança Chillder sur un ton respectueux.

— Cet endroit existe depuis combien de temps ? demanda Coilla en regardant autour d'elle.

— Il est très vieux, répondit Chillder. Probablement plus encore que nous l'imaginons. Jadis, quand leur fin venait, tous les orcs étaient placés dans des galeries semblables. Nos ancêtres dorment ici depuis des siècles et des siècles.

— Les humains ne sont pas au courant ? interrogea Jup.

— La plupart des nôtres l'ignorent eux-mêmes. Encore un fragment perdu de notre héritage… La Résistance l'a découvert par pur hasard en cherchant un moyen d'accéder à la forteresse.

— Il faut continuer, s'impatienta Stryke.

Ils longèrent la galerie. Le bruit de leurs pas se répercutait de manière étrange, et les orbites vides des morts semblaient suivre leur progression.

Au-delà de la galerie s'étendait un autre dédale de tunnels. Chillder s'engagea dans le premier en comptant ses pas à voix basse. Le plafond était si bas qu'elle aurait facilement pu le toucher en levant le bras. Soudain, elle s'arrêta, le nez en l'air.

— C'est ici, déclara-t-elle.

Les torches des orcs révélèrent une croix blanche peinte sur le plafond.

— On en est où, Spurral ? voulut savoir Stryke.

— Sept cent onze, sept cent douze, sept cent treize…

— Au boulot.

Il appela les vétérans auxquels il avait fait apporter des pelles et des pioches.

— Attendez ! s'exclama Jup.

Pivotant, les autres virent qu'il se tenait les bras en l'air et les paumes pressées contre les murs.

— Qu'y a-t-il ? s'enquit Chillder.

— Pas ici. Ça ne va pas.

— De quoi parles-tu ?

Stryke s'approcha du nain.

— Qu'est-ce que tu sens, Jup ?

— Comment ça, qu'est-ce qu'il sent ? répéta Chillder, perplexe.

— Ce n'est pas un bon endroit pour sortir d'ici, tenta d'expliquer Jup. Il y a une forte concentration de… Je ne sais pas trop quoi. Mais ce n'est pas au-dessus de cette croix que nous voulons émerger. Il y a de l'activité là-haut. Une activité malveillante.

— Quelqu'un veut bien me dire ce qui se passe ? s'impatienta Chillder.

— Jup a un… (Stryke hésita.) Il est sensible à certaines choses. Tu es sûr de toi, Jup ?

— La perception à distance fonctionne bien ici. Elle m'envoie des images beaucoup plus claires qu'à… (le nain jeta un coup d'œil à Chillder)… que dans le Nord. Croyez-moi, ce n'est pas par ici qu'il faut passer. On peut avancer encore un peu ? Trouver un autre endroit ?

— Tu es dingue ou quoi ? fulmina Chillder.

Stryke la fixa avec détermination.

— Si Jup dit que c'est dangereux, mieux vaut l'écouter. Il ne se trompe jamais sur ce genre de chose.

— Si tu crois qu'on va changer notre plan à la dernière minute, juste parce qu'un…

— Huit cent soixante et onze, huit cent soixante-douze, lança Spurral en les foudroyant du regard.

— Fais-nous confiance, Chillder, insista Stryke. Ou écarte-toi de notre chemin. Mais décide-toi vite. Nous n'avons pas de temps à perdre.

— Par les dieux, vous êtes tous cinglés, jura Chillder. Nous avons choisi cet endroit avec soin. (Du pouce, elle désigna le plafond.) En sortant par ici, on se retrouverait derrière une dépendance, et on aurait très peu de risques de se faire repérer.

— Oui, mais ce n'est pas possible, s'entêta Stryke. Tu as un autre endroit à proposer ?

Chillder hésita une demi-seconde. Puis, voyant l'expression résolue de Stryke, elle poussa un soupir.

— Je dois être aussi folle que vous tous. (Pivotant, elle fit face à l'autre extrémité du tunnel.) Voyons voir…

— Dépêche-toi, la pressa Coilla.

— Laisse-moi réfléchir !

Chillder s'avança, le regard braqué vers le plafond comme si elle tentait de voir à travers la pierre ce qu'il y avait au-dessus. Les autres la suivirent en traînant les pieds. Elle s'arrêta, parut sur le point de dire quelque chose, mais se remit en marche.

Le tunnel se terminait en cul-de-sac. Les orcs en avaient presque atteint le bout quand Chillder s'arrêta de nouveau.

— Ici. Je crois.

— Jup ? appela Stryke.

Le nain posa sa main sur le plafond et ferma les yeux. Le temps parut se figer tel le flot d'une rivière prise dans la glace jusqu'à ce qu'il les rouvre et hoche la tête.

—Bougez-vous! aboya Stryke.

Les Renards se précipitèrent et attaquèrent le plafond avec leurs pioches.

—Neuf cent trente-quatre, récita Spurral. Neuf cent trente-cinq…

—… Neuf cent trente-six, chantonnait Wheam. Neuf cent trente-sept…

—Bien, approuva Brelan. (Il se tourna vers Haskeer et Dallog.) Préparez les chariots.

Les deux orcs s'éloignèrent pour transmettre l'ordre. Brelan reporta son attention sur Pepperdyne.

—Tu as les comptes bien en tête?

L'humain blond acquiesça.

—Et les archers?

—Ils attendent ton signal.

—Parfait. Va te mettre en position.

Pepperdyne s'éloigna.

—Wheam? appela Brelan.

—Neuf cent quarante-neuf, neuf cent cinquante…

Plusieurs dizaines d'orcs poussaient le premier chariot vers le sommet de la colline. D'autres préparaient les véhicules restants. Des deux côtés de la route se tapissaient des équipes d'archers de la Résistance qui fixaient Brelan.

Celui-ci leva la main, et le premier chariot s'arrêta juste avant la crête. Quatorze ou quinze orcs lourdement armés grimpèrent à bord.

Brelan consulta Wheam du regard.

—Neuf cent soixante-douze, neuf cent soixante-treize…

Plus bas dans la pente, derrière les deux autres chariots, Haskeer rassemblait les quarante ou cinquante guerriers qui avaient pour mission de fournir la force motrice initiale et, plus tard, de participer à l'assaut pédestre. Sa méthode consistait essentiellement à leur donner des coups dans le dos avec le plat de son épée et à marmonner des jurons entre ses dents.

—Wheam?

—Neuf cent quatre-vingt-neuf, neuf cent quatre-vingt-dix…

—Continue à voix haute.

—Neuf cent quatre-vingt-onze, neuf cent quatre-vingt-douze…

Brelan dégaina son épée et la brandit. Il sentait tous les regards braqués sur lui.

—Neuf cent quatre-vingt-quatorze, neuf cent quatre-vingt-quinze…

L'équipe chargée de pousser se positionna derrière le premier chariot. Les archers encochèrent leurs flèches.

—Neuf cent quatre-vingt-dix-sept, neuf cent quatre-vingt-dix-huit… (La tension éraillait la voix de Wheam.) Neuf cent quatre-vingt-dix-neuf, *mille*!

L'épée de Brelan s'abattit d'un geste décisif.

Les archers se levèrent d'un bond, visèrent et tirèrent. Une nuée de flèches fila vers les remparts du fort. Les sentinelles s'écroulèrent.

Les pousseurs s'arc-boutèrent. Dans une secousse, le chariot s'ébranla et franchit la crête de la colline. Une fois dans la pente, il se mit à rouler de lui-même. Comme il passait devant Brelan, celui-ci s'y accrocha et se hissa à bord. Le chariot prit de la vitesse, tressautant et cahotant sur la route truffée d'ornières tandis que Brelan et un de ses camarades résistants s'accrochaient au levier de guidage pour stabiliser sa trajectoire.

Les archers orcs continuèrent à décocher des salves de flèches. Ils parvinrent à éliminer la plupart des archers du fort. Puis la garnison riposta. Des flèches sifflèrent au-dessus et autour du chariot qui filait vers sa cible.

Wheam courut vers Pepperdyne, debout près du second chariot.

—Tu crois qu'ils vont réussir?

—Dans le cas contraire, il nous restera deux essais. Maintenant, va prendre ta place.

Wheam rejoignit Dallog près du dernier véhicule.

À présent, le chariot de Brelan roulait à la vitesse d'un cheval lancé au galop, et il continuait à accélérer. Ses passagers s'accrochaient de toutes leurs forces pour ne pas être éjectés à chaque secousse. Mais il se trouvait déjà à mi-chemin de sa destination et, jusque-là, il n'avait pas dévié de sa trajectoire. *Pourvu que ça dure*, espéra Brelan. Dans le cas contraire, il doutait fort que son camarade et lui puissent y remédier.

Au sommet de la colline, le second chariot se mit en place. Son équipage grimpa à bord. Pepperdyne et Bhose s'emparèrent du levier de guidage tandis que les pousseurs se positionnaient et attendaient le signal.

—Pas tout de suite! cria Pepperdyne.

Lorsque Brelan et ses camarades avaient entamé leur descente, la forteresse ressemblait à un jouet d'enfant au fond de la cuvette. À présent, elle emplissait leur champ de vision. Ils pouvaient distinguer la texture rugueuse de sa maçonnerie et le visage des défenseurs postés sur les remparts. Et plus la distance diminuait, plus le danger grandissait. Le chariot était désormais la cible principale des archers humains; une pluie de flèches s'abattait sans discontinuer sur les boucliers levés des orcs.

Le chariot sursauta en atteignant le plat de la route, mais il ne ralentit pas – ni ne s'écarta de sa trajectoire. Il fonça dans l'ombre de la forteresse, si vite que ses roues se brouillèrent. Les défenseurs projetèrent des lances et des pierres qui rebondirent sur les boucliers des orcs sans faire de dégâts.

Droit devant eux, les portes massives grandissaient à toute allure.

—Accrochez-vous! rugit Brelan.

Au-dessus de lui, Stryke ne voyait rien d'autre que l'azur du ciel.

Il se hissa jusqu'à l'ouverture et passa prudemment la tête dehors. Après un rapide coup d'œil à la ronde, il annonça à ses camarades restés en contrebas:

—La voie est libre, mais il va falloir faire vite. Suivez-moi.

Et il grimpa hors du trou.

Il se trouvait près du mur d'enceinte du fort, à la lisière du terrain de parade. De l'autre côté de la cour, il apercevait la porte d'entrée. Plusieurs bâtiments de pierre se dressaient à une courte distance. Il voyait des humains sur le chemin de ronde, mais apparemment, aucun d'eux ne l'avait repéré.

Ses camarades le rejoignirent un par un. Il les incita à se presser et les dirigea vers l'abri d'une des dépendances voisines.

Quand Chillder émergea à son tour, il la prit à part.

— Où serions-nous sortis si nous avions respecté le plan initial?

La femelle orc regarda autour d'elle pour s'orienter. Puis elle désigna une grande bâtisse distante d'une centaine de pas – une structure austère, aux fenêtres rares, qui aurait pu être un baraquement.

— De l'autre côté de ce truc.

Stryke lui fit suivre le même chemin que les autres. Il continua à surveiller l'endroit qu'elle lui avait indiqué jusqu'à ce que le dernier orc ait fait surface. Puis, plié en deux, il fonça vers ses camarades.

— Alors, on a évité quoi au juste? s'enquit Chillder sur un ton dubitatif.

— Aucune idée: le baraquement nous le cache, répliqua Stryke.

Des cris et un bruit de course les interrompirent. Ils pivotèrent. Des dizaines de soldats se ruaient vers la porte de la forteresse.

— Ils ont repéré Brelan, devina Stryke.

Coilla dégaina son épée.

— Dans ce cas, arrêtons-les.

— Ça ne me plaît pas d'avoir ça dans le dos, dit Stryke en désignant le baraquement.

— Alors, qu'est-ce qu'on fait?

— On se sépare. Tu prends les Belettes; Jup et moi, le reste du groupe.

Coilla sortit une pièce de sa poche et la lança.

— À toi l'honneur.

— Face.

Elle la rattrapa et la retourna sur le dos de sa main.

— Face, constata-t-elle. Tu choisis quoi?

— Tu t'occupes de la porte, décida Stryke.

Coilla fit signe à Spurral, à Chillder et aux autres femelles. Celles-ci sortirent des rangs et la suivirent.

Stryke, Jup et le reste des orcs s'élancèrent vers le baraquement.

Ils atteignirent le mur le plus proche et passèrent le coin pour diminuer leur chance d'être vus depuis la cour. Stryke s'émerveillait de ce qu'aucun défenseur perché sur les remparts ne les ait encore repérés. Mais les humains semblaient se concentrer sur ce qui se passait à l'extérieur du fort. Il demanda à deux de ses archers de garder un œil sur eux.

Faisant signe à leurs camarades de tenir leur position, Jup et lui rasèrent le mur jusqu'au coin suivant et jetèrent un coup d'œil de l'autre côté. Vingt ou trente pas plus loin, dans le large espace découvert qui séparait le baraquement du mur d'enceinte, un grand nombre de soldats disposés en cercle fixaient le sol en silence, l'épée à la main.

—Notre comité d'accueil, chuchota Stryke.

—Mais comment ont-ils su ? demanda Jup.

—Bonne question.

Tous deux battirent discrètement en retraite.

À voix basse et en s'aidant de grands gestes, Stryke expliqua la situation à leurs camarades. Puis il les sépara en deux groupes. Le premier, guidé par Jup, se dirigea vers un bout du baraquement. Stryke emmena l'autre vers l'extrémité opposée. Un orc solitaire resta au milieu pour attendre que tout le monde soit en position.

À son signal, les deux groupes jaillirent aux angles du bâtiment. Rugissant des cris de guerre, ils chargèrent les humains qui avaient voulu leur tendre une embuscade et leur tombèrent dessus à bras raccourcis.

Les Belettes se trouvaient déjà à mi-chemin de la porte quand elles furent repérées.

Des soldats se précipitèrent pour les arrêter. Des flèches s'abattirent sur elles depuis les remparts.

Coilla, Spurral et Chillder, qui couraient en tête, se jetèrent sauvagement sur les humains. Trente femelles hurlantes, pareilles à des harpies assoiffées de sang, attaquèrent les défenseurs en faisant de grands moulinets d'épée. Une dizaine d'escarmouches meurtrières s'engagèrent au milieu de la cour. D'autres soldats accoururent en renfort.

Soudain, il y eut un craquement monstrueux. La porte explosa vers l'intérieur, écrasant des défenseurs des deux côtés comme le chariot sans chevaux de Brelan passait au travers. L'étrange véhicule continua sur sa lancée, renversant les humains qui fuyaient, leur broyant les os et rebondissant sur leurs cadavres brisés.

Il traversa la cour en éparpillant les défenseurs devant lui. Au passage, il heurta et démolit le coin d'un entrepôt. Le choc le ralentit. Il finit par s'écraser contre une autre bâtisse plus solide, dans le flanc de laquelle son bélier se planta.

Sa cargaison d'orcs rugissants se déversa dans la cour et fonça vers la mêlée.

Alors, le chaos se répandit vraiment dans la forteresse.

Chapitre 27

— *Maintenant!* hurla Pepperdyne.

Bhose et lui agrippèrent le levier de guidage. Derrière eux, les orcs de l'équipe d'attaque s'accrochèrent comme ils purent. Les pousseurs firent basculer le chariot par-dessus la crête et dans la pente descendante.

Malgré la distance qui le séparait du fort, Pepperdyne voyait clairement la porte d'entrée défoncée et, sur les remparts, beaucoup plus de défenseurs qu'avant. Les archers orcs décochèrent une nouvelle volée de flèches, et les archers humains ripostèrent aussitôt.

— L'avantage de la surprise, c'est fini pour nous, commenta Pepperdyne, le vent agitant ses cheveux blonds. On risque d'avoir plus de mal à passer que Brelan.

Bhose acquiesça gravement.

Comme ils prenaient de la vitesse, Pepperdyne fixa la forteresse et ajouta :

— Je me demande où ils en sont là-dedans.

Stryke et son équipe avaient scellé l'espace situé derrière le baraquement, le transformant en piège à rats. Mais les rats ne s'étaient pas laissé faire, et la situation avait rapidement tourné au bain de sang.

Les humains étaient deux fois plus nombreux que leurs agresseurs. Outre l'effet de surprise dont ils avaient d'abord bénéficié, les orcs avaient l'avantage de leur férocité naturelle. Mais, faute de pouvoir s'enfuir, leurs adversaires se défendaient avec une brutalité égale.

Jup avait l'impression qu'une infinité de têtes à fracasser et de côtes à défoncer s'étendait devant lui. Maniant adroitement son bâton, il s'attela à la tâche sans rechigner. Le manque de place l'empêchait de déployer tout son arsenal offensif ; il compensa cette limitation – et sa petite taille – en utilisant une technique qui l'avait bien servi par le passé. Il se concentra sur les jambes de ses adversaires pour les faire tomber. Une fois que les humains étaient à terre, il pouvait facilement leur porter un coup de bâton fatal, ou les égorger avec le poignard attaché dans sa paume.

En combat rapproché, Stryke préférait utiliser la combinaison épée-couteau. Lorsqu'un soldat bâti comme une armoire à glace s'avança à sa rencontre, il lui planta son couteau dans la poitrine. Puis il s'en servit ainsi qu'un crochet pour le tirer en avant et l'empaler sur la lame de son épée. L'humain s'était à peine écroulé qu'un autre prit sa place. Stryke lui régla rapidement son compte, d'une profonde entaille à la gorge dont jaillit un flot écarlate.

Pour une fois qu'ils tenaient l'occasion de déverser toute leur haine sur l'occupant, les orcs d'Acurial n'étaient pas en reste. Ils récoltaient une belle moisson de chair découpée et de membres sectionnés. Le nombre des morts et des blessés grimpa très vite. Les soldats survivants reculèrent et, dos au mur, s'apprêtèrent à vendre chèrement leur peau. L'équipe de Stryke marcha sur eux.

Sur le terrain de parade, le combat était beaucoup plus dispersé. Brelan et ses camarades avaient abandonné leur chariot et rejoint les Belettes. La moitié d'entre eux étaient des archers ; ils échangèrent des volées de flèches avec les archers humains postés sur les remparts pendant que l'autre moitié fonçait dans la mêlée générale.

Coilla affrontait un jeune officier dont les talents d'escrimeur étaient bien supérieurs à ceux de tous les humains qu'elle avait rencontrés en Acurial jusque-là. C'était la dernière chose dont elle avait besoin, et elle se démenait pour conclure au plus vite. Mais son adversaire avait le don d'anticiper chacune de ses attaques.

Elle gaspilla de précieuses secondes à feinter, à pirouetter et à esquiver avant que son impatience se mue en fureur. Renonçant à toute prudence, elle enfonça les défenses de l'humain. Avant que celui-ci puisse relever sa garde, elle lui abattit le plat de sa lame sur l'avant-bras droit. Elle fut récompensée par un craquement très satisfaisant comme l'os se brisait sous l'impact.

Le jeune officier cria, et son arme s'échappa de ses doigts gourds. Coilla enchaîna en lui plantant son épée dans la poitrine. Certains de ses organes internes ayant été perforés, il s'écroula en crachant du sang.

La femelle orc se retrouva épaule contre épaule avec Brelan.

—Où est Stryke? cria ce dernier.

—Les humains comptaient nous tendre une embuscade. Il s'en occupe.

—Mais comment…?

—Plus tard, Brelan, plus tard!

Tous deux furent de nouveau aspirés par le tourbillon de la mêlée.

Quelques instants plus tard, Coilla remarqua que Brelan avait gravité jusqu'à Chillder, et que les jumeaux se battaient en harmonie.

Spurral avait dédaigné son bâton habituel au profit de deux longs couteaux. Elle possédait une autre arme, intangible celle-là : la stupéfaction qu'elle inspirait à ses adversaires. Les humains d'Acurial n'avaient jamais vu de nain, et encore moins de naine. Chaque fois que l'un d'eux hésitait, Spurral en profitait pour lui sauter dessus. Ils furent nombreux à payer leur incrédulité de leur vie.

Confrontée à deux soldats moins impressionnés que la moyenne, Spurral leur plongea adroitement – et simultanément – un couteau dans la poitrine. Puis elle bondit sur le côté pour éviter la charge d'un lancier, lui fit un croc-en-jambe au passage et lui planta ses deux lames dans le dos pendant qu'il s'étalait. Le soldat qui succéda à son camarade tituba en arrière, une main plaquée sur sa gorge entaillée.

Coilla apparut près de Spurral.

—On a oublié la porte!

De nouveau, les humains se massaient sur le seuil de la forteresse pour en barrer l'accès aux renforts orcs.

—Qu'est-ce qu'on fait? interrogea Spurral.

—Suis-moi!

Elles se frayèrent un chemin à travers la mêlée en ramassant autant de Belettes que possible. Suivies par une demi-douzaine de femelles orcs, elles se précipitèrent vers la porte. Leur mouvement déterminé attira l'attention des archers postés sur les remparts, qui se mirent à leur tirer dessus.

Les Belettes avaient à peine fait dix pas quand l'une d'elles reçut une flèche dans l'œil. Elle mourut avant même de toucher le sol.

—Et merde! jura Coilla.

—Là-bas! s'exclama Spurral.

De la pointe d'un de ses couteaux, elle désigna un groupe de soldats qui venait de jaillir d'un baraquement et fonçait vers elles pour les intercepter.

Les Belettes les attendirent de pied ferme. Avec la bataille qui faisait rage autour d'elles et la masse d'humains postés près de la porte, elles n'avaient pas tellement le choix.

Les humains arrivèrent au contact. Presque aussitôt, une deuxième Belette poussa un cri perçant. Une lance fichée dans la poitrine, elle fit quelques pas titubants avant de tomber à genoux et de basculer en avant, morte.

Peu de temps après, une de ses camarades fut assommée par un coup vicieux à la tête. Une autre se fit quasiment trancher le bras droit.

—Ça vire au vinaigre! hurla Spurral. On a besoin de renforts!

Il y eut un grand fracas à l'entrée de la forteresse. Des soldats humains tombèrent ainsi que des épis de maïs fauchés sous les roues du chariot de Pepperdyne. Les plus agiles plongèrent sur le côté tandis que le véhicule fonçait à travers la cour.

Arrivé au centre de celle-ci, Pepperdyne actionna le frein à main. Le chariot fit une embardée, exécuta un magnifique tête-à-queue et s'immobilisa dans une dernière secousse.

Ses passagers, hélas, n'étaient pas tous arrivés indemnes. L'un d'eux avait péri en route sous les flèches des défenseurs, et deux autres avaient été blessés. Ceux qui étaient encore valides sautèrent du véhicule et allèrent se joindre à la mêlée.

— On dirait qu'on les a, commenta Coilla.

Au sommet de la colline, les pousseurs lancèrent le troisième chariot.

Dallog partageait le levier de guidage avec un résistant maussade. Wheam se trouvait à l'arrière avec le reste de l'équipe d'attaque.

Pivotant vers leurs camarades, le caporal lança :

— Ça va secouer. Accrochez-vous bien.

Il s'adressait davantage à Wheam qu'aux combattants endurcis qui l'entouraient. Livide, le jeune orc déglutit et hocha faiblement la tête.

Haskeer et les autres pousseurs suivirent le chariot du regard pendant quelques secondes. Puis ils dévalèrent le flanc de la colline dans son sillage.

Occupés à se débarrasser des soldats en embuscade derrière le baraquement, Stryke et son groupe ne s'étaient guère préoccupés de ce qui se passait dans le reste du fort. Mais lorsqu'ils eurent sauvagement éliminé leurs derniers adversaires, Stryke dégagea son épée d'une poitrine humaine sans vie et annonça :

— Nous avons perdu assez de temps ici.

— Ouais, dépêchons-nous de retourner là où ça barde vraiment ! s'enthousiasma Jup.

Ils rebroussèrent chemin vers le terrain de parade.

La scène qui les accueillit confinait à l'anarchie pure. Il n'y avait pas de lignes de bataille définies, juste une masse grouillante de combattants orcs et humains.

— On va où, Stryke ? s'enquit Jup en balayant la cour du regard.

— On dirait que Coilla a besoin d'aide, fit remarquer Stryke en tendant un doigt dans la direction de la porte défoncée.

— Là-bas ou ailleurs, c'est pareil pour moi.

Adoptant une formation triangulaire, ils fendirent la mêlée en éliminant tous les humains qui avaient l'audace de s'approcher d'eux. Dès qu'ils eurent atteint Coilla et ses Belettes, ils se séparèrent pour mieux affronter l'ennemi éparpillé.

— Il était temps ! s'exclama Coilla.

— Excuse-nous, on était un peu occupés, dit Stryke en détournant violemment une lame adverse.

— Hé, regardez ! beugla Jup.

Par la brèche de l'entrée, ils virent le troisième chariot foncer vers le fort.

Ses passagers passaient un sale quart d'heure. Des flèches s'abattaient sur eux en continu. Parce que les archers orcs se trouvaient parmi le groupe qui courait derrière le chariot, bouclier au-dessus de la tête, personne ne ripostait.

Hormis leur casque et leur cotte de mailles, Dallog et son coconducteur n'avaient aucune protection. Cela fut fatal à l'un d'eux. Une flèche se planta dans le cou du résistant à la triste mine. Il s'écroula lourdement contre le levier de guidage, puis passa par-dessus bord. Le chariot partit brusquement vers la droite et quitta la route. Dallog luttait pour en reprendre le contrôle.

Un ou deux passagers réussirent à sauter à terre. Les autres s'accrochèrent en pinçant les lèvres et en serrant les fesses comme le véhicule prenait de la vitesse. Dallog tenta d'actionner le frein. Celui-ci se brisa et lui resta dans la main.

Cahotant dans l'herbe, le chariot continua à dévier vers la droite. Il longea le fort à un jet de lance de son mur d'enceinte, continuant à accélérer sous une pluie de flèches.

Dallog cria quelque chose, mais ses camarades ne l'entendirent pas. Wheam glapit.

Puis le sol se déroba sous les roues du chariot.

Une compagnie de soldats s'approcha furtivement des bâtisses en bois décrépites sises au pied de la falaise. Les humains forcèrent les portes et, armés de lanternes, s'engouffrèrent à l'intérieur pour commencer leurs recherches.

Au même moment, un chariot plein d'orcs rugissants dégringola dans le vide. Tel un énorme oiseau abattu par la fronde d'un géant, il traversa le toit d'un des bâtiments. Celui-ci s'écroula avec un grondement de tonnerre.

L'impact projeta des ondes de choc à travers les structures instables qui l'encadraient. Les murs déjà branlants cédèrent et s'écroulèrent. Les toits s'effondrèrent sur eux-mêmes. De la fumée et des flammes jaillirent des débris, embrasés par les lanternes et les torches des soldats ensevelis.

Malgré le tumulte de la bataille, les orcs qui se battaient dans le fort entendirent le fracas en contrebas.

— Saloperies d'archers! rugit Coilla.

Stryke acquiesça.

— C'est notre prochain objectif.

Les pousseurs menés par Haskeer franchirent la porte défoncée. Aussitôt, les archers parmi eux se mirent à échanger des flèches avec les humains postés sur les remparts. Les autres se jetèrent dans la mêlée.

Non loin d'eux, Stryke repéra Pepperdyne qui achevait un adversaire. Il laissa Coilla rassembler ses Belettes et se dirigea vers l'humain blond.

— Tu te sens d'attaque pour une petite mission? lui demanda-t-il.

— Quel genre?

— Nettoyer le chemin de ronde.

Pepperdyne leva les yeux vers les archers. Il semblait y en avoir au moins une trentaine.

— Je suis partant.

— On ne va pas être nombreux à monter là-haut.

— J'ai dit que j'étais partant.

— Très bien. (Stryke mit ses mains en porte-voix.) Haskeer! *Haskeer!*

Il parvint à attirer l'attention de son sergent et lui fit signe de les rejoindre.

En chemin, Haskeer éventra un défenseur pour ne pas perdre la main.

—Quoi?

—On va se faire les archers, annonça Stryke.

—Bonne idée.

—On ne peut pas y aller à plus de six – on a trop besoin de bras en bas. Chope trois des nôtres. Des Renards.

Haskeer fit le calcul et fronça les sourcils.

—Ça fait cinq, pas six.

Du menton, Stryke désigna Pepperdyne.

—Il nous accompagne.

Haskeer se rembrunit mais ne protesta pas.

—Et dis à nos archers de nous couvrir. Vas-y!

Le sergent replongea dans la mêlée.

—Comment on procède? interrogea Pepperdyne.

Stryke tendit un doigt vers un escalier de pierre qui escaladait la face intérieure du mur d'enceinte et grimpait jusqu'aux remparts.

—On passe par là.

—C'est un peu exposé, non?

—Tu vois un autre moyen?

Pepperdyne secoua la tête.

Haskeer ne tarda pas à revenir. Il ramenait Prooq, Zoda et Finje avec lui. Tous étaient couverts d'éclaboussures de sang.

—On est prêts? demanda Stryke.

—Les archers commenceront à tirer quand on atteindra l'escalier, répondit Haskeer.

—Génial. On y va.

Ils se dirigèrent vers le mur d'enceinte sans laisser un seul humain les arrêter. Cela les obligea à livrer quelques escarmouches en route, mais rien dont ils ne puissent se dépêtrer rapidement.

Deux archers étaient postés au bas des marches. À la vue d'un groupe composé de cinq orcs et d'un humain, ils hésitèrent – mais pas plus d'une fraction de seconde. Puis ils tirèrent. Stryke et son équipe se jetèrent à plat ventre, et les flèches passèrent au-dessus d'eux sans les toucher.

Haskeer fut le premier à se relever. Alors que les archers s'apprêtaient à encocher une deuxième flèche, il fonça vers eux en armant son bras et projeta sa hachette. Celle-ci atteignit l'un des deux hommes, qui s'effondra. L'autre visa Haskeer. Mais avant qu'il puisse tirer, une flèche enflammée fila au-dessus des orcs et se planta dans sa poitrine. Il s'écroula en hurlant, le pourpoint en feu.

— Bien joué, commenta Pepperdyne.

Lui et ses camarades encore à terre se relevèrent. Comme ils approchaient de l'escalier, les archers orcs qui les couvraient tirèrent une salve de projectiles à la tête goudronnée et enflammée. Un humain mort dégringola les marches, deux traits brûlants fichés dans le dos.

Stryke monta rapidement, son équipe sur les talons. Il avait presque atteint le chemin de ronde quand une sentinelle l'attaqua avec une épée large qu'elle fit mine de lui abattre sur le crâne. Il esquiva le coup et se jeta dans les jambes de son agresseur. Le ceinturant de ses bras, il le projeta par-dessus la rambarde. Le soldat dégringola dans le vide en hurlant.

Pepperdyne et les cinq orcs prirent pied sur les remparts. La plupart des archers humains se concentraient sur le combat qui se tenait dans la cour et ne leur prêtaient aucune attention. Mais quelques-uns des plus proches pivotèrent vers eux pour se défendre. N'ayant pas le temps de bander leur arc, ils dégainèrent leur épée. Une lutte brève et vicieuse mit un terme à leurs velléités de résistance.

Stryke savait que les archers humains les plus éloignés étaient aussi les plus dangereux. Contrairement à ceux que son équipe venait de tuer, ils disposaient du temps et de la distance nécessaire pour les abattre un par un.

— Il faut nous approcher d'eux, décida-t-il. Finje, Zoda, Prooq, prenez ces arcs et occupez-les.

Les Renards récupérèrent les armes de leurs victimes les plus récentes tandis que Stryke, Haskeer et Pepperdyne s'éloignaient.

À la vue de ce trio mal assorti, deux sentinelles chargèrent. Stryke et Pepperdyne engagèrent le combat avec elles. Haskeer, quant à lui, fonça tête baissée vers un soldat en train de bander son arc. Il le percuta de tout son poids, l'attrapa par le col de son pourpoint et entreprit de lui fracasser méthodiquement le crâne sur les remparts.

Après s'être débarrassés des sentinelles, Stryke et Pepperdyne le rejoignirent. Tous trois poursuivirent leur chemin.

Ils se dirigèrent vers un groupe de cinq archers. Deux d'entre eux leur tirèrent dessus. La première flèche les manqua de beaucoup ; la seconde siffla si près de l'oreille de Stryke qu'il sentit le déplacement d'air provoqué par son passage.

Avant que les humains puissent renouveler leur tentative, Pepperdyne, Stryke puis Haskeer se jetèrent sur eux. Un tourbillon sanglant de lames, de poings et de pieds laissa quatre archers affalés immobiles sur le chemin de ronde et un autre écrasé dans la cour du fort en contrebas.

Derrière eux, Prooq cria un avertissement. Stryke et les autres plongèrent. Une volée de flèches fila au-dessus de leurs têtes et faucha trois sentinelles qui approchaient au pas de course. Ils se relevèrent d'un bond et s'élancèrent de nouveau.

Ils n'eurent pas besoin de se fatiguer pour se débarrasser des humains suivants. Sous leur nez, deux archers humains succombèrent à des flèches enflammées décochées par leurs condisciples orcs.

Dix pas plus loin, une demi-douzaine de soldats firent masse pour les affronter. Haskeer dénuda la trachée-artère du premier qui eut la mauvaise idée de s'approcher de sa lame. Pepperdyne transperça la poitrine du second. Stryke embrocha sauvagement le troisième et éviscéra le quatrième dans la foulée. Pepperdyne éventra le cinquième pendant qu'Haskeer brisait le cou du sixième.

Le trio n'eut pas le temps de souffler – juste de laisser quelques empreintes sanglantes derrière lui avant d'affronter ses adversaires suivants. Ainsi les soldats se succédèrent-ils apparemment sans fin, tel du bétail humain se précipitant pour venir se faire trancher, découper et tailler en pièces.

Quand Stryke et les autres atteignirent enfin le bout du chemin de ronde, ils haletaient, et le sol était jonché de cadavres derrière eux.

Haskeer avait empoigné le dernier défenseur. Il souleva l'homme meurtri et hébété dans l'intention de le jeter par-dessus les remparts, côté falaise. Soudain, il se figea et, perdant tout intérêt pour sa victime, la laissa retomber négligemment sur le chemin de ronde.

—Que se passe-t-il là-dessous ?

Stryke s'approcha. Il vit les bâtiments démolis au pied de la falaise, les flammes qui léchaient leurs planches pourries et le nuage de fumée à leur aplomb. Mais ce qui retint son attention, ce furent les dizaines de soldats qui se massaient autour des ruines. Il ne mit pas longtemps à comprendre ce qu'ils faisaient là.

— Ils voulaient nous prendre à revers, marmonna-t-il.

— Regardez ça ! s'écria Pepperdyne.

Planté de l'autre côté du chemin de ronde, il observait la mêlée en contrebas.

Stryke et Haskeer le rejoignirent. Une grande quantité de soldats émergeait d'un dédale de dépendances et se précipitait vers la cour.

— Ils devaient les garder en réserve, réalisa Stryke.

— C'était un piège, gronda Haskeer.

— Il doit y en avoir une centaine, voire davantage, estima Pepperdyne. Stryke, on ne peut pas…

— Je sais. Venez !

Ils s'élancèrent le long du parapet, récupérèrent Prooq, Finje et Zoda et dévalèrent l'escalier.

En bas, la bataille faisait toujours rage. Stryke repéra Coilla et fonça vers elle.

— Les humains ! hurla-t-il. Il y a…

— On a vu !

Les premiers renforts se déversèrent dans la cour, forçant les orcs à reculer.

Brelan arriva, à bout de souffle.

— Regardez qui les accompagne ! haleta-t-il en désignant une silhouette qui marchait à grandes enjambées au milieu des soldats.

— Qui ? demanda Stryke.

— Kapple Hacher, leur commandant en chef en personne.

— Ce n'est pas un hasard, réalisa Haskeer. Nous avons été piégés.

— On ne peut pas gagner dans ces conditions, déclara Coilla.

— Non, acquiesça amèrement Stryke. Haskeer, sonne la retraite.

Le sergent saisit le cor passé à sa ceinture et le porta à ses lèvres.

Tandis qu'une note stridente résonnait à travers la forteresse, Stryke rugit :

—Renards, repli ! Repli !

Chapitre 28

La note aiguë et insistante poussée par Haskeer déclencha la retraite.

Partout à travers la cour du fort, les orcs rompirent le combat et se dirigèrent vers la porte. Ou, du moins, la plupart d'entre eux le firent. Quelques-uns ne purent échapper à des adversaires trop nombreux et à une mort imminente. D'autres gisaient, blessés, ou étaient sur le point de se faire capturer, et choisirent de retourner leur lame contre eux-mêmes plutôt que de tomber entre les mains de l'ennemi. Ceux qui parvinrent à se retirer furent poursuivis avec acharnement, et plusieurs escarmouches éclatèrent à l'arrière-garde.

Les Renards, les Belettes et les autres résistants se massèrent près de la porte, encourageant les lambins de la voix et tirant des flèches sur leurs assaillants humains.

—Ça ne serait pas un des Ceragans? s'exclama Coilla en désignant quelqu'un au milieu de la cohue.

Stryke acquiesça.

—C'est Ignar.

—Il a des ennuis, Stryke.

Le bleu avait presque réussi à s'extirper de la mêlée quand un groupe de soldats l'avait rattrapé. Il s'efforçait de les repousser, mais en vain.

—J'y vais, décida Stryke.

—Je t'accompagne, dit Coilla.

—Moi aussi, annonça Pepperdyne.

Stryke en tête, ils s'élancèrent vers Ignar.

En chemin, ils croisèrent la vague des poursuivants. Quatre soldats hurlants leur barrèrent la route. Stryke abattit leur chef d'un coup brutal. Coilla et Pepperdyne se débarrassèrent des autres tandis qu'il se remettait à courir.

Ignar affrontait deux humains. Il était en infériorité, non seulement numérique, mais aussi technique. Du sang coulait abondamment de plusieurs plaies, notamment d'une large entaille sur sa poitrine. C'était tout juste s'il parvenait à maintenir ses adversaires à distance.

Comme Stryke approchait de lui, il tomba à genoux. Un des soldats brandit son épée pour lui porter le coup de grâce.

Puis Stryke arriva au contact. D'un geste puissant, il trancha presque le bras droit de l'homme. Celui-ci hurla et tituba en arrière, un geyser écarlate se déversant de son épaule. Stryke pivota pour attendre son compagnon qui chargeait. Leurs épées s'entrechoquèrent, et ils s'acharnèrent furieusement l'un contre l'autre jusqu'à ce que le soldat reçoive trente centimètres d'acier dans le ventre.

Ignar s'était affaissé. Stryke s'accroupit près de lui et le trouva à peine conscient. Coilla et Pepperdyne le rejoignirent.

—C'est grave, diagnostiqua Coilla en examinant le blessé. Il a perdu beaucoup de sang.

—On va le sortir d'ici, dit Stryke.

Le portant et le traînant tout à la fois, Pepperdyne et lui entreprirent d'évacuer Ignar pendant que Coilla protégeait leurs arrières. Comme ils approchaient de la porte, les archers orcs les couvrirent d'un tir nourri.

Ils allongèrent Ignar sur le sol, et quelqu'un glissa un pourpoint roulé en boule sous sa tête. Le bleu semblait inconscient.

Stryke gifla ses joues blêmes.

—Ignar. *Ignar!*

Les yeux du jeune orc papillotèrent.

—Tiens, dit Coilla en tendant une gourde à Stryke.

—Avec une blessure pareille, il ne devrait pas boire, objecta Pepperdyne.

—Ça n'a plus d'importance maintenant, dit Stryke.

Et il humecta les lèvres d'Ignar.

Celui-ci tenta de parler. Stryke l'autorisa à boire une gorgée d'eau. Il toussa et marmonna quelque chose. Stryke se pencha vers lui pour mieux entendre.

—Je suis... désolé, chuchota Ignar.

—Inutile, répliqua Stryke. Tu t'es bien battu, et tu meurs en Renard.

Ignar réussit à sourire faiblement. Puis ses yeux se fermèrent pour la dernière fois.

—Et merde, jura Coilla.

—On ne tiendra pas beaucoup plus longtemps, fit remarquer Pepperdyne.

—On bouge, décida Stryke en se redressant.

—Certains de nos camarades sont encore là-dedans, protesta Brelan. On ne peut pas les laisser.

—On subit toujours des pertes, dit Stryke en jetant un coup d'œil au corps d'Ignar. Ça fait partie du prix à payer. Si on s'attarde, elles seront encore plus nombreuses.

—Voire totales, ajouta Coilla. (Elle désigna la masse d'humains qui avait envahi la cour et se regroupait pour un assaut meurtrier.) Il faut y aller. Maintenant.

Brelan acquiesça à contrecœur.

Stryke se tourna vers Coilla et Jup.

—Tout le monde connaît le point de rendez-vous. Nous n'attendrons ni les blessés ni les lambins. À partir de maintenant, c'est chacun pour soi. Faites passer.

Les deux officiers s'éloignèrent pour transmettre le message.

Stryke reporta son attention sur Pepperdyne.

—Prêt à battre en retraite fissa, humain ?

—À ton commandement.

Stryke fit signe à Haskeer, qui sonna un nouveau coup de cor. Les archers orcs intensifièrent leurs tirs.

La retraite commença.

Ils se déversèrent par la porte du fort et sur la route qui s'étendait au-delà. Abandonnant leur équipement superflu et même une partie de leurs armes, ils s'éloignèrent en allongeant la foulée. La queue de la colonne avait à peine franchi le seuil que les premiers poursuivants humains émergèrent derrière elle. Les flèches des archers orcs aidèrent à les ralentir.

— S'ils ont de la cavalerie, on est foutus, dit Coilla en se mettant à la hauteur de Jup.

— Toujours aussi optimiste, hein ? haleta le nain.

Nul soldat à cheval n'apparut. Mais d'autres fantassins sortirent du fort pour se joindre à la poursuite.

Les orcs franchirent une crête et dévalèrent la pente vers la plaine qui se déployait à son pied. Ils visaient un bosquet situé à une portée de flèche.

Pepperdyne, qui courait en tête de la colonne avec Stryke, jeta un coup d'œil par-dessus son épaule. Au sommet de la colline, il vit les humains se découper contre le ciel sans nuages.

— Il n'y a pas toute la garnison, commenta-t-il. Loin s'en faut.

— Tant mieux, se réjouit Stryke.

— Mais tant qu'à nous poursuivre, pourquoi ne le font-ils pas tous ? insista Pepperdyne.

Stryke haussa les épaules et accéléra.

Ils passèrent entre les arbres et ressortirent dans une série de pâturages, qu'ils traversèrent en piétinant les haies pour ne pas dévier de leur trajectoire.

Ils débouchèrent dans une vaste prairie au bout de laquelle se dressaient d'autres bosquets. Les humains étaient toujours sur leurs traces, mais ils avaient perdu un peu de terrain.

— Vous croyez qu'on va réussir à les semer ? demanda Jup.

— À ta place, je ne retiendrais pas mon souffle, répondit Coilla.

— Déjà qu'il ne m'en reste pas beaucoup… C'est encore loin ?

— Je pense qu'on approche. On ne devrait pas tarder à voir un bois. C'est juste après.

Ils durent traverser encore quelques champs avant de repérer la lisière des arbres. Piquant un sprint, ils l'atteignirent rapidement et s'enfoncèrent dans le sous-bois.

—Restez vigilants! conseilla Stryke. C'est un bon endroit où tendre une embuscade, et nous sommes déjà tombés dans suffisamment de pièges pour aujourd'hui.

—Je ne les vois plus du tout, rapporta Pepperdyne en balayant du regard les champs qui s'étendaient derrière eux. Peut-être qu'ils ont abandonné la poursuite.

—Ou qu'ils contournent le bois pour nous attendre de l'autre côté, répliqua Stryke. Allez, on ne mollit pas.

Les orcs se faufilaient à travers la végétation aussi discrètement que pouvait se déplacer une centaine de guerriers battant en retraite. Comme ils s'enfonçaient entre les arbres, la lumière marbrée du soleil céda la place à une pénombre fraîche sous la voûte feuillue. Le silence ambiant n'était troublé que par le bruit de leurs pas, étouffés par la mousse qui recouvrait le sol.

Au bout d'une dizaine de minutes de progression régulière, ils entendirent quelque chose d'autre. Stryke leur fit signe de s'arrêter et de tendre l'oreille. Mais ce n'était que le murmure du fleuve qui coulait non loin de là. Ils se remirent en marche.

Puis les arbres commencèrent à s'éclaircir et la lumière à s'intensifier. Le murmure se changea en grondement. Bientôt, les orcs arrivèrent en vue du cours d'eau. Pendant que les autres demeuraient en retrait, Stryke et Brelan s'avancèrent seuls jusqu'à la berge.

Le fleuve était large, parcouru par un courant rapide qui bouillonnait et projetait de l'écume blanche autour de rochers à demi submergés. Sur la rive d'en face, le bois se poursuivait, et au-delà, Stryke aperçut le sommet de collines verdoyantes.

Brelan porta ses mains en coupe à sa bouche et exécuta une imitation passable d'un chant d'oiseau. Plus loin sur la berge, cinq ou six résistants sortirent de leur cachette.

—Pas de questions, leur dit-il comme ils approchaient.

Ils se demandaient forcément si le raid s'était bien passé – mais son expression devait être une réponse suffisante.

—Nous n'avons pas de temps à perdre, ajouta Stryke.

Brelan hocha la tête.

—Emmenons les autres loin d'ici.

Stryke fit signe à leurs camarades restés tapis entre les arbres. Ceux-ci se répandirent sur la berge. Il les guida jusqu'à un endroit situé non loin du point de rendez-vous. Là, Renards et résistants entreprirent de déblayer la végétation utilisée pour camoufler une dizaine de radeaux.

C'était des embarcations simples mais robustes, composées de troncs d'arbres épais attachés à l'aide de cordes et rendues étanches avec de la poix. Chacun d'eux possédait un gouvernail rudimentaire et, sur trois côtés, la protection minimale d'une rambarde de corde à hauteur de taille.

Tandis que leurs camarades portaient les radeaux au bord de l'eau, Coilla rejoignit Stryke.

—Dommage que Dallog et Wheam ne soient pas là pour voir ça, soupira-t-elle.

—Ou Ignar, ou tous les autres braves guerriers qu'une trahison nous a enlevés aujourd'hui.

—Tu penses que nous avons été trahis?

—Ce n'est pas une coïncidence si les humains attendaient justement autour du point de sortie que nous avions prévu, affirma Stryke, l'air sombre.

—Ça signifie que quelqu'un dans la Résistance…

Coilla n'acheva pas sa phrase.

—Une mission de cette importance… (Stryke secoua la tête.) Trop de gens étaient au courant, j'imagine.

—Mais peu d'entre eux connaissaient tous les détails du plan, fit remarquer Coilla. L'existence des catacombes, notamment.

—Il y avait des soldats en bas.

—Quoi?

—Pendant que nous étions sur le chemin de ronde, j'ai aperçu des soldats au bas de la falaise, expliqua Stryke. Ils semblaient se diriger vers l'entrée des tunnels. C'est le chariot de Dallog et de Wheam qui les a empêchés de la trouver.

Coilla sourit.

—Donc, ils ont quand même servi à quelque chose. (Elle redevint grave.) Mais si les humains étaient au courant pour les catacombes, ça veut dire…

—Qu'il y a un espion haut placé dans la Résistance?
Peut-être.

—Si c'est le cas, on est dans la merde, Stryke.

—On ne peut rien y faire pour le moment. Il faut…

Un chœur d'exclamations résonna derrière eux. Une partie de leur groupe avait abandonné les radeaux et remontait la berge en direction de plusieurs silhouettes qui approchaient.

Jup s'élança, suivi par Spurral. Haskeer les dépassa en courant, une poignée de vétérans dans son sillage.

Stryke écarquilla les yeux.

—Qu'est-ce que…?

—Je n'y crois pas! s'écria Coilla. Viens!

Et elle se joignit à la ruée.

Stryke l'imita d'un pas d'abord hésitant. Mais dès qu'il put distinguer le visage des nouveaux venus, il allongea la foulée.

Une dizaine d'orcs meurtris et ensanglantés se dirigeaient vers eux. Plusieurs avaient besoin d'aide pour marcher. À leur tête se trouvaient Dallog et Wheam.

Pepperdyne les fixa, bouche bée.

—Comment diable…?

Dallog grimaça.

—Nous avons eu de la chance, c'est tout.

Coilla pressa le bras de Wheam.

—On vous croyait perdus.

—Nous aussi, répliqua le jeune orc d'une voix tremblante.

Jouant des coudes, Stryke se fraya un chemin jusqu'à eux.

—Je ne pensais pas vous revoir, caporal, lança-t-il sur un ton formel. Nous vous avions compté au nombre des pertes.

—Quand nous sommes tombés, le bois pourri des bicoques a absorbé une partie de l'impact, expliqua Dallog. La plupart d'entre nous s'en sont sortis avec des blessures légères.

—Il y avait des soldats en bas, intervint Wheam. Vous saviez qu'il y avait des soldats en…?

—Oui, nous le savions, coupa Stryke.

—Le moins qu'on puisse dire, c'est que ça leur a fait un choc, rapporta Dallog non sans une certaine satisfaction.

—Et que ça nous a sans doute sauvé la mise. Ils nous auraient tendu une embuscade si nous étions ressortis par les catacombes. Ou bien ils seraient montés jusqu'au fort pour nous prendre à revers.

—Mais s'ils étaient au courant pour les tunnels, ils sont peut-être au courant pour notre trajectoire de retraite.

—Raison de plus pour se tirer d'ici en vitesse, acquiesça Stryke.

Dallog scruta les orcs massés autour d'eux.

—Je ne vois pas Ignar.

—Il ne s'en est pas sorti, l'informa Stryke.

Le caporal se décomposa.

—Non?

—Non.

Wheam eut l'air choqué.

—Il est mort courageusement, ajouta Stryke.

—C'est déjà ça, murmura Dallog. Mais j'avais promis de garder un œil sur tous ces jeunes.

—Moi aussi, lui rappela Stryke.

Dallog hocha la tête. Il garda le silence une seconde, puis demanda :

—Mais l'opération a été un succès, pas vrai?

Personne ne répondit jusqu'à ce que Pepperdyne lâche enfin :

—Ça se discute.

—Ton équipe est en état de continuer, Dallog? s'enquit Stryke.

—Ça ira.

—Alors, on bouge.

Stryke et Brelan aboyèrent des ordres, et les orcs mirent les radeaux à l'eau. Chacun d'eux pouvait contenir une dizaine de passagers. Renards, Belettes et autres résistants s'y entassèrent au hasard. Stryke, Jup et Spurral se retrouvèrent à bord du même radeau tandis qu'Haskeer et Coilla prenaient place sur un deuxième, Brelan et Chillder sur un troisième, Pepperdyne, Dallog et Wheam sur un quatrième.

Au signal de Brelan, ils écartèrent leurs radeaux de la berge en poussant sur des pagaies rudimentaires. Le courant impétueux s'empara aussitôt des embarcations, qu'il attira vers son centre en les faisant danser comme des bouchons de liège. Il y eut une période de flottement durant laquelle les orcs durent se démener pour éviter les collisions. Puis un semblant d'ordre s'établit tandis que les radeaux prenaient de la vitesse.

Le terrain défilait à vive allure de chaque côté d'eux. Des arbres touffus, des pâturages à l'herbe grasse. Un petit lac entouré de collines. Des champs contenant des troupeaux de moutons et des bergers surpris. Au loin, des falaises céruléennes scintillaient dans la lumière du soleil.

Au détour d'une large courbe, le fleuve s'élargit, et son courant forcit encore. Les orcs secoués et ballottés en tous sens furent bientôt trempés de la tête aux pieds.

—Hé! cria Spurral.

—Quoi? rugit Stryke.

La naine tendit un doigt vers l'amont du fleuve.

—Là-bas!

Stryke plissa les yeux pour mieux voir. Au travers des gerbes d'écume, il distingua des taches blanches oblongues. Des voiles, réalisa-t-il. Elles appartenaient à une armada de bateaux qui venait d'émerger du virage à leur suite.

Comme leurs poursuivants se rapprochaient, les occupants des autres radeaux les aperçurent à leur tour.

Coilla se tourna vers Haskeer et dit:

—Maintenant, nous savons où ils étaient passés.

—Ces salauds connaissaient à l'avance chacun de nos mouvements.

—Il y a forcément un espion.

—Si jamais je lui mets la main dessus…, gronda Haskeer.

—On a des problèmes plus urgents à régler. Accroche-toi!

À bord de leur radeau, Dallog, Wheam et Pepperdyne comptaient les bateaux ennemis.

—Vingt et un, dit Dallog.

—Vingt-deux, corrigea Wheam. Vous en avez oublié un.

—Le nombre importe peu, coupa sèchement Pepperdyne. Ce qui importe, c'est de les semer!

—Ils se rapprochent, gémit Wheam.

Le radeau de Brelan et Chilller se trouvait à l'arrière de la flottille orc – assez près de leurs poursuivants pour qu'ils puissent identifier l'humain planté à la proue du vaisseau de tête.

— C'est bien lui, confirma Brelan, une main en visière. Kapple Hacher.

— Ce n'était pas un hasard s'il se trouvait au fort quand nous avons attaqué, conclut Chilller. Toute cette histoire pue, mon frère.

Pendant les deux ou trois kilomètres suivants, le fleuve enchaîna méandres et détours qui modérèrent la force de son courant. Le ralentissement des radeaux força les orcs à jouer de leurs pagaies tandis que les bateaux à voile de leurs poursuivants gagnaient du terrain. Même lorsque le fleuve recommença à couler en ligne droite et que les radeaux reprirent de la vitesse, l'écart entre les deux flottilles continua à diminuer jusqu'à ce qu'une portée de flèche à peine sépare l'arrière de la première et l'avant de la seconde.

Les archers humains décochèrent aussitôt une salve. Des projectiles filèrent au-dessus de la tête des orcs ou retombèrent dans l'eau derrière eux. Leurs propres archers ripostèrent, mais les radeaux étaient instables sous leurs pieds, et ils avaient du mal à viser.

L'échange se poursuivit néanmoins, et il ne tarda pas à faire des victimes. Un orc touché au flanc tomba à l'eau et fut perdu. Un autre s'écroula blessé dans les bras de ses camarades. Un humain mourut, une flèche plantée dans la poitrine. Un autre reçut un trait dans le bras et fut traîné à couvert.

Entre-temps, l'écart entre les deux flottilles s'était réduit à presque rien. Mais les radeaux bénéficiaient d'un petit avantage sur leurs poursuivants plus massifs : ils n'avaient pas de voiles à border, ce qui leur laissait une plus grande liberté de manœuvre. Cela leur permit de maintenir la plupart des bateaux ennemis à distance. Mais quelques-uns s'approchèrent suffisamment pour engager le combat. Des lances furent projetées ; des flèches, des couteaux et des billes de fronde s'écrasèrent contre les boucliers dressés des deux côtés.

La force et la rapidité du courant empêchaient les humains d'éperonner les orcs. Alors, ils tentèrent de se mettre à la hauteur des radeaux pour les aborder. D'autres s'efforcèrent de les dépasser dans l'espoir de leur barrer le chemin. Les orcs luttèrent pour les arrêter.

Ce jeu aquatique du chat et de la souris se poursuivit un moment le long du fleuve, tandis qu'embarcations orcs et humaines se bousculaient, tanguaient et se redressaient sous une pluie de projectiles.

Puis le courant forcit encore, et au loin, le fleuve parut disparaître dans un nuage bouillonnant. Un grondement sourd se fit entendre.

—C'est quoi, ce truc? s'exclama Jup.

—Ça doit être la chute, répondit Stryke.

—Alors, qu'est-ce qu'on fait? demanda Spurral, un peu inquiète.

—Brelan a tout calculé. J'espère qu'il ne s'est pas trompé. Accrochez-vous, ça va secouer.

Tous les barreurs des radeaux orcs étaient des résistants auxquels on avait expliqué ce qu'ils devraient faire et à quel moment. Au fil de la poursuite, ils se rapprochèrent de la rive gauche en guettant le signal convenu.

Le rugissement de l'eau s'amplifia, et le nuage d'écume grandit. À présent, plusieurs bateaux humains étaient à la même hauteur que les radeaux orcs.

Sur la berge, dangereusement près de la chute, se tenait un groupe d'arbres matures. Une lumière clignota dans la cime du plus haut. Le phénomène se répéta plusieurs fois, prouvant qu'il s'agissait d'un objet réfléchissant agité par un rebelle.

Les orcs agrippèrent la rambarde de corde en prévision de ce qui allait suivre. Tous ensemble, les radeaux virèrent brusquement vers la rive. Au même moment, des groupes d'archers dissimulés dans des buissons ou perchés dans les arbres se mirent à tirer sur les bateaux humains.

L'endroit était bien choisi. Il n'y avait pas de fond près de la berge, et la majorité des radeaux s'immobilisèrent d'eux-mêmes comme le dessous de leurs rondins raclait sur les cailloux. Leurs occupants sautèrent dans l'eau qui leur arrivait tout juste aux chevilles et gagnèrent la terre ferme en éclaboussant leur pantalon.

D'autres embarcations ne purent s'approcher suffisamment. Leurs passagers jetèrent des ancres de fer et de pierre par-dessus bord, puis se dirigèrent vers la rive en luttant contre l'eau qui leur montait jusqu'à la poitrine.

La soudaineté de la manœuvre désarçonna les humains, qui devaient pourtant se douter que les orcs n'avaient pas l'intention de descendre la chute. Certains d'entre eux tentèrent d'imiter le mouvement. Mais la coque de leurs embarcations était plus haute, et la quille plus enfoncée dans l'eau. Ils s'échouèrent sur les bas-fonds à une bonne distance de la berge.

Tandis que leurs occupants hésitaient à braver les flots impétueux pour continuer la poursuite, d'autres bateaux jetèrent l'ancre au milieu du fleuve. Cela ne leur servit pas à grand-chose. Le courant était si fort qu'au lieu de les immobiliser, les ancres furent entraînées le long du lit de cailloux par la masse des embarcations à la dérive. Certaines luttèrent pour se soustraire à l'attraction de la chute et faire demi-tour – cependant qu'une pluie de flèches continuait à s'abattre sur leurs passagers.

L'un des bateaux échappa au contrôle de son pilote et se mit à tournoyer lentement, tel un jouet en papier, comme le courant le poussait au-delà de l'embouteillage de vaisseaux, droit vers la chute. Des soldats sautèrent par-dessus le bastingage et découvrirent qu'ils ne pouvaient pas davantage se soustraire à l'emprise du fleuve que leur embarcation.

Bateau et humains changés en petits points noirs furent engloutis par l'énorme nuage d'écume. Le bâtiment, dont les orcs devinaient encore les contours depuis la berge, chavira. L'espace d'une seconde, il parut tenir en équilibre sur sa proue avant de plonger dans le vide et de disparaître.

Les derniers orcs atteignirent le rivage et s'enfoncèrent entre les arbres. Les humains qui avaient réussi à les suivre furent accueillis par une volée de flèches qui les empêcha de sortir de l'eau.

La Résistance avait préparé des chevaux, ainsi que deux chariots pour transporter l'équipement et les blessés. Les orcs montèrent rapidement en selle. Quelques minutes plus tard, ils avaient rejoint un sentier et se dirigeaient vers la lisière des bois.

Leur trajectoire leur fit escalader une crête parallèle au fleuve. De là, ils purent voir les bateaux échoués et les humains massés sur la berge en contrebas. Une silhouette reconnaissable entre toutes se tenait un peu à l'écart, les poings serrés. Kapple Hacher leva les yeux et vit les fuyards. Malgré la distance, les orcs perçurent sa rage impuissante. Ils talonnèrent leurs montures et poursuivirent leur chemin.

Un peu plus tard, après s'être suffisamment éloignés du fleuve, ils s'autorisèrent à ralentir.

Pepperdyne, qui chevauchait en tête de la colonne avec Stryke et Brelan, se posait une question.

— Au final, cette mission était-elle un échec ou une réussite ?

— Un peu des deux, répondit Stryke.

— C'est une vision optimiste des choses.

— Nous avons causé des dégâts. Et par chance pour nous, le piège des humains n'a pas fonctionné comme prévu.

— Tout de même, je me demande si ça valait la vie d'une quarantaine des nôtres, soupira Brelan.

— Et maintenant, on a un traître sur les bras, ajouta Pepperdyne.

— Ça, tu n'en sais rien, répliqua Brelan, irrité. Ça aurait très bien pu être une coïncidence.

— Oh, pitié !

— Hacher était peut-être là pour une inspection, et…

— … et le hasard a voulu que les soldats trouvent justement l'entrée des catacombes quelques minutes après que nous l'avons empruntée ? Tu plaisantes, j'espère ?

— Regarde la vérité en face, Brelan. Selon toute probabilité, quelqu'un a vendu la mèche aux humains, acquiesça Stryke.

— Les membres de la Résistance sont loyaux, s'indigna Brelan. Tu ne trouveras pas de traître dans nos rangs.

— Je n'ai pas dit qu'il y en avait un.

— Alors, tu dis quoi au juste ? Parce que, s'il y a vraiment un espion parmi nous et que ce n'est pas un orc d'Acurial, ça ne laisse pas tellement d'autres possibilités, pas vrai ?

— Je suis aussi sûr de mes Renards que toi de tes camarades.

—Tu te portes garant d'eux tous ? (Brelan jeta un coup d'œil à Pepperdyne.) Même ceux qui ne sont pas de notre race ?

—Oui, répondit Stryke sans hésiter.

—J'espère que tu n'auras pas à le regretter. Sur ce, j'ai des choses à faire.

Brelan fit pivoter sa monture et gagna la queue de la colonne.

—Merci, dit Pepperdyne à Stryke.

—Je compte sur toi pour mériter ma confiance. Si je me trompe… je n'ai pas besoin de te faire un dessin.

Avant que l'humain puisse répliquer, Coilla les rejoignit au galop.

—C'est quoi le problème de Brelan ? lança-t-elle. Il m'a dépassée en trombe avec la tête de quelqu'un qui vient d'enterrer toute sa famille.

—Il n'est pas content de la façon dont les choses se sont déroulées, expliqua Stryke. C'est bien normal.

—Et l'idée qu'il y ait un traître parmi les siens le rend nerveux, ajouta Pepperdyne. Mais ça aussi, je suppose que c'est normal.

—Tu voulais quelque chose, Coilla ? s'enquit Stryke.

—J'ai fini d'examiner les blessés, comme tu me l'avais demandé. Deux d'entre eux risquent de perdre un membre. Les autres n'ont que des blessures mineures. L'un dans l'autre, on ne s'en tire pas si mal.

—En effet. Il faut que je te parle, Coilla. En privé.

Stryke jeta un regard entendu à Pepperdyne.

—Ne vous occupez pas de moi, dit l'humain.

Et il ralentit pour se laisser distancer.

Dès qu'il fut hors de portée d'ouïe, Stryke se tourna vers Coilla et demanda :

—Tu l'as ?

La femelle orc n'eut pas l'air de comprendre.

—Euh… J'ai quoi ?

—L'étoile, précisa Stryke comme si c'était évident.

—Oh, bien sûr que oui !

Coilla glissa une main dans son pourpoint et en tira l'instrumentalité – juste assez pour qu'il puisse la voir.

—Parfait. Continue à la protéger coûte que coûte.

—Tu sais bien que je le ferai. (Elle rangea l'étoile.) Tu es vraiment obsédé par ces trucs, Stryke. Détends-toi et fais-moi confiance.

Chapitre 29

La Résistance s'accorda une semaine pour se regrouper avant de reprendre son harcèlement systématique de l'occupant. De leur côté, les autorités humaines s'acharnèrent plus durement que jamais sur la population locale.

Sachant qu'il y avait sans doute un traître parmi eux et qu'ils risquaient d'être exposés à tout moment, les rebelles manifestaient la plus grande prudence. Stryke n'était pas le seul à penser que la plupart des soupçons se portaient sur les humains et les nains de son groupe. Peut-être à cause du pouvoir de perception à distance que Jup avait révélé à Chillder – même si les Renards avaient essayé de le faire passer pour une simple intuition.

L'unité s'employait à mettre la pression sur les humains. Les Belettes n'étaient pas en reste. Leurs efforts furent récompensés par les premiers signes de désobéissance civile. La révolution tant espérée par la Résistance devint plus qu'un simple espoir – une éventualité plausible.

Pour ajouter à la tension, et à supposer que la prophétie soit réelle, la comète Grilan-Zeat devait arriver incessamment.

Mais Stryke et son unité ne perdaient pas de vue leur mission initiale.

Même au sein des Renards, rares étaient ceux qui connaissaient le plan fomenté pour assassiner Jennesta. Stryke avait choisi d'intervenir avec une équipe réduite composée de lui-même, de Coilla et d'Haskeer, avec Eldo et Noskaa en renfort. C'était un nombre bien suffisant, car leur réussite dépendrait de leur discrétion plus que de leur force. Munis d'une carte sommaire fournie par des sympathisants qui travaillaient à la forteresse, ils se mirent en route par la première nuit assez nuageuse.

Comme beaucoup de vieux châteaux, celui de Taress était vaste et dénué de cohésion architecturale à cause de remodelages successifs et des ailes rajoutées au fil des siècles. Sa taille impliquait une grande quantité de murs à défendre et de portes à surveiller.

L'une de ses annexes, qui saillait de son flanc est et n'était pas englobée par la douve originelle, manquait particulièrement de protection. Elle abritait les cuisines et les réserves de nourriture, ainsi que les monticules de déchets alimentaires, de carcasses de bétail et autres détritus prêts pour l'enlèvement. C'était le domaine des serviteurs – un royaume que nul ne leur disputait.

Comme partout ailleurs dans le périmètre du château, il y avait des gardes, mais ils étaient peu nombreux et Stryke avait été informé de leurs habitudes. Des lames furtives eurent facilement raison d'eux, et leurs corps furent dissimulés dans les tas de fumier.

Stryke se dirigea vers une porte cochère à laquelle il toqua doucement. La réponse mit si longtemps à venir qu'il était sur le point de frapper de nouveau quand il entendit un bruit de verrous que l'on tire. Le battant s'entrebâilla, et des yeux détaillèrent anxieusement les intrus. Puis la porte s'ouvrit tout grand pour les laisser entrer.

L'orc qui se tenait devant eux avait le dos courbé par les ans. Il portait un tablier crasseux et couvert de taches de sang, dont la blancheur originelle n'était plus qu'un lointain souvenir.

— Tu sais ce qu'on attend de toi ? lui demanda Stryke.

— Pas grand-chose, répondit le vieil orc. Je dois juste vous faire entrer. Après, à vous de vous débrouiller seuls.

— Et toi ?

— Je disparaîtrai dès que je vous aurai conduits là où vous devez aller, et je ne serai pas le seul cette nuit. (Il fixa le groupe de ses yeux voilés par la cataracte.) J'ignore qui vous êtes, mais si vous venez pour nous débarrasser de cette… chienne des enfers, je prie pour que les dieux vous accompagnent.

— Tu parles de Jennesta ?

—Qui d'autre ?

—Je préférerais que tu ignores la raison de notre présence. Pour ta propre sécurité, expliqua Stryke.

Le vieil orc hocha la tête.

—J'espère que c'est elle. Cette salope ! Si je vous racontais à quel point elle est dépravée, vous ne me croiriez pas.

—Je pense que si, le détrompa Coilla.

—Le temps presse, rappela Stryke. On ne tardera pas à découvrir le corps des sentinelles, et…

—Suivez-moi, dit le vieil orc en prenant une lanterne allumée sur une étagère près de la porte.

Il les entraîna dans une suite de couloirs et de passages sinueux, leur fit monter quelques volées de marches et descendre plusieurs longs escaliers. Enfin, il s'arrêta devant une lourde porte, qu'il déverrouilla à l'aide d'une clé de cuivre. De l'autre côté, une dizaine de marches descendaient vers un boyau obscur.

—C'est l'un des tunnels que nous utilisons pour servir nos supérieurs, cracha le vieil orc, sans qu'ils doivent souffrir de poser les yeux sur nous.

—On passe beaucoup de temps sous terre ces jours-ci, fit remarquer Haskeer.

Le tunnel se révéla aussi mal éclairé qu'ils s'y attendaient. Ses murs ruisselants d'humidité leur rappelèrent qu'ils se trouvaient sous la douve.

Le vieil orc les guida jusqu'à une seconde porte.

—Au-delà, c'est le château proprement dit, expliqua-t-il. À partir de là, vous pouvez vous en remettre à votre carte. Prenez ça. (Il fourra la lanterne dans les mains d'Haskeer.) Mes yeux sont accoutumés à la pénombre. Maintenant, filez ! La porte n'est pas fermée à clé ; nous y avons veillé. Bonne chance à vous.

Il tourna les talons et s'éloigna dans l'obscurité.

Restés seuls, les Renards s'approchèrent prudemment de la porte. De l'autre côté de celle-ci s'étendait un corridor. Il n'était pas éclairé, mais les tapisseries accrochées aux murs et les lourdes consoles de bois indiquaient qu'ici s'achevait le monde des serviteurs et commençait celui des servis.

Tandis qu'Haskeer tenait la lampe, Stryke sortit la carte et la posa sur un guéridon en forme de demi-lune. Il l'avait étudiée jusqu'à en mémoriser la plus grande partie, et ce qu'il vit confirma ses souvenirs.

—On devrait être ici, dit-il en tapotant le parchemin d'un doigt. Notre proie se trouve plus haut – cinq étages au-dessus. Donc, on doit aller… par là.

Il indiqua la droite.

Le couloir était long et en coupait plusieurs autres. Mais les orcs le suivirent jusqu'au bout, où ils découvrirent un escalier de pierre en colimaçon.

—Lui aussi, il est réservé aux serviteurs, dit Stryke. Si nos informations sont exactes, personne ne l'utilisera ce soir.

—Et les gardes ? interrogea Coilla. Il doit bien y en avoir quelque part.

—Les endroits sous surveillance constante sont indiqués sur la carte : les quartiers privés du gouverneur, ce genre de choses. Pour les patrouilles, nous ne savons pas.

—Il est probable qu'elles soient aléatoires, non ?

—Oui. C'est pourquoi nous devons rester vigilants.

Ils commencèrent à monter.

Quelques dizaines de marches les conduisirent au premier palier. Deux portes fermées se dressaient face à eux. Ils les dépassèrent sur la pointe des pieds et poursuivirent leur ascension. Même chose à l'étage suivant : portes fermées, personne en vue.

Au troisième niveau, en revanche, l'escalier donnait directement sur un couloir dont le plancher disparaissait sous des tapis moelleux et dont les murs s'ornaient de superbes tableaux. Le quatrième niveau se présentait comme le troisième. Au cinquième, les orcs trouvèrent une porte qui ne ressemblait à aucune de celles croisées jusque-là. Son battant était sculpté et ouvragé – presque trop, même si la plupart de ses ornements antiques commençaient à s'estomper.

—Souvenez-vous, dit Stryke à son équipe, c'est la première à droite et la seconde à gauche. Noskaa, tu montes la garde ici. Si on ne revient pas très vite, tu fiches le camp.

Le vétéran hocha la tête.

—Maintenant, voyons si cette porte est ouverte.

Stryke tendit la main vers la poignée.

—Et si on rencontre de la magie? interrogea Coilla.

—On compte sur nos lames pour avoir le dessus.

Stryke tourna la poignée. Le battant s'ouvrit sur un couloir dont la moquette épaisse, la décoration exquise et l'éclairage éblouissant ne laissaient aucun doute sur le statut des occupants de cette partie du château.

—Tu n'auras plus besoin de ça, dit Stryke en désignant la lanterne d'Haskeer.

Le sergent l'abandonna volontiers sur un fauteuil rembourré.

Ils tournèrent à droite, puis prirent le second couloir sur la gauche.

—Eldo, tu restes ici, ordonna Stryke, consolidant leur retraite. Même chose que pour Noskaa: si on tarde trop à revenir, ou si tu penses qu'on est perdus, tu files. Dans le cas contraire, si quelqu'un s'approche trop, tu le butes.

—Compris, capitaine.

Stryke, Coilla et Haskeer pénétrèrent dans le couloir. Celui-ci était aussi luxueux que le précédent, mais aucune porte ne se découpait dans ses murs. Devant eux, à la distance à laquelle Haskeer pouvait projeter la jambe tranchée d'un ennemi, il tournait à angle droit vers la droite.

Quand les trois orcs atteignirent le coin, Stryke chuchota:

—Ils seront probablement deux. Il va falloir faire vite, et sans bruit.

Coilla acquiesça et tira un couteau de lancer de son fourreau d'avant-bras. Elle le passa à Stryke et en prit un autre qu'elle garda.

—Prête? s'enquit Stryke.

Coilla fit signe que oui.

—Maintenant.

Ils bondirent dans la seconde partie du couloir. Plus courte que la première, celle-ci conduisait jusqu'à une imposante double porte, devant laquelle se tenaient deux sentinelles.

Coilla, qui était la meilleure lanceuse des deux, fut la première à armer son bras et à abattre proprement l'un des gardes. Stryke atteignit également sa cible, mais sans la tuer. Sa lame se planta dans l'épaule de l'humain plutôt que dans son cœur. Coilla saisit rapidement un deuxième couteau, qu'elle projeta pour finir le travail.

—Merci, articula Stryke.

Haskeer les rejoignit, et ils se dirigèrent vers la porte. À mi-chemin, ils remarquèrent sur leur droite une ouverture qui se révéla être un couloir. L'entrée était de travers : le côté droit saillait davantage que le gauche, de sorte qu'il était impossible de la voir avant d'avoir pratiquement le nez dessus.

—Merde, siffla Coilla. Ce n'était pas sur la carte.

À cet instant, un bruit de pas étouffés leur parvint. Avant qu'ils puissent réagir, une patrouille sortit du passage dissimulé.

Les humains parurent aussi surpris de voir les orcs que ceux-ci de voir les humains. Mais il ne leur fallut pas longtemps pour se ressaisir. Ils chargèrent. Les trois Renards les attendirent de pied ferme.

—On se charge d'eux, cria Coilla à Stryke. Vas-y !

Stryke esquiva une lame qui menaçait de le tailler en deux et fonça vers la porte. Il se jeta sur elle de tout son poids, et les deux battants s'ouvrirent à la volée. Emporté par son élan, il faillit s'étaler sur le sol de la pièce qui s'étendait au-delà. Puis un mystérieux mécanisme referma les portes derrière lui. Il fit volte-face, saisit les poignées et tira, mais sans résultat.

La chambre de Jennesta était immense, luxueusement meublée et décorée. Elle semblait également vide. Le lit, assez grand pour accueillir toute une famille d'orcs, était drapé de soieries et parsemé de coussins à glands dorés mais, de toute évidence, personne n'y avait dormi.

Stryke allait se diriger vers l'une des deux portes qui donnaient sur le reste de la suite quand la plus proche s'ouvrit, livrant passage à Kapple Hacher.

—Je ne crois pas que nous nous connaissions, lança calmement l'humain.

—Je sais qui vous êtes, répliqua Stryke.

—Dans ce cas, tu dois également savoir que nul n'entre dans cette citadelle sans y avoir été invité. Pas s'il veut en ressortir vivant.

—Ce n'est pas après vous que j'en ai, et vous ne parviendrez pas à m'arrêter.

—Nous verrons.

—Vous êtes seul, n'est-ce pas ? Vous n'avez pas d'escorte pour vous aider ?

—Tu n'en vaux pas la peine. Et puis, je n'ai pas besoin d'aide pour éliminer une créature dans ton genre.

—Raciste.

—Je préfère «libérateur», si ça ne te fait rien. Nous avons envahi cette contrée pour vous empêcher d'utiliser des armes de destruction magique contre nous.

—Foutaises ! Les orcs n'ont pas de pouvoirs magiques. Où étaient censées se trouver ces fameuses armes ?

—Pour l'instant, nous ne les avons pas encore découvertes, mais…

—Un pur mensonge, coupa Stryke. Un prétexte pour envahir Acurial. Et qui diable pensiez-vous libérer ?

—Les nombreux orcs qui ne voulaient pas subir notre riposte au cas où leurs maîtres auraient utilisé leur magie secrète contre nous. En quelque sorte, nous avons été tacitement invités.

—Vous n'y croyez pas vous-même. Vous avez vu les orcs d'ici. Ils sont pacifiques. Jamais ils ne vous auraient menacés.

—Tous les représentants de ton espèce ne partagent pas les mêmes dispositions placides, à ce qu'on dirait. Viendrais-tu d'ailleurs ?

—Vous avez raison. La docilité n'est pas dans la nature des orcs. L'agressivité, si. Nous sommes de bien meilleurs guerriers que les humains.

Hacher éclata d'un rire méprisant.

—Pas d'après ce que j'ai vu jusqu'ici. Et quelques erreurs de la nature dans ton genre n'y changeront rien.

—Alors, pourquoi perdre du temps à discuter ? répliqua Stryke.

—En effet.

Hacher dégaina son épée. Stryke l'imita, et le combat s'engagea.

Pour l'humain, qui était assez vieux et assez gradé pour avoir étudié l'escrime classique, un affrontement à l'épée était un duel. Pour Stryke, c'était juste une baston.

La technique et le style contre la détermination et la force brute. Hacher attaquait de taille et de pointe ; Stryke moulinait et hachait. Hacher bloquait les passes adverses avec dextérité et enchaînait des bottes complexes ; Stryke écartait violemment l'épée de l'humain et ne cherchait qu'à lui transpercer les poumons.

Au final, la vigueur et l'endurance de l'orc triomphèrent. Enfonçant les élégantes défenses du général, Stryke plongea sa lame dans la brèche. La pointe de son épée s'enfonça entre le sternum et l'épaule d'Hacher. La blessure n'était pas profonde, mais elle suffit à déséquilibrer l'humain qui tomba en lâchant son arme.

Stryke s'approcha pour l'achever... et se figea.

Une présence venait d'envahir la pièce. Celle de quelqu'un qui n'avait pas besoin de parler pour mobiliser l'attention. Stryke se détourna d'Hacher.

Jennesta était tout de noir vêtue, essentiellement de cuir. Elle portait un collier hérissé de pointes étincelantes et un bracelet assorti à chacun de ses poignets.

Quelque chose d'innommable et de presque palpable émanait d'elle, une aura composée pour parts égales de séduction et de répulsion. Elle exsudait un pouvoir dans lequel il y avait très peu de lumière.

Malgré lui, Stryke se sentit impressionné. Au fond de lui pointait une émotion que peu d'orcs auraient admise : de la peur.

—Ça faisait longtemps, lança Jennesta sur un ton étonnamment calme.

—Oui, acquiesça Stryke d'un air presque penaud.

Face à elle, il lui semblait n'avoir pas plus de trois ou quatre ans.

—Tu devrais t'incliner devant moi. Après tout, techniquement, tu es toujours à mon service. Je ne t'ai jamais relevé de tes fonctions.

—Depuis que nous avons repris notre liberté, nous ne nous inclinons devant personne.

—Votre liberté n'est pas la seule chose que vous ayez prise, n'est-ce pas?

Stryke dut faire un effort conscient pour ne pas porter sa main à la sacoche dans laquelle il avait rangé les étoiles. Il ne répondit pas.

—Mais nous allons enfin pouvoir y remédier, poursuivit Jennesta. Nous allons…

Hacher poussa un grognement. Furieuse, elle pivota vers lui.

—Oh, sortez d'ici, espèce de bon à rien! Allez vous faire soigner. Encore que je me demande pourquoi je ne vous laisse pas vous vider de votre sang…

—Vous serez en sécurité seule avec lui?

—Ce n'est pas comme si vous pouviez me protéger dans le cas contraire! Je maîtrise la situation. Maintenant, fichez le camp!

Le général se redressa et se traîna jusqu'à la porte, une main plaquée sur sa blessure sanglante.

Après son départ, Jennesta reporta son attention sur Stryke.

—Où en étions-nous? Ah, oui, les instrumentalités. (La colère assombrit son visage.) Elles m'appartenaient de droit. Je les ai cherchées pendant des années, et vous avez encore rallongé mon attente. Or, tu me connais: je ne suis pas du genre patient.

—Les instrumentalités ne sont pas à prendre, l'informa Stryke.

—Oh que si! En plus, j'aurai la satisfaction de t'infliger une mort lente et douloureuse pour te punir de ton insolence, grimaça Jennesta.

—Dans ce cas, vous ne verrez pas d'objection à accorder une dernière faveur à un orc condamné. Comment vous êtes-vous échappée? Après que…

—Tu veux dire, après que mon père m'eut jetée dans le vortex pour que je me fasse tailler en pièces? Non, je ne te répondrai pas. Je n'accorde pas de faveurs. Tu mourras avec ta curiosité insatisfaite.

—Et j'aimerais vraiment savoir comment vous avez réussi à acquérir un statut aussi élevé au sein d'un empire humain, insista Stryke.

—Les humains, c'est de la vermine. Ils ne m'inspirent que du mépris. Je me sers d'eux, un point c'est tout. La façon dont je me suis élevée dans leur hiérarchie est une autre histoire dont je ne te régalerai pas. Je peux juste te dire que ce fut d'une facilité risible.

— Toujours aussi manipulatrice.

— Disons plutôt, réaliste. (Soudain, Jennesta se fit presque aimable.) C'est vraiment dommage que les choses aient tourné ainsi. Tu étais un bon esclave jadis. J'aurais pu t'accorder une position privilégiée. Et en y réfléchissant bien, nous avons un point commun, non?

Stryke se rembrunit.

— De quoi diable parlez-vous?

— Nous sommes des apatrides. Nous n'avons pas de foyer, pas de racines, pas de royaume. Mais toi, au moins, tu as les tiens, dit Jennesta sur un ton amer. Alors que les gens comme moi… Ça ne court pas les rues.

— Je veux bien vous croire. Où voulez-vous en venir, Jennesta? (Stryke sentit son estomac se tordre. Il avait osé l'appeler autrement que « Votre Majesté » !) Vous voulez me prendre à votre service?

— Grands dieux, non! se récria Jennesta. Je t'agitais juste ce qui aurait pu être sous le nez. Je ne donne jamais de seconde chance.

Stryke plongea sur elle en brandissant son épée. Jennesta esquissa un signe cabalistique, et il se figea. Il avait beau bander ses muscles, il ne pouvait pas bouger. Il se tenait telle une statue, la lame en avant, le corps prêt à frapper mais pétrifié.

Jennesta éclata de rire. Puis elle prononça quelques mots dans une mystérieuse langue gutturale. Trente secondes plus tard, deux de ses zombies entrèrent en traînant les pieds.

— Vous savez quoi faire, leur dit-elle sans même tourner la tête vers eux.

Ils se dirigèrent vers Stryke et commencèrent à le palper. Leurs doigts osseux s'enfoncèrent dans ses poches. Des mains jaunes et squelettiques fouillèrent ses sacoches de ceinture. D'aussi près, leur puanteur était suffocante. Mais Stryke avait beau lutter, il ne pouvait pas s'écarter d'eux.

Inévitablement, l'un des zombies découvrit les instrumentalités. Il retourna la bourse qui les contenait, et elles tombèrent sur le tapis.

Un feu sinistre éclaira le visage de Jennesta. La sorcière se précipita, bousculant le zombie au passage comme pour le punir de sa maladresse. Elle se jeta à genoux et ramassa les étoiles d'un geste respectueux. Si elle fut déçue de n'en trouver que quatre, elle n'en laissa rien paraître. Ce que l'esprit en ébullition de Stryke trouva étrange.

— Ces petites chéries vont me donner un pouvoir que tu ne peux même pas imaginer, fanfaronna-t-elle en agitant les étoiles sous le nez de Stryke. Je n'aurai pas seulement un, mais *des* royaumes. Je ne régnerai pas sur un monde, mais sur plusieurs. Et ça commencera par une armée orc aussi obéissante que ces deux-là. (Du menton, elle désigna ses zombies.) Dommage pour toi : tu ne seras pas là pour le voir.

Elle leva une main.

Au même moment, la double porte s'ouvrit à la volée. Haskeer fit irruption dans la pièce, portant sous le bras un banc de bois qu'il laissa négligemment tomber. Coilla était juste derrière lui, armée d'une dague et d'un couteau.

Leur brusque apparition désarçonna Jennesta. Involontairement, la sorcière tourna son attention vers les intrus… et l'emprise qu'elle exerçait sur Stryke se brisa. Libéré, l'orc poursuivit le mouvement qu'il avait amorcé et, parce qu'il n'y avait plus personne devant lui, il faillit s'étaler de tout son long. Mais il se ressaisit très vite et s'apprêta à frapper.

Coilla le prit de vitesse. Elle projeta son couteau vers Jennesta. L'arme atteignit la sorcière à la tempe, manche le premier. Jennesta poussa un cri de rage autant que de douleur. C'était peut-être la première fois de sa vie qu'elle recevait un coup physique. Un liquide qui ressemblait à du sang mais n'en avait pas la couleur coula le long de sa joue. Elle recula en criant quelque chose dans la langue secrète.

Les deux zombies s'animèrent aussitôt. Avec une rapidité surprenante, ils obéirent à leur maîtresse et attaquèrent. Haskeer se précipita à leur rencontre et plongea sa lame dans la poitrine du premier. La pointe ressortit dans le dos du zombie, provoquant une bouffée de poussière plutôt qu'un jet de sang.

Haskeer dégagea son arme. Le zombie toujours debout vacilla un instant. Puis il poursuivit son attaque comme si de rien n'était.

Haskeer fit une nouvelle tentative ; cette fois, il lui enfonça son épée dans le ventre. Ce fut à peine si le zombie ralentit.

—On ne peut pas les tuer ! rugit Haskeer.

—Tout dépend comment on s'y prend ! répliqua Coilla.

Se précipitant vers l'autre zombie, elle lui abattit sa lame sur l'épaule – si brutalement qu'elle lui trancha le bras. Mais même privé de son membre, le zombie continua à marcher sur elle.

—Tu veux les découper en morceaux ? lança Haskeer.

Il ne reçut pas de réponse.

Un brouhaha s'éleva de l'autre côté de la double porte. Des cris et un bruit de course. Ils se dirigeaient vers eux.

À en juger par son expression sournoise et les gestes qu'elle enchaînait rapidement, Jennesta s'était ressaisie – et du point de vue de Coilla, elle constituait une menace bien plus redoutable que les soldats humains.

La femelle orc vit un moyen de s'en tirer. C'était risqué, et ça avait autant de chance de les tuer que de les sortir de là. Mais il fallait bien tenter quelque chose. Saisissant Haskeer et Stryke par le bras, elle les tira vers elle.

—La fenêtre ! glapit-elle.

—Hein ? grogna Haskeer.

—La fenêtre ! répéta Coilla en désignant le panneau vitré qui montait du sol jusqu'au plafond à une extrémité de la chambre.

Haskeer comprit.

—D'accord !

Ils s'élancèrent au moment où les gardes se déversaient dans la pièce en hurlant.

Stryke était encore à moitié abruti ; il se laissait entraîner par Coilla plus qu'il ne courait par lui-même. La brume se dissipa instantanément de son esprit quand il vit la fenêtre se précipiter à sa rencontre.

—Jennesta a les…, parvint-il à crier.

Une cacophonie de verre brisé couvrit la fin de sa phrase.

Puis il n'y eut plus que du silence. Une sensation de chute. La vision des étoiles qui scintillaient entre les nuages, suivies par le sommet d'autres bâtiments et par l'étendue sombre du sol.

Ils plongèrent dans la douve tout près les uns des autres. L'impact les secoua sans les blesser, mais l'eau était suffisamment froide et sale pour qu'ils reprennent aussitôt leurs esprits. Ils nagèrent jusqu'au bord et se hissèrent maladroitement sur la terre ferme. Eldo et Noskaa les attendaient non loin de là. Tous les cinq se fondirent dans la nuit, laissant Jennesta s'amuser avec ses jouets.

—Je n'arrive pas à croire que tu l'aies laissée ici, grommela Stryke, toujours trempé, comme on les laissait entrer dans le quartier général de la Résistance.

—Et moi, je n'arrive pas à croire que tu aies emmené les tiennes dans la tanière du loup, répliqua sèchement Coilla.

—Je pensais que les garder sur moi c'était le meilleur moyen de les protéger. Je me suis trompé. Mais ça n'excuse pas le fait que tu aies mis la tienne en danger.

—Stryke, si je l'avais eue sur moi là-dedans, elle aurait pu s'emparer des cinq. J'ai pensé qu'il valait mieux la cacher.

—Sans rien me dire.

—Si je t'en avais parlé, tu te serais mis dans… le même état que maintenant. En principe, tu n'aurais jamais dû le savoir.

Comme ils pénétraient dans le refuge, ils entendirent de l'agitation. Des résistants couraient dans tous les sens, et une petite foule se massait dans une pièce.

—Oh, non, grogna Coilla.

—Quoi ? demanda Stryke sur un ton alarmé.

—Je n'en sais pas plus que toi. Mieux vaut aller voir.

La femelle orc se dirigea vers la cohue, Stryke sur ses talons.

Jouant des coudes pour se frayer un chemin parmi la foule compacte, ils trouvèrent Brelan, Chillder et Jup au centre de la pièce. Tous trois fixaient un petit coffre-fort qui gisait sur le sol, le couvercle arraché.

—Alors, comment ça s'est passé ? demanda Jup, plein d'espoir.

—Mal, admit Coilla.

Des grognements et des murmures compatissants montèrent de la foule.

—Que se passe-t-il ici ? interrogea Stryke.

—Quelque chose d'étrange et de perturbant, répondit Jup.

—Mais encore ?

—Apparemment, quelqu'un est entré par effraction et a forcé ce coffre.

—Entré par effraction ? Ici ? s'étonna Stryke. Malgré les sentinelles et la quantité d'occupants ?

—Il y a des signes. Une vitre brisée à l'arrière du bâtiment. Une serrure cassée. (Le nain désigna la porte de la pièce.) Ce qu'on tente de déterminer, c'est à qui appartient ce coffre.

—À moi, répondit Coilla, l'air sombre.

—Ne me dis pas que…, commença Stryke à voix basse, sur un ton suppliant.

La femelle orc se contenta de hocher la tête.

—A toi ? répéta Chillder.

—Je l'avais caché derrière cette brique descellée, là-bas, dit Coilla en indiquant un trou dans le mur et la brique posée au pied de celui-ci.

—Apparemment, quelqu'un l'a trouvé quand même, grimaça Brelan. Mais il ne semble pas avoir emporté quoi que ce soit d'autre. Il y avait quelque chose de précieux là-dedans ?

Coilla hésita avant de répondre :

—Non, juste des souvenirs. Rien qui ait beaucoup de valeur, mais j'y tenais.

—Pourquoi un cambrioleur aurait-il volé de simples souvenirs ? demanda Chillder en fixant Coilla.

—Plus important, ajouta Brelan, comment a-t-il fait ? Si quelqu'un a pu s'introduire dans notre quartier général aussi facilement, il faut renforcer la sécurité de toute urgence.

—Je ne suis pas certain que ceci soit l'œuvre d'une personne extérieure, intervint Stryke.

—Pardon ?

—Il y a une autre possibilité.

Le visage de Brelan s'assombrit.

—Ne recommence pas, Stryke. Je t'ai déjà dit que la loyauté de nos membres était…

—Je dis juste que c'est possible. Et que ça ne ferait pas de mal de fouiller tout le monde.

—Même si je ne trouvais pas l'idée insultante, ce serait impossible. Il y a eu beaucoup d'allées et venues aujourd'hui, et à la place du voleur, je ne me serais pas attardé. Fouiller nos gens pour retrouver des choses qui, selon Coilla, n'ont aucune valeur... (Brelan secoua la tête.) Tu n'es pas sérieux, Stryke. Sécuriser cet endroit est notre priorité. Si ça ne te fait rien, je préférerais que tu me racontes votre échec de ce soir.

—Il se peut que nous ayons encore été trahis, avança Stryke.

Brelan le fixa durement.

—Je vous laisse vous sécher, dit-il en sortant de la pièce.

Les spectateurs s'étaient tus et ils se tordaient le cou pour mieux voir. Stryke avait l'impression d'être dans un zoo. Il entraîna Jup, Coilla et Haskeer vers un endroit plus discret. Lorsque tous quatre furent assis autour d'une table dans le fond d'une pièce bruyante, près d'un feu pour sécher leurs vêtements mouillés, il apprit la nouvelle au nain.

—Misère! C'est un sale coup, commenta Jup à la fin de son récit.

—Tu dois me détester, Stryke, soupira Coilla.

Stryke secoua la tête.

—Non. Je t'ai confié une responsabilité, et tu as agi de ton mieux. C'est moi qui suis un idiot d'avoir livré les étoiles à Jennesta sur un plateau d'argent.

—Crois-tu qu'elle ait trouvé la dernière?

—Le contraire m'étonnerait beaucoup.

—Jennesta en possession des cinq instrumentalités, marmonna Jup. Je ne veux même pas y penser.

—Et nous coincés ici, ajouta Haskeer.

—Je me réjouis à l'idée d'annoncer ça aux autres, grimaça Coilla.

—Oh, non! gémit Haskeer. Est-ce que ça veut dire qu'on est coincés ici avec ces deux humains?

Sur un côté de la pièce, assis seul à une table, Standeven buvait quelque chose dans un gobelet tandis que des tas d'orcs s'affairaient autour de lui.

— Je vais reprendre les étoiles, jura Stryke, l'air sombre. Même si ça doit me tuer.

— Avec Jennesta, il y a de bonnes chances, fit remarquer Jup.

— Donc, on est baisés, résuma Haskeer.

— Oh, je n'en suis pas sûr, le détrompa Jup. Regarde la situation objectivement. Ce monde est plutôt du genre agréable – rien à voir avec Maras-Dantia. Je ne connais pas Ceragan, mais vous étiez vraiment mieux là-bas ?

— Il n'y avait pas d'humains, l'informa Coilla.

— L'occupation d'Acurial ne durera pas. Une révolution couve, et nous soufflons sur le feu qui l'alimente. En résumé, nous avons de bonnes perspectives de nous battre, de réparer l'injustice faite aux orcs de cette contrée et d'y mener une vie plaisante après coup. Ça pourrait être pire.

Coilla eut un mince sourire.

— Bien essayé. Mais je me demande comment Spurral et toi, vous vous sentiriez dans un monde uniquement peuplé d'orcs.

— Nous serions honorés par leur compagnie, répondit Jup.

Coilla leva son verre de vin pour le remercier du compliment.

— Peut-être que tu as raison et qu'on devrait tirer le meilleur parti de la situation.

— On récupérera les étoiles, insista Stryke. J'étais sincère en disant que…

— Chut !

Coilla porta un doigt à ses lèvres et désigna la porte du menton. Chillder fonçait vers eux.

— Elle est là ! se réjouit-elle. Grilan-Zeat. La comète ! Elle est arrivée ! Venez voir !

Ils se levèrent et lui emboîtèrent le pas. Tous les autres occupants de la pièce se dirigeaient déjà vers la porte.

À l'extérieur de la ferme se massait une foule grandissante de résistants silencieux, la tête renversée en arrière. Stryke et les autres suivirent leur regard. Dans le ciel, ils virent un point lumineux de la taille d'une pièce de monnaie. Son aspect était brumeux, presque liquide, mais elle ne ressemblait à aucun autre corps céleste, et elle semblait mue par un dessein précis.

—Merveilleux, n'est-ce pas? souffla Chillder. Maintenant, ma mère peut lancer son appel aux armes. Alors, nous verrons de quel bois sont faits les orcs d'Acurial.

Stryke craignait que ce soit en effet le cas.

—S'ils ont raison sur ce point, peut-être bien qu'on est des héros, lança Haskeer sur un ton plein d'espoir.

Dans la foule, Stryke repéra Wheam qui semblait littéralement hypnotisé. Dallog se tenait non loin de lui avec la plupart des recrues de Ceragan. Tous étaient fascinés par le mystère de la comète. Stryke savait que partout à travers Taress, les natifs verraient la même chose, et il se demandait quelle conclusion ils en tireraient.

—Elle va grossir, promit Chillder. Plus elle s'approchera, plus elle grandira.

Coilla s'était éloignée des autres. Elle trouva un muret de pierre sur lequel elle s'assit pour regarder le ciel. Elle s'en voulait de son imprudence, mais curieusement, ce n'était pas ce qui la préoccupait le plus. En observant la comète et en écoutant les conversations à voix basse des résistants, un tas de petits détails déstabilisants lui firent réaliser combien cette comète était différente. Elle se sentait lasse, vidée de toutes ses forces.

Jup l'avait repérée. Devinant qu'elle avait besoin qu'on lui remonte le moral, il abandonna Spurral et se dirigea vers elle. Il se hissa sur le muret à sa droite et, les pieds dans le vide, lui dit gentiment:

—Ce n'est pas la fin du monde, tu sais.

—Non, répliqua Coilla, mais on la voit presque d'ici.